FORÊT VIERGE

*José Maria Ferreira de Castro est né à
Salgueiros (Portugal) en 1898. La misère le
fait émigrer au Brésil à l'âge de 12 ans.
Dans des conditions inhumaines, il travaille
alors dans les plantations de caoutchouc de
l'Amazonie. Devenu journaliste, il rentre
dans son pays natal et publie ses premiers
romans : Emigrants et Forêt Vierge sont
tous deux inspirés par son expérience brésilienne.*

*C'est Blaise Cendrars, traduisant plusieurs
de ses œuvres, qui a révélé Castro aux lec-
teurs français.*

« ... Ces fleuves aux richesses légendaires
sur les rives perdues desquels des hommes,
isolés du monde civilisé, trimaient comme
des bagnards pour la conquête de cet or
maudit, l'or noir, la sève des caoutchoutiers... »

C'est la vie de ces esclaves qu'Alberto va
partager pendant une année, au milieu de
la folle mêlée des troncs, des lianes, des
herbes, dans la chaleur écrasante, envi-
ronné de serpents d'un nombre et d'une
variété infinis.

A cette existence désespérée, Alberto réus-
sira-t-il à échapper, avant d'être vaincu par
la maladie, vaincu par la solitude, par la
peur, vaincu par la forêt qui n'accepte pas
les blessures faites à son flanc par l'homme?

ŒUVRES DE FERREIRA DE CASTRO

Chez Bernard Grasset

FORÊT VIERGE

TERRE FROIDE

EMIGRANTS

LA MISSION

Aux éditions Pierre Horay

LES BREBIS DU SEIGNEUR

LE RENONCEMENT DE DON ALVARO

FERREIRA DE CASTRO

Forêt vierge

« A SELVA »

ROMAN TRADUIT DU PORTUGAIS
PAR BLAISE CENDRARS

BERNARD GRASSET

INTRODUCTION

C'est mon ami Paul Prado, l'éminent pauliste, l'auteur du *Ritrato do Brazil*, cette synthèse, unique en son genre, d'histoire et de psychologie, qui le premier m'a signalé *A Selva*, un documentaire extraordinairement vrai sur l'Amazonie, dû, non pas au cinéma, mais à la plume du grand romancier portugais Ferreira de Castro.

C'était je crois en 1930, et depuis mon premier séjour au Brésil, c'est-à-dire depuis une dizaine d'années déjà, j'envisageais avec Paul Prado, et d'autres amis brésiliens, la possibilité de traduire en français un livre brésilien sur l'Amazonie, sans arriver à faire mon choix dans tous les ouvrages que l'on me faisait lire.

Car si parmi les romanciers brésiliens contemporains qui connaissent bien l'Amazone et qui ont su évoquer les splendeurs ou les mystères de la forêt vierge, les auteurs du XIXe siècle ont avant tout brossé, à la manière de Alexander von Humboldt ou de Chateaubriand, des tableaux éblouissants ou grandioses de la nature du tropique, les auteurs du XXe siècle, apparemment plus réalistes, mais subissant l'influence de Pierre Benoit, ont porté tout le poids de leurs récits

sur les aventures véridiques ou imaginaires qui peuvent se produire en forêt, au milieu des peuplades
étranges, toutes plus ou moins légendaires, qui habitent
ce monde perdu, les uns et les autres me laissaient
sur une déception que rien ne venait combler, car
les uns et les autres semblaient ignorer ou passaient,
chose incroyable, sous silence la vie que l'on mène
aujourd'hui dans ces forêts inondées, à la brousse, à
la jungle inextricables.

Or, avec Ferreira de Castro je rencontrais enfin un
écrivain qui savait évoquer comme personne les
beautés et les horreurs de l'Amazonie, décrire la nature
du tropique, noter les bizarreries, les caprices, les
extravagances qui naissent sous ce climat d'eau et de
feu, mais encore, qui parlait aussi des hommes qui
habitent cette terre, qui vivent, qui luttent, qui souf-
frent dans les clairières de la forêt vierge, les sauvages, les primitifs, les autochtones, les natifs, les
caboclos, les paysans libres, les ouvriers agricoles,
les colons, les planteurs, les négociants, mais aussi les
transplantés et les émigrants — et, parmi ces derniers,
un civilisé comme Ferreira de Castro lui-même, qui
est allé en forêt, non pour écrire un livre ou par
curiosité, mais comme le plus humble des émigrants
portugais pour y gagner son pain et qui, des années
plus tard, s'est vu contraint d'écrire son fameux roman
sur l'Amazonie pour se libérer d'une hantise.

Moi, qui n'ai fait que passer en touriste dans ces
parages hallucinants [1], je puis certifier que la forêt
vierge, que le fleuve monstrueux sont là, peints de main
de maître dans les pages les plus prestigieuses de Fer-

1. Cf. Blaise Cendrars : *Histoires vraies : En Transatlantique
dans la forêt vierge;* 1 vol. chez Grasset, 1936.

reira de Castro, mais j'avoue que j'ai été plus particulièrement sensible à l'atmosphère humaine du livre et
à sa simplicité qui ne surenchérit jamais sur la grandeur et le pathétique du pays.

A mon avis, ce qui a fait surtout l'immense succès
de *A Selva,* traduit aujourd'hui en quatorze langues
— ma traduction française arrive en dernier — c'est sa
profonde humanité, sa véracité, les détails vécus qu'il
rapporte, ses observations, ses notations aiguës et
dépouillées sur la vie des pauvres *seringueiros,* une
absence totale de commentaires qui laisse agir le fait
directement sur le lecteur et une fidélité de paroles
si scrupuleuse dans les propos, que le moindre dialogue
entre ces gens de couleur simples et primitifs perdus
au fin fond des bois émeut, touche le cœur, est entendu.

A Selva est un des livres les plus difficiles qu'il
m'ait été donné à traduire et, moi-même, si je n'avais
souvent séjourné au Brésil, si je ne connaissais cette
terre et les gens de cette terre, leur poésie, leurs chansons, leurs danses, leurs traditions populaires et le travail intense — la monoculture et l'industrialisation —
qui enfièvre cet immense pays d'avenir, si je n'avais
flâné sur le port et dans les collines avec les Nègres et
les mulâtres de Rio-de-Janeiro, si je n'avais écouté des
nuits entières les récits que se font les chasseurs, les
éleveurs, les planteurs de l'intérieur et si je n'avais
assisté à des discussions traitant de tous les sujets entre
fazendeiros, banquiers, ingénieurs, politiciens, officiers,
avocats, législateurs qui sont responsables des destinées
du pays, si je n'aimais le Brésil et son peuple, jamais
je ne serais arrivé au bout de ma traduction. Et je ne
fais pas seulement allusion à des difficultés de voca-

bulaire qui, certes, dans *A Selva* fourmillent à toutes les pages.

En matière de traduction je suis disciple d'Ernest Hello qui, traduisant les *Visions* d'Angèle de Foligno, s'écrie : « *Et j'ai voulu traduire jusqu'aux larmes de la Bienheureuse!* » C'est dire que j'ai voulu échapper à l'emprise de la phrase portugaise, à la séduction du style de Ferreira de Castro — le portugais est la langue la plus voluptueuse, la plus chatoyante d'Europe et, comme il est de tradition dans son pays, Ferreira de Castro est un brillant, un ardent styliste, le danger eût été de vouloir l'imiter en français — c'est dire, donc — *traduttore, traditore* —, que si j'ai souvent l'air d'avoir trahi l'auteur, je n'ai jamais trahi l'âme de ses personnages, et d'autant moins qu'ils étaient plus humbles, et c'est surtout cela qui comptait dans ce roman, au cadre exotique, mais humain, trop humain.

BLAISE CENDRARS.

Les Aiguillettes
Forêt des Ardennes
    Eté 1938.

FERREIRA DE CASTRO est né le 24 mai 1898. En plus de « A SELVA », son chef-d'œuvre, il a publié une douzaine de romans, dont les plus célèbres sont « ETERNIDADE », « EMIGRANTES », « TERRA FRIA », « A EPOPEIA DO TRABALHO », « O EXITO FACIL », etc. Il est actuellement l'auteur le plus lu au Portugal, collabore régulièrement à des grands quotidiens brésiliens qui le chargent de reportages en Europe et il se prépare à aller faire le tour du monde.

B. C.

C'est à vous, mon cher JEAN COUDURES, qui avez traduit *A Selva* bien avant moi, dans un coup d'enthousiasme juvénile, alors que vous étiez étudiant et n'aviez pas la moindre idée de ce qu'est en réalité la forêt vierge, maintenant que vous êtes chef de chantier à N'Dog-Bésol, dans une clairière de la grande forêt tropicale du Cameroun, que je dédie ma traduction du chef-d'œuvre

de

FERREIRA DE CASTRO.

B. C.

« *L'Amazone est réellement la dernière page de la Genèse qu'il reste à écrire.* »

EUCLIDES DA CUNHA.

CHAPITRE PREMIER

A BÉLEM

Vêtu d'un blanc impeccable amidonné et bien
repassé, taillé dans le meilleur tissu anglais, le
chef coiffé d'un grand chapeau de paille qui l'om-
brageait jusqu'à la ceinture, svelte et sec, M. Balbino fit son entrée à *La Fleur des Amazones*, l'air
plus furibond que jamais.

Il n'avait pas eu de chance. Il s'était démené,
éreinté. Il avait battu tout l'intérieur du Céara,
par monts et par vaux, afin d'y recruter de la main-
d'œuvre pour l'exploitation du caoutchouc en
forêt. Mais les paysans du Céara, insouciants du
lendemain comme ils le sont, du moment qu'il n'y
avait pas de sécheresse en vue cette saison-là, préfé-
raient encore rester chez eux, dans leur pays de
malheur, plutôt que d'aller attraper les redoutables fièvres de l'Amazonie, et trois engagés — pas
moins — s'étaient enfuis. Dire qu'il s'était donné
tant de mal! Et quelle tête ferait Juca Tristão, qui
le tenait pour un as, quand il le verrait débarquer,

revenant du Céara, avec cette misérable bande de
travailleurs, amputée de trois hommes? Et Caétano, qui aurait bien voulu se payer aux frais de
la plantation cette tournée de recruteur sur la
côte et qui avait assisté, malade de jalousie, à son
départ, il se moquerait de lui au retour!... Trois
types de disparus, ha! ha! ha! deux contos,
4 000 balles de foutues à l'eau...

Balbino vit surgir dans la pénombre, au haut
de l'escalier, le ventre, puis le visage congestionné
de Macédo, le propriétaire de *La Fleur des Amazones*.

« Alors, monsieur Balbino?

— Rien.

— Vous avez vu le chef de la police?

— J'ai parlé au secrétaire.

— Et que vous a-t-il dit?

— Que c'est du banditisme organisé. Ah! où
est-il le bon temps du fouet et du cachot? Jadis,
toute cette racaille marchait droit. Aujourd'hui,
il n'y a même plus de prison pour dettes. Ils disent
qu'ils ne sont plus des esclaves. Mais alors, et les
autres, ceux qui perdent tout leur capital dans
l'affaire? On fait des dépenses, on paie le voyage
et la nourriture des hommes, on leur avance
même de l'argent pour assurer la matérielle à leurs
femmes et à leurs gosses durant leur absence, et
voilà le résultat : trois types qui fichent le camp!
Vous trouvez que c'est juste, monsieur Macédo,
vous trouvez que c'est juste, vous?

— Evidemment non. Mais vous n'avez aucune idée de l'endroit où ils ont pu se rendre?

— Pensez-vous! Est-ce que je sais, moi? Et la police, ah! parlons-en! Mais ce qui m'embête le plus c'est que ces culs-terreux m'ont pris pour un imbécile.

— Oh! ça arrive à des gens très bien, vous savez, et ce n'est pas la première fois...

— J'ai même avancé du pèze à ce salaud de mulâtre, à Chico de Baturité, pour qu'il puisse se nipper, et j'ai été le tirer de sa bauge car, ma parole, ces gens de couleur vivent comme des cochons. Et voilà ma récompense!... Heureusement que le *Justo Chermont* part demain, sinon, s'il tardait davantage, le restant de la bande serait bien capable, elle aussi, de filer en douce. »

Balbino allait accrocher son chapeau à un porte-manteau, mais il fit demi-tour, soucieux, mâchonnant son cigare :

« Et vous, monsieur Macédo..., oui, vous... vous ne pourriez pas me rendre un petit service?

— Mais certainement.

— Eh bien, vous devriez le leur dire... oh! sans avoir l'air d'insister... qu'ici, en ville, le plus malin n'arrivera pas à gagner sa croûte... C'est pour qu'il n'en file pas d'autres, vous comprenez?

— Entendu. J'y penserai. Au dîner, je le leur dirai.

— Merci. Il vaut mieux prévenir, qu'avoir à remédier.

— Evidemment.

— Alors, bon. Et maintenant, je vais prendre un bain. Ces types-là finiront par avoir ma peau. »

Et Balbino disparut dans le couloir sombre de l'auberge.

Le patron de *La Fleur des Amazones* s'en allait de son côté vers la cuisine surveiller les préparatifs du dîner des hommes de Balbino quand, tout à coup, il lui passa par l'esprit qu'il avait un neveu, que ce neveu ne fichait rien et ne gagnait pas un sou... Diantre! c'était peut-être une occasion qui se présentait?... Il s'arrêta, hésitant... Evidemment, ce n'était pas fameux car la cueillette du caoutchouc et les maladies ne vous laissent pas le loisir de faire des vieux os en forêt... Mais, nom de Dieu, si le petit ne trouve pas d'autre travail? On ne peut tout de même pas le nourrir toute sa vie durant!...

Macédo pensa à sa sœur, là-bas, à Lisbonne, qui adorait son fils unique, et cela troublait sa décision. Mais il réagit. Non, cela ne pouvait pas continuer. Il avait déjà fait beaucoup de sacrifices pour son neveu et de beaucoup plus riches que lui n'en auraient peut-être pas fait autant pour leur fils. A deux reprises il lui avait trouvé du travail, mais depuis que le petit était de nouveau sur le pavé, il l'avait à charge. Le loger, le nourrir, le blanchir... Est-ce que c'était sa faute si le caoutchouc se dévalorisait et si les négociants de Bélem congédiaient leurs employés?... Après tout, il n'en-

voyait pas son neveu à la mort! On en connaissait beaucoup dans les plantations qui jouissaient
d'une santé parfaite. Alberto était intelligent et,
s'il tenait le coup, ce serait peut-être une chance
pour lui...

Sa résolution bien arrêtée, Macédo s'engagea à
son tour dans le corridor de l'auberge. Son pas
était lourd et traînard. On pouvait le suivre dans
la pénombre du couloir à son crâne chauve et au
pantalon blanc qui étoffait son ventre énorme. Ce
gros paquet de chair casanière et suante s'arrêta
devant la porte de l'une des petites chambres donnant sur la cour intérieure.

Macédo fit jouer le loquet :

« Tu es là, Alberto?

— Oui.

— Tu dormais?

— Non. J'ai baissé la jalousie à cause de la
puanteur qui monte du dehors. »

Un corps s'agita qui sauta du lit. Des pieds nus
glissèrent dans l'obscurité. Le contrevent s'ouvrit
avec bruit et la grande lumière du tropique éclaira
la misérable chambre d'hôtel. Le lit de fer et le
traversin maculé laissaient soupçonner la présence de parasites cachés. Un jeune homme indolent, de haute taille, aux cheveux noirs, au visage
maigre, aux paupières lourdes se tenait debout
dans la pièce, le torse nu jusqu'à la ceinture, im-
pressionnant de maigreur. Il s'assit sur le rebord
du lit et enfila rapidement la veste de son pyjama.

« Excusez-moi, mon oncle.

— Ça ne fait rien. Ne te gêne pas.

— C'est qu'il fait une chaleur!... »

Macédo glissa ses gros doigts velus sous ses bretelles et, s'adossant à la croisée, il considéra son neveu avec beaucoup de bonasserie.

« Toujours rien?

— Non, rien de neuf. J'ai vu Agapito. Il m'a dit qu'il ne m'oubliait pas, qu'il allait voir, rien de plus.

— Naturellement! Des promesses, ce n'est pas ce qui nous manque. Il est vrai que ça va mal et que plus ça dure, plus on rencontre des gens sans emploi. Le pire, c'est que je ne vois pas quand cela va finir. En ville, le caoutchouc baisse chaque jour. Beaucoup de maisons vont sauter d'ici peu... Alors, j'ai pensé... Oh! tu sais, une simple supposition, car si cela ne te convenait pas... D'ailleurs, je ne sais pas si mon idée est bonne ou mauvaise... et, naturellement, je n'ai pris aucun engagement...

— Enfin, de quoi s'agit-il?

— J'avais pensé... Il y a ici un type de la plantation... Tu sais, Balbino, celui qui a toujours un cigare au bec. Il revient du Céara, où il a été racoler du personnel pour l'exploitation du rio Madeira. Or, hier soir, trois de ses hommes se sont enfuis. Alors, j'ai pensé... Oui, peut-être qu'en allant le trouver tu pourrais... »

De nouveau Macédo hésitait. Il s'arrêta pour voir la mine que faisait son neveu, étonné presque de ne pas avoir été déjà interrompu. Puis il continua :

« Ce serait, tout au moins, un emploi provisoire.

— Ah! vous voulez m'expédier au caoutchouc, mon oncle?

— Fais ce que tu veux, petit. Réfléchis. C'est tout simplement une idée que j'ai eue, rien de plus... »

Le jeune homme se mit à lisser avec la main, en silence, les plis de sa culotte de pyjama.

« Vous avez dit que c'était pour le rio Madeira?

— Oui. Et la plantation s'appelle *Le Paradis*.

— Le rio Madeira... le rio Madeira... N'est-ce pas là qu'il y a tant de mauvaises fièvres?

— Dans le rio Madeira?

— Oui, c'est bien ça. D'ailleurs, il y a beaucoup de fièvres partout, dans toutes les plantations! »

Visiblement contrarié par les paroles de son neveu, Macédo faisait bonne contenance et ravalait les jurons qui lui montaient aux lèvres.

« Remarque, Alberto, que tu es libre d'accepter ou de refuser, dit-il, nerveux. Fais ce que tu veux. A moi, ça m'est égal. Que nous soyons un ou deux à table!... Mais tu sais bien qu'ici il n'y a plus rien à faire. Voilà deux mois que tu es sans emploi et tu n'as même pas l'espoir de trouver du travail. Et qui sait où nous allons, si ce n'est pas au pire, et si, dans un an, tu ne seras pas encore en train de te tourner les pouces? C'est dans ton intérêt que je parle et non pas dans le mien. Pour les fièvres... je n'irai pas jusqu'à dire

que, là-haut, ça soit réellement le paradis, mais,
chaque jour, nous voyons descendre du Madeira,
du Purù et même de l'Acre des planteurs qui se
portent, Dieu merci, le mieux du monde. C'est
une question de veine, quoi!... »

Alberto leva les yeux et dévisagea son oncle. Il
avait compris. Cette conversation venait confirmer
l'opinion qu'il s'était faite de son oncle d'après
mille petits détails remarqués quotidiennement et
qui lui avaient déjà fait suspecter la nature de
l'hospitalité que Macédo lui offrait à la *Fleur des
Amazones*.

« C'est bien, mon oncle. Je partirai », dit-il avec
calme.

L'autre devina que ses intentions secrètes avaient
été percées à jour. Il tenta de se justifier :

« Non. N'y va pas à contrecœur. D'ailleurs, je
n'en ai pas encore parlé à l'homme en question.

— Vous pouvez lui en parler. J'irai. Ce n'est
pas à contrecœur. »

Ils se turent, gênés.

Quelqu'un jeta un seau d'eau dans la cour.

« Bon. Alors je vais m'aboucher avec Balbino,
puisque tu le désires.

— C'est ça. Faites-le. Parlez-lui. Mais... mais
quel serait le genre de mon travail, là-haut?

— Ça, je l'ignore. Peut-être saigner les arbres?
Non, sans doute, car ce serait trop pénible pour
toi. Mais dans toutes les exploitations en forêt il
y a un bureau, un magasin... On va voir... Je vais

m'en occuper... Mais ne te fais donc pas de bile car, dans ce pays-là, quand on a l'esprit ouvert et de la chance, on a vite fait fortune. A tout à l'heure, petit. »

Macédo sortit en fermant la porte avec précaution.

Une fois seul, Alberto alla à la toilette s'asperger le visage avec de l'eau froide. Il sentait une chaleur mauvaise, presque de la fièvre le gagner à la pensée de cette nouvelle existence qui allait commencer pour lui.

En vérité, ces fleuves aux richesses légendaires, sur les rives perdues desquels des hommes isolés du monde civilisé trimaient comme des bagnards pour la conquête de cet or maudit, l'or noir, la sève des caoutchoutiers, que l'on allait saigner au cœur de la forêt vierge, dans des clairières d'un éloignement, d'une solitude si prodigieux que les rares nouvelles du monde extérieur qui y parvenaient, y arrivaient avec un tel retard et par des voies si détournées que toutes paraissaient fantastiques et invraisemblables, épouvantaient Alberto.

Quand il avait débarqué à Bélem, arrivant du Portugal, le caoutchouc faisait encore prime et l'argent qu'on en pouvait tirer fascinait tout le monde. Mais depuis, la plupart de ses camarades, voyant que les salaires en ville étaient loin d'atteindre les chiffres mirifiques qu'on leur avait annoncés en Europe, avaient déserté magasins et comptoirs pour s'enfoncer à leur tour dans la brousse des Amazones, impatients de faire fortune ou pour le moins d'obtenir une meilleure rétribution de leur travail dans ces régions vierges. Lui aussi, à maintes reprises, il avait subi l'attirance de ces routes liquides qui divisent l'immensité de la forêt équatoriale, mais une peur instinctive, née de ce qu'il avait entendu raconter sur les fièvres malignes et sur la vie rude et précaire que l'on mène dans les camps et sur les grèves de ce monde perdu, l'avait à chaque coup retenu à Bélem.

Un véritable aimant liquide que ces rivières inconnues de l'Amazonie qui ont attiré tant de monde au fin fond du Brésil à l'époque du rush du caoutchouc! C'est des quatre coins de la planète que la nuée des aventuriers s'était abattue alors dans la bouche du fleuve géant, à la suite des innocentes populations du Nord-Est du Brésil qui émigraient, elles, dans le Haut-Amazone à cause de la sécheresse insolite qui ruinait le Céara et, dans la haute forêt, le caoutchouc sauvage, cette nouvelle richesse, étant à portée de la main, était une proie facile.

Mais seuls les plus crédules s'enfonçaient en forêt. Les malins, les combinards, les trafiquants se fixaient à Bélem et à Manaos pour faire de l'argent et tirer le plus grand profit possible des misères et des souffrances de ceux qui au péril de leur vie s'adonnaient à l'extraction de la gomme.

Le secret de la subite fortune de son oncle n'avait pas d'autre origine. Macédo avait déjà

acquis deux domaines au Portugal et, comme lui,
d'autres Portugais, tout aussi démunis de scrupules
et qui dans leur lointaine petite patrie ne possé-
daient même pas les quatre pieds carrés de terre
indispensables pour s'y faire inhumer, s'étaient
vus, ici, et du jour au lendemain, propriétaires de
riches maisons d'approvisionnement et à la tête
de flottilles de cabotage qui sillonnaient les innombrables affluents de l'Amazone. A ceux qui suaient
sang et eau dans la jungle sauvage ces rapaces vendaient cinquante ce qui valait dix et achetaient
dix ce qui valait cinquante. Et si, par hasard, un
de ces malheureux travailleurs, plus dégourdi que
les autres, réussissait à passer à travers les mailles
du filet que les trafiquants avaient tendu à l'embouchure de toutes les rivières, et descendait, heureux et content, le cours principal du fleuve pour
reprendre contact avec la civilisation et regagner
enfin son pays natal, le Céara tout proche, ou le
lointain Portugal, il tombait infailliblement entre
les pattes de ces maudits taverniers, flanqués de
leurs séides et de tout leur attirail de bar et de
café, qui, comme Macédo, ayant déjà su exploiter
l'homme à l'aller, le plumaient d'autant mieux au
retour. Ils le saturaient d'alcool, l'embobinaient,
lui refaisaient ses économies aux cartes, le dépouil-
laient de mille façons malhonnêtes ou, sans employer ruse, ni astuce, le volaient tout simplement,
et le pauvre *seringueiro*, qui s'était débattu dix
ans dans la brousse inextricable pour acquérir le

petit magot du retour, se retrouvait en un tour-
nemain sans un sou vaillant et sans même savoir
comment ce tour de passe-passe s'était effectué. Il
était pauvre comme auparavant, comme sa famille,
comme tous ceux de son village natal dont le souvenir et la hantise avaient été assez puissants pour
l'arracher à son exil au fond des bois, et force lui
était d'étouffer encore une fois sa nostalgie et de
faire taire l'amer regret du temps perdu, et de s'en
retourner à l'exploitation des caoutchoucs, encore
plus misérable que le premier jour, et de disparaître dans la terrible jungle, et de remonter le
fleuve, et de rentrer en enfer.

Sur les quais de Bélem et de Manaos il n'était
question que de ces drames anonymes et des gains
inouïs faits aux dépens de ces hommes obscurs,
prisonniers de la forêt vierge, cependant que les
bénéficiaires de ces louches combinaisons, ivres de
leur subite opulence, affectaient d'allumer leur cigare avec des billets de banque et gaspillaient leur
argent et se livraient à la débauche, en véritables
aventuriers sans foi ni loi qu'ils étaient. Ces requins ne s'associaient pas entre eux. Chacun, les
poches pleines, regagnait son port d'attache. Beaucoup rentraient isolément au Portugal, où leur fortune nouvellement acquise servait de stimulant à
de nouvelles et de plus hardies combinaisons. Les
bars et les cafés étaient les endroits de prédilection
où se tenaient ces détrousseurs, et les femmes qui
accouraient de tous les pays de la planète pour se

brûler les ailes dans les dancings illuminés, ache-
vaient de transformer Bélem et Manaos, les deux
capitales de l'Amazonie, en un Eden pour pègre
internationale.

Et ce nouvel Eldorado, subite réalisation de la
ville légendaire entrevue dans la forêt vierge par
Juan Martinez, se nourrissait du sang que les rudes
parias convertissaient en or au cœur de la forêt
mystérieuse.

Mais le jour vint où le trésor de l'*Hevea brasi-
liensis* fut volé par des mains britanniques et que
les richesses dues à sa sève opulente se répandirent
sur la terre de Ceylan. Le caoutchouc des Amazones, frappé à mort par cette désertion, cessa d'un
seul coup d'être une matière à spéculation sur
laquelle s'étaient échafaudées des fortunes vertigi-
neuses. Son cours tomba au plus bas, et du jour
au lendemain les espérances les plus audacieuses
furent par terre. Dans l'autre plateau de la balance ce n'était plus de l'or que l'on entassait
maintenant pour maintenir l'équilibre, mais de
l'argent sordide, péniblement escompté sur le gain
que l'on pensait tirer des uns, sur la portion de
pain que l'on croyait pouvoir rogner aux autres.
Il aurait fallu se réduire. Mais, en ville, personne
ne voulait se plier aux exigences de la crise, se
faire à la situation nouvelle. Le souvenir de l'âge
d'or était trop récent encore. La folie de l'or noir
aiguillonnait toujours les ambitieux. Ils avaient la
fièvre, le vertige. Leur désir de faire rapidement

fortune avant que la catastrophe ne fût définitive, leur faisait perdre la tête. Il fallait se hâter. Ils étouffaient leurs derniers scrupules. Tous les moyens étaient bons pour faire de l'argent. Il soufflait un vent de panique et dans cette pagaïe invraisemblable, dans cette débâcle, ne surnageait que le drame immense des tâcherons perdus dans la grande forêt tropicale, complice et muette.

L'épopée de cette tragique histoire qui lui avait été racontée par un désenchanté, retour de la forêt, qui était parti plein d'espoir quelques mois auparavant, alors que le Haut-Amazone n'était déjà qu'un mirage, sans aucune chance possible, et tout ce qu'Alberto avait recueilli d'observations personnelles dans l'auberge même de son oncle, tout cela avait écarté de son esprit toute envie de prendre, lui aussi, la route magique. Et voilà qu'il devait tout de même partir! Il sentait combien fausse et humiliante était sa position chez son oncle et son amour-propre lui faisait accepter sa nouvelle destinée sans trop de récriminations. Mais il en conservait un vague ressentiment. Au fond de lui il nourrissait une haine, due à l'exil où l'avaient envoyé les hommes de la République qu'il rendait responsables de ses malheurs, et il accusait de tout le régime contre lequel il avait lutté au Portugal, dans sa chère et lointaine patrie...

L'air commençait à lui manquer. Alberto avait la sensation d'être enfermé dans un four tellement la chaleur était étouffante, qui lui desséchait les lèvres et lui faisait bourdonner les oreilles. Il s'habilla en hâte, sortit dans le couloir et gagna la salle de l'hôtel, dont le papier peint était décoloré, le sofa défoncé, les chaises de paille trouées. Aux murs pendaient deux calendriers de la *Booth Line* représentant deux vapeurs navigant en forêt vierge. Un journal du matin traînait sur la table. Il le prit, mais sans arriver à s'intéresser à un article.

Il avait le cafard. Que faire? Sortir? Son esprit, devant l'imminence d'une vie vouée à la solitude dans la forêt, lui disait d'aller en ville, d'aller se perdre dans les rues tout à coup flamboyantes et toutes frémissantes de plaisir, de bruit. Mais à quoi bon? Le soir tombait rapidement. Le crépuscule était langoureux. Alberto se mit à la fenêtre, se disant que son oncle ne lui avait pas encore rapporté la décision de Balbino. Il l'attendrait.

Son œil embrassait le vaste panorama de la baie de Guajarà, limitée au fond par la ligne verte et onduleuse de la forêt vierge. Des *gaiolas*, les vapeurs fluviaux à deux étages de l'Amazone, accostaient, empanachées de fumée, achevant de brûler leur combustible, et, d'autres, baissant pavillon, annonçaient leur prochain départ de trois coups de sirène. Des vieux bateaux, dont le cœur poussif avait cessé de battre, perclus et démâtés ou veufs de leurs pimpantes voiles, servaient de pontons, arrimés à la berge. Leur aspect sinistre naissait en quelque sorte de leur fonction d'invalide : servir

de séjour provisoire à des passagers qu'emporte-
raient d'autres navires, alertes, ardents à la course
et tout flambant neufs dans leurs fraîches couleurs.

Les barcasses, accotées aux flancs des navires ou
à la traîne des remorqueurs, ressemblaient à des
gros insectes, dont la nonchalance tranchait avec
l'animation de la baie. Venant de Vale de Cãis,
où il avait été en carénage, ou de retour du Haut-
Amazone, quelque vapeur fluvial de couleur jaunâtre jetait l'ancre dans l'eau sale et tranquille.

Tout l'immense bassin de l'Amazone aboutissait
à ce port, qui s'ouvrait sur le restant du monde
et où, fréquemment, pénétraient les majestueux
transatlantiques de gros tonnage. Venus d'Europe,
ils remontaient jusqu'à Manaos, et certains, plus
hardis et se fiant à la profondeur du fleuve mystérieux, poussaient même jusqu'à Iquitos. Leur
coque de fer, leur sombre couleur et leurs lignes
dures contrastaient avec l'élégance native des
gaíolas, dont les deux ponts découverts n'avaient
pas un recoin démuni de clous pour y fixer un
hamac, propice à la rêverie, à la sieste et au far-
niente. Tandis que le jet de l'ancre des long-cour-
riers s'accompagnait d'un bruit brutal et impératif,
les agiles *gaíolas,* entraînées aux haltes fréquentes
et imprévues qu'exige le service de cabotage de
débarcadère en débarcadère et qui durant tout
leur long voyage sur les rivières de l'intérieur sont
esclaves des caprices de la sonde, mettaient beaucoup moins de sérieux dans cette manœuvre, et

leurs chaînes d'ancre fusaient comme un éclat de rire.

Dans l'incessant va-et-vient du port les *vigilengas*, ces barques légères qui déploient leurs voiles latines pour franchir la passe et qui, au retour, inclinées sur un bord, rapportent le produit de leur pêche à Bélem, zigzaguaient entre les vapeurs au mouillage, ajoutant à ce tableau une note romantique.

Du côté de la ville, l'ancrage était cantonné tout le long d'un immense quai en maçonnerie, émergeant de l'eau en pente douce et qui finissait par se niveler en une large avenue. Sur tout le front de mer cette avenue courait derrière une enfilade de grues tournantes et de grosses bittes d'amarrage. De l'autre côté de l'avenue, véritable forteresse masquant la ville, c'était un alignement de vastes entrepôts aux toits de tôle ondulée qu'animait le transfert incessant des marchandises dans un brouhaha continuel. Au milieu de la chaussée, sur des rails parallèles, circulaient des wagonnets dans les deux sens. Le regard quittait le port pour suivre une longue trouée grouillante de rumeurs et de véhicules : le boulevard de la République, que barrait, dans le fond, l'immeuble de la direction du port de Parà, un édifice de style nord-américain.

Le bruit d'un conciliabule animé, tenu devant la porte de l'hôtel, attira l'attention d'Alberto. C'étaient les hommes de Balbino, ses futurs com-

pagnons de voyage, qui rentraient dîner après avoir
fait un tour en ville. Ils s'exclamaient, encore sous
l'impression de la surprise dont avait été frappé
en ville leur esprit simple de paysans de l'intérieur
ou du *sertão*. C'étaient tous plus ou moins des
sang-mêlé. Certains étaient fort jeunes, d'autres,
entre trente-cinq et quarante ans, maximum d'âge
accordé aux racoleurs par les plantations qui ont
besoin d'une main-d'œuvre vive et agile. Ils étaient
vêtus de toile bise, à rayures, et l'étroit canotier de
paille à la mode citadine seyait mal à leur tête
habituée au grossier *carnauba* large et flexible des
planteurs.

Ils franchirent le seuil de la maison sans cesser
de bavarder avec véhémence et, peu après, Alberto
les entendit trébucher dans l'escalier. Oui, c'étaient
bien là ses futurs compagnons de route; d'ailleurs,
son oncle n'avait pas d'autres clients pour l'instant.
Mais par quel bateau partiraient-ils?...

Son regard fouillait la rade. Celui-ci?... Celui-là?...
Alberto se retournait pour consulter la liste des
départs dans le journal, quand son oncle Macédo
parut dans l'embrasure de la porte.

« Ça y est, fit-il, tout est réglé.

— Tout?...

— Oui. Le type t'emmène. Je viens de lui parler. Ça n'a pas été sans peine, crois-le, car il préfère
les paysans du Céara. Mais enfin, tout est réglé. »

Macédo ferma la porte et, baissant la voix, il
ajouta :

« Par exemple, il faut que tu paies les débours
d'un autre... d'un des hommes qui a filé...

— D'un des hommes qui a filé... pourquoi?

— Oui, c'est comme ça, pour permettre à Balbino de rentrer dans son argent. Ainsi, ce sera
comme s'il n'en avait perdu que deux.

— Mais, moi...

— Il vaut mieux, Alberto, que tu ne dises rien.
Quelques milreis de plus ou de moins!... Et puis,
le type a déclaré qu'il ne t'acceptait que si tu
payais pour un autre. M'est avis que ce n'est pas
juste. Mais, dame! mets-toi à sa place, Balbino
veut sauver sa mise.

— Et quel sera mon emploi, là-bas? »

Macédo était visiblement embarrassé.

« Tu vas... Je t'ai déjà dit que le type préfère
les Céaréens... Ça n'a pas marché comme sur des
roulettes, tu sais... J'ai demandé que tu partes à
titre d'employé. Il m'a répondu que pour l'instant
ce n'était pas possible, mais que plus tard on verrait bien... Enfin, qu'il lui fallait des *seringueiros*.

— En définitive, je vais extraire du caoutchouc?

— En attendant... jusqu'à ce qu'on trouve
mieux... Oh! je t'ai recommandé, crois-le! »

Et redoutant la révolte de son neveu, l'oncle in-
sinua :

« Mais ne t'en fais pas pour ça, mon petit. Une
fois sur place, ils verront vite à qui ils ont affaire
et je suis certain qu'on te trouvera tout de suite
un poste de confiance. Après tout, c'est ainsi qu'ont

débuté la plupart des propriétaires qui se sont fait
une situation ici. J'en ai connu plusieurs. Il s'agit
d'être débrouillard et d'avoir de la veine. Le diable
n'est pas si laid qu'on veut bien le peindre! Mais,
au fait, quel âge as-tu?

— Vingt-six ans.

— Vingt-six ans? C'est bien ça, c'est tout juste ce
que je lui ai répondu. Je n'en étais pas très sûr...
Vingt-six ans? mais c'est le bel âge, mon vieux. Un
brillant avenir s'ouvre devant toi... Vingt-six ans!
Vois-tu, c'est à cet âge-là qu'il faut venir dans ces
pays, quoi! quand on est jeune... »

Alberto, pensif, gardait le silence, les yeux fixés
sur le vieux sofa. Et tout à coup il demanda :

« A quand le départ?

— Demain soir, à bord du *Justo Chermont*. Tu
as quelque chose de particulier?

— Non, rien. »

CHAPITRE II

LA LENTE REMONTÉE DE L'AMAZONE

Quand le groupe arriva à l'embarcadère, la *gaiola*
n'en avait plus que pour quelques heures avant de
quitter le quai.

Alignés par leur chef face au bateau, les engagés
fouillaient le navire avec leurs yeux fureteurs
d'hommes de couleur émerveillés. Les deux ponts
étaient inondés de lumières et des projecteurs plongeaient au fond des cales. Les chariots allaient
quérir les marchandises destinées au *Justo Chermont* et les grues tournantes soulevaient la charge
en l'air avant de la déverser dans les fonds. La voix
des chefs d'équipe commandant à la manœuvre, suivie du bruit sourd et incohérent des chutes multi-
pliées, dominait le tumulte de l'embarquement. Et
tout le long du quai c'était le même vacarme, la
même agitation dans le fouillis des vapeurs amarrés,
violemment éclairés et tachés d'ombres mouvantes.
Mais avec ses deux cheminées, le *Justo Chermont*

dominait de haut les *vaticanos*, les antiques, les lourdes gabares, le nez enfoncé au ras de l'eau comme des cétacés.

C'était un fier navire, l'orgueil de l'*Amazon River C°*, qui était chaque fois un objet d'admiration pour les populations riveraines quand il passait majestueusement dans les grandes forêts de l'hinterland.

Le pont supérieur, réservé aux voyageurs des premières classes, était partagé en son milieu par une rangée de cabines de luxe. L'arrière était complètement dégagé, et ce devait être une volupté rare, un souvenir inoubliable que de dîner là, devant la longue table, aux serviettes éblouissantes, aux cristaux scintillants, et aussi de pouvoir accrocher son hamac dans cet espace en plein air et de se laisser aller au sommeil, bercé, éventé par la douce brise des belles nuits amazoniennes. Quelques-uns des privilégiés qui jouiraient de cette confortable installation durant l'interminable voyage en amont, des propriétaires de plantations, des fonctionnaires de l'Etat, des riches Boliviens retournant dans leur pays des Andes, entourés de malles et de valises aux prestigieuses étiquettes, étaient déjà montés à bord et péroraient, chapeau en tête, au milieu des leurs et des amis qui étaient venus les accompagner. Et ce groupe était des plus animés.

Balbino, qui avait fiévreusement rempli les formalités d'embarquement et qui craignait toujours l'évasion, à la dernière minute, de quelques-uns de ses hommes, surgit tout à coup et donna brusquement l'ordre de monter à bord, bousculant son monde, inquiet, comptant sa troupe des yeux pour voir s'il avait son compte, et ne respirant, soulagé, que lorsque le dernier eut franchi la planche branlante qui reliait le navire au quai et que les émigrants prenaient à la queue leu leu, se gaussant de ceux que cette planche glissante effrayait, qui la traversaient en courant, balançant les bras comme des danseurs de corde pour ne pas perdre l'équilibre, ou qui cherchaient un appui sur les épaules du camarade qui les précédait.

Les hommes allèrent se tasser devant une écoutille où plongeait un filin, mais l'engueulade d'un débardeur leur fit faire demi-tour et, après quelques hésitations, ils s'en vinrent rejoindre Alberto qui avait découvert un coin à bâbord, sur le pont inférieur.

Contrastant avec le pont dégagé des premières, le pont des troisièmes était encombré, sale, humide et glissant.

« Restez là! dit Balbino. Dès que le navire aura fini de charger vous pourrez accrocher vos hamacs. »

Et, allumant un cigare, il gagna le pont supérieur.

D'autres résiniers, à destination des exploitations de caoutchouc du Madeira, étaient déjà là. Quelques-uns amenaient femme et enfants avec eux. Haillons, misère physiologique, expression maladive

des petites gens habitués à souffrir et à ne pas se
nourrir à leur faim, ces pauvres cultivateurs noirs
qui émigraient en forêt présentaient toutes les caractéristiques et les tares de la promiscuité et d'un
genre de vie ambulatoire.

Une odeur d'étable émanait de ce groupe... et
Alberto, pas préparé du tout à ce genre de compagnons, commençait à avoir la nausée, quand Macédo
parut, fendant le groupe des pauvres avec son
énorme bedaine, scrutant à gauche, quêtant à
droite, cherchant autour de lui. Dès qu'il aperçut
son neveu, il s'avança vers Alberto d'un air décidé :

« Je n'ai pas pu venir plus tôt. Il a fallu que
j'épluche leurs notes. Et j'en suis de ma poche,
comme toujours, avec ces salauds... Oh! une vé-
tille... Ça ne vaut pas la peine d'en parler. Ne dé-
rangeons pas M. Balbino pour si peu. Mais cette
sacrée Marguerite ne sait pas compter, elle se
trompe toujours!... »

Et, remarquant l'entourage et l'ambiance :

« Vous êtes très mal logés, ici! »

Ses yeux furetaient aux alentours. Mais, comme
il n'y pouvait rien, Macédo changea de ton :

« C'est toujours comme ça, mon pauvre vieux.
Avant le départ, personne n'arrive à se caser. Je ne
manquerai pas d'aller voir Balbino pour qu'il te
fasse servir — s'il le peut — la nourriture des premières. Voyons, bon courage, petit! »

Comme Alberto restait impassible, il ajouta encore :

« Et combien en ai-je vu partir dans tes conditions!... Oui, un grand nombre... et revenir million-
naires! »

Alberto esquissa un sourire, mais ne répondit pas,
les yeux fixés sur l'escalier illuminé qui conduisait
aux premières.

Les manœuvres s'activaient. Marins et dockers
ahanants enfournaient sans relâche caisses, ballots,
barriques et barils dans les larges écoutilles grandes
ouvertes et qui n'en pouvaient plus. Alors, le maître d'équipage donna l'ordre d'amarrer les bon-
bonnes et les tonneaux, plus toutes les marchandises
fragiles, dans tous les coins et les recoins et d'uti-
liser le moindre espace disponible : l'intérieur des
canots de sauvetage, le compartiment des douches,
le vide sous les tables dans les offices, bref, le moindre pouce carré qui restait libre. Et, derechef, un
cortège serré de débardeurs gravit l'échelle, tourna
à droite, tourna à gauche, serpentant autour de ces
messieurs des premières dont l'espace réservé était
sacré, et vint déposer des charges encombrantes
partout où il y avait de la place sur le pont des
émigrants.

L'heure du départ approchait. Malgré le mutisme
gênant de son neveu, Macédo lui tendit les bras :

« Adieu et bonne chance!

— Merci.

— Au fait, as-tu écrit à ta mère, Alberto?

— Oui, aujourd'hui même.

— Bon. Alors, si tu as besoin de quoi que ce

soit, inutile de te dire que... un mot suffit, tu sais...
je suis là pour un coup. Enfin... baste! Je parie une
tournée que dans un an ou deux tu nous reviens
fortune faite... Allons, bon... Adieu.. adieu! »

Et l'oncle partit sur ces mots, jouant des coudes
dans la foule tassée des émigrants.

Alberto était tout étourdi et se sentait mal à
l'aise au milieu de ces inconnus qui l'entouraient.

Le sifflet d'un remorqueur déchira l'air. Des
mots, des phrases d'adieu retentissaient autour de
lui, cependant que les yeux d'Alberto enregis-
traient inconsciemment les marques, les lettres
peintes sur les caisses et les barils qu'engloutis-
saient encore et encore les flancs du navire.

Il arrivait toujours de nouveaux voyageurs. En
troisième, on s'empilait de plus en plus. Quand
un matelot voulait passer à travers les groupes,
il fonçait, marchait sur les pieds, et les hommes
du Céara ne réagissaient pas, craintifs, ahuris, osant
à peine bouger et terrifiés par l'immense trajet
qu'ils avaient déjà accompli de leur *sitio* rustique,
perdu dans les *campos* de l'intérieur, à Fortaleza,
sur la côte, et de Fortaleza au Parà.

Les caisses commençaient à déborder. Petit à
petit poulies et grues s'immobilisèrent. On ferma
les écoutilles. Deux appels de sirène, suivis du tin-
tement d'une cloche avisèrent les visiteurs d'avoir
à quitter le bord. Il y eut une ruée. Tout le bateau
était agité par l'émotion qui poigne les gens au
départ d'un navire.

La fermeture des écoutilles élargit l'espace dévolu aux émigrants et quelques engagés s'empressèrent de déployer leur hamac sur le pont.

La sirène lança un dernier appel. Suivirent trois coups de sifflet, des cris d'enfants qui venaient on ne sait d'où. On larguait les amarres.

« Rentrez la passerelle! » cria une voix qui venait de la proue du navire.

Sur le quai, une rangée de curieux agitaient des mouchoirs. Et le *Justo Chermont* s'ébranla, plein jusqu'à la gueule, entassant sur ses ponts une marchandise hétéroclite que ses flancs bourrés n'avaient pas pu avaler et une nouvelle cargaison humaine, de la main-d'œuvre pour les forêts dévoratrices du rio Madeira

La manœuvre fut lente car le commandant Patativa était célèbre pour sa prudence. A plusieurs reprises l'hélice fit rejaillir l'eau à la poupe et stoppa. Enfin, le cadran du shadburne accorda la « demi-vitesse » aux mécaniciens et le *Justo Chermont* gagna lentement le large dans la sérénité de la nuit tropicale. Virant en s'éloignant, il laissait voir, suspendue à tribord, la réserve quotidienne du garde-manger, deux énormes quartiers de viande saignante qu'éclairait en plein un des fanaux du bord.

Autour d'Alberto, les hommes du Céara commençaient à s'installer. Ils s'étaient déjà résignés à leur sort. Les hamacs s'entremêlaient de telle sorte qu'il était impossible de circuler sur le pont. Dans

la hâte de s'assurer une bonne place pour dormir,
une certaine confusion régnait dans la répartition
des voisinages et les groupes s'étaient mélangés.

Le *Justo Chermont* longeait les pontons dans la
baie endormie. Un chien aboya dans l'ombre.

« Chut! Matuto. »

A la voix de son maître, loin de se taire, l'animal se mit à pousser des hurlements prolongés.

Alberto alla s'accouder plus loin au bastingage.

Ce long voyage en amont allait accroître du
double la distance qui le séparait déjà du Portugal. Cet éloignement, le fiasco de ses études, sa vie
brisée, son destin dépendant maintenant d'un individu comme Balbino, tout le poussait à la mélancolie. Il se sentait livré aux caprices du hasard
et voué à un avenir instable et imprécis. Quand
reviendrait-il et dans quelles conditions?... Et reviendrait-il seulement?...

La promiscuité ignoble du pont des émigrants
le faisait frémir de dégoût. Il se sentait étranger à
ces parias, à ces apathiques qui s'adaptaient à leur
nouveau destin avec une facilité désolante, comme
si ce rebut d'humanité était sans corps, sans âme.
Ils dormaient d'un sommeil de plomb. Ils étaient
immondes. Alberto avait honte de leur veulerie. Et
il eut un sourire de mépris au souvenir de cette
démocratie, vouée à un prétendu apostolat, et de
ces soi-disant défenseurs de l'égalité des races, ses
adversaires politiques, qui l'avaient envoyé en
exil...

Au loin, Bélem n'était plus qu'une tache lumineuse, un halo.

Les hurlements du chien avaient cessé.

Dans cette lente approche vers la ligne sombre de la forêt qui barrait l'horizon, on n'entendait que le bruit de la proue qui fendait les eaux. Des sonneries retentissaient dans la chambre des machines.

Se faufilant entre les corps endormis dans les hamacs incurvés, les frôlant, Alberto cherchait ses bagages dans l'amoncellement des paniers, des sacs, des malles rustiques de ses compagnons de route. Il finit par dénicher sa valise et il se mit en quête d'une place libre pour y accrocher son hamac. Impossible, tout était pris et les ronfleurs s'en donnaient à cœur joie.

Enervé, se sentant impuissant, perdu, ayant envie de crier, les yeux pleins de larmes, Alberto rejeta son hamac sur la bâche de l'écoutille, et le jeune homme revint s'accouder au bastingage. Et il y resta toute la nuit, pénétré d'humidité, engourdi de froid et triste à mourir.

Les quelques matelots qui vaquaient encore à leur travail sur le pont ne s'occupaient pas plus de lui que s'il n'existait pas.

A l'aube, le *Justo Chermont* avait pénétré dans la baie de Marajo, mais on se serait cru en pleine mer. Les rives étaient si éloignées que l'œil ne parvenait pas à les discerner. Une autre *gaiola* venait en sens contraire, précédée d'une torsade de fu-

mée, sa coque jaunâtre frappée de plein fouet par
le soleil rutilant. Le fleuve n'était qu'un brasier
énorme. Non, ce n'était pas l'océan mais une des
bouches monstrueuses du delta géant de l'Amazone. La notion de cette immensité faisait chavirer l'esprit. Tout était trop vaste, dans un cadre trop grand. Alberto en restait confondu.

Ainsi, les vagues sur lesquelles le *Justo Chermont* tanguait étaient égales à celles de l'Atlantique et Alberto avait l'impression, tant la perspective du fleuve était démesurée, que l'autre vapeur
qui dansait sur les flots allait sombrer d'un moment à l'autre, n'apercevant, parfois, plus que l'extrémité de sa mâture et, d'autres fois, voyant
resurgir avec stupéfaction la cheminée et les su-
perstructures du navire qui disparaissait encore
dans un nouveau plongeon.

A bâbord et à tribord passaient des grandes
barques se balançant dans le vent comme des oiseaux blessés à mort, dont une aile pointait vers
le ciel, et l'autre, cassée, pendait lamentablement.

Et le soleil, l'implacable soleil du tropique, qui
tapait sur les eaux agitées du fleuve, découpait les
ombres, à bord, comme à l'emporte-pièce, et les livrait, mobiles, aux caprices du gouvernail.

Cette traversée dura des heures. Alberto en était
effaré. Toujours, toujours la même impression
d'immensité inouïe. Enfin, la ligne de la terre se
précisa. s'épaissit, changea de coloration. Elle devenait plus verte. On distinguait maintenant l'ali

gnement des arbres. Et petit à petit le *Justo Cher-mont* se trouva naviguer entre deux rives.

Ces rives étaient constituées par une terre basse, en formation, arrachée au lit du fleuve, apportée particule par particule, onde par onde, vaguelette par vaguelette, et les couches successives de cette terre déposée séchaient au soleil comme autant de gradins de boue, marquant l'étiage des marées.

Il poussait sur ces rives instables une végétation drue qui, s'emmêlant et s'entrelaçant, composait un inextricable fouillis de tiges, de branches, de feuillages, de cannes lisses et élancées. Il y avait là, jaillissant de ces rives submergées, la poussée d'une flore exubérante faite de myriades d'essences combinées et croisées se livrant à la même débauche dans une orgie végétale. Tout arbre qui tentait de se dégager, de surgir, de s'élever, de dépasser les autres entraînait avec soi une telle masse de lianes et de plantes parasitaires, qu'il créait comme un remous dans cet océan de verdure où il était planté et enfoui, tout en en supportant le poids. On devinait les troncs beaucoup plus qu'on ne les voyait. Les jets des plantes grim-pantes, les taillis de *tajas*, les touffes de *cipos*, masquaient tout, dévoraient tout, étaient impéné-trables, et le regard renonçait à vouloir percer l'épais rideau de la jungle pour voir s'il ne se cachait pas derrière cette luxuriance des demeures dissimulées ou des clairières secrètes, s'il pouvait en exister sur ces berges submergées d'eau et de soleil, en pleine incubation.

Sur la pente qui séparait la selve de l'eau boueuse où voguait le *Justo Chermont,* un excès de vase dégoulinait de la croûte en formation, nourricière de ce monde de cauchemar. Et quelques vieux troncs, exhibant leurs racines contorsionnées, gisaient en marge.

Et toujours, toujours la même chose!...

Des courbes capricieuses découpaient parfois la ligne de faîte de cette interminable palissade qui s'étendait sur des centaines de lieues et, d'autres fois, des arbres étêtés ou en redan, recouverts de dentelles, de franges d'émeraude qui tamisaient les rayons du soleil, se dressaient au seuil de solitudes profondes comme des grottes dont on avait tout juste le temps d'entrevoir le mystère car, aussitôt après, la haie se refermait plus épaisse sur les deux rives, dans un alignement impeccable, à croire que le sécateur colossal d'un imaginaire jardinier était passé par là, dans la forêt vierge.

Alberto, qui voyait défiler ce spectacle pour la première fois, était surtout frappé par les palmiers de taille et d'essence si diverses, piqués comme des bouquets dans cette densité informe, ou y déployant avec grâce leur éventail.

Soudain, une voix annonça :

« Attention, la passe de Brevès! »

C'était le maître d'équipage qui s'adressait à lui, à cause de sa tournure qui tranchait sur celle des autres émigrants, et qui expliqua à Alberto, pensant l'intéresser :

« Brevès, deux frères, deux Portugais, propriétaires d'une plantation dans ces parages. Ils ont donné leur nom à ces *paranas*, à ces terres inondées, à ces marais en labyrinthes, à ce réseau de canaux naturels qui rendent la forêt impraticable à pied, à ces mille bras de rivières tracés par le grand fleuve dans une terre encore inconsistante où les bateaux s'égarent. La passe de Brevès, c'est un raccourci que les navires ont l'habitude d'emprunter... »

Brevès, il ne devait pas s'étonner de ce nom. Les villes qui se baignent dans le grand fleuve amazonien emprunteraient dorénavant des noms portugais : Santarem, Alenquer, Obidos, Borba et Faro. Dommage que le *Justo Chermont* ne pousse pas jusqu'à Faro, oui, dommage! Une ville où les femmes se donnent à cœur perdu, oui, même les femmes mariées!...

Durant son séjour à Bélem, Alberto avait eu le loisir de se familiariser avec tous ces noms évocateurs que les colonisateurs portugais avaient plantés jadis comme des jalons dans ces contrées inhospitalières où ils pénétraient flanqués de quelques pièces d'artillerie et escortés de beaucoup, beaucoup d'ambition.

Ces noms, chers à son esprit et que les âges avaient patinés de fastes et d'héroïsme, lui mettaient aujourd'hui du baume à l'âme. Il y puisait

une consolation secrète et comme une revanche
de civilisé à l'encontre des Céaréens abrutis et de
l'indifférence qu'affectaient à sa condition d'homme
éduqué des canailles comme son oncle ou Balbino.

Quand il suivait les cours de l'université, le passé
de sa patrie se présentait à lui comme un modèle
à suivre, comme une leçon à apprendre et à retenir
pour la grandeur de son pays. Les exploits men-
tionnés dans l'histoire du Portugal, les actions
d'éclat de sa race, l'épopée des *descobridores,* leur
gloire rejaillissaient sur toute la collectivité lusi-
tanienne, étaient un trésor sacré appartenant à
tous, et, personnellement, il y puisait beaucoup de
réconfort dans l'infortune. Mais depuis son exil,
le contact forcé avec les Brésiliens avait encore
exacerbé son patriotisme.

Il supportait mal la vie mesquine dans laquelle
croupissait une partie de la colonie portugaise à
Bélem. Non, ce n'était pas possible, ces boutiquiers,
ces trafiquants, ces tenanciers de comptoirs, ces négociants, ces propriétaires qui se bornaient à compter amoureusement la recette de la journée, ces
hommes vils, avares et malhonnêtes qui pressu-
raient les habitants du pays, ces exploiteurs sans
scrupules, pas plus que ces croquants venus de
Galice que l'on rencontre postés à chaque carre-
four du Brésil, qui attendent patiemment, une
corde ou un crochet sur l'épaule, qui se louent au
premier venu pour porter des fardeaux, tels que
des bêtes de somme, et qui donnent une si triste

image du peuple du Portugal, n'étaient pas les
représentants attitrés, une vivante incarnation de
sa lointaine petite patrie. On ne pouvait juger le
Portugal sur ces gens-là, pas plus que lui ne voulait
juger des Brésiliens d'après ces pauvres gens sales
et faméliques, ses compagnons de route, qui, juste
à ce moment, se précipitaient l'écuelle tendue pour
recevoir la portion de *carne secca* et de haricots
noirs qui constitueraient toute leur pitance à bord.

Les paroles du maître d'équipage lui avaient
rendu courage et réveillé sa dignité. Il se retrouvait, supérieur à son entourage, et ce n'est pas sans
un sentiment d'orgueil puéril que ses yeux exa-
minaient ingénument les plis de ses pantalons,
ses mains soignées, vestiges d'une élégance, d'une
propreté conservées à travers toutes les vicissitudes
de l'exil.

Cependant, la faim le tenaillait. Il résista. Il
n'irait pas comme un misérable tendre devant le
chaudron fumant son assiette vide. Il ne pourrait
jamais se faire à ça!

Cette promiscuité du bord, cette égalité dans la
misère le révoltait. Comme si chaque homme
n'avait pas un tempérament, des goûts propres,
son libre arbitre! Et Macédo ne lui avait-il pas pro-
mis d'aller toucher un mot à Balbino au sujet de
la nourriture? Il attendrait, donc. Et pour tromper
sa faim, Alberto s'efforça de s'intéresser de nouveau
au paysage qui défilait sur les deux rives, à bâbord
et à tribord.

Le *Justo Chermont* obliquait sur la droite, s'en-
gageant dans un chenal tortueux où les eaux
étaient plus profondes.

Le bateau passait si près de la berge que vingt
mètres à peine le séparaient des racines géantes
qui émergeaient toutes luisantes de boue. Dans certains passages resserrés, les surgeons les plus vivaces
s'échappaient de l'étreinte de la jungle et, tout
frissonnants dans la brise du fleuve, venaient frôler
les cabines des touristes ou souffleter les têtes im-
prudentes des émigrants penchés hors du bastingage du deuxième pont. C'était alors une explosion
de rires, d'exclamations et de plaisanteries.

Mais, si proche qu'elle fût, la brousse n'en restait pas moins impénétrable, énigmatique. On devinait, on pressentait l'existence de coins voués à
une ombre perpétuelle, de cryptes végétales où le
soleil ne pénétrait jamais. On y eût foulé une terre
meuble, un humus fertile, si riche de matières orga-
niques en putréfaction que chaque spore alimen-
tait une germination fabuleuse, hallucinante et
paradoxale de tiges tendres fusant vers la lumière.
Le dôme des vieilles racines nouées devait former
des cavernes aussi spacieuses que celles où cherchaient refuge les hommes primitifs des époques
préhistoriques. Sous ces voûtes enténébrées et
suintantes devaient voler des myriades d'insectes
monstrueux et ramper d'énormes reptiles antédiluviens, et tout cela grouillait dans la vase ou
dans l'épaisseur étouffante des feuilles. Une seule

image parvenait à se fixer nettement dans l'esprit : celle du *parana*, de cette trouée lumineuse du fleuve, mais qui devenait monotone à la longue, après avoir, au premier abord, surpris et enthousiasmé par sa magnificence, sa splendeur exotique, l'exubérance de ses rives et le triomphe de sa végétation.

Par endroits, la brousse reculait pour encadrer un petit bout de champ conquis par le feu sur la selve environnante. Deux, trois *caboclos* s'étaient établis là, dans cette clairière oubliée, et y avaient fondé leur foyer.

C'était invariablement une hutte couverte de feuilles de palmier. Le plancher était édifié sur pilotis, à un ou deux mètres du sol, pour être à l'abri des crues soudaines du fleuve. A proximité un *girão*, une claie où séchaient les quartiers de *pirarucú*, cet esturgeon de l'Amazone, séchoir où s'épanouissaient d'humbles fleurs dans des vieilles boîtes de fer-blanc. Un papayer, deux, trois rangées de bananiers, quelques mètres carrés de manioc, une pirogue se balançant dans une petite anse, et c'était tout.

Indolent, enclin à la vie sédentaire et contemplative, le *caboclo*, le paysan brésilien, ignore les ambitions qui agitent les autres hommes. En Amazonie, la forêt vierge lui appartient — ses immensités, ses solitudes — non par droit écrit, mais par le droit tacite et ancestral du premier occupant, et ce, depuis l'embouchure du grand fleuve et des

rivières mystérieuses qui s'y jettent, jusqu'à la dernière extrémité des sources connues et inconnues
de l'Amazone.

Ce bassin, plus vaste qu'un continent, il ne le
cultive pas, car ce paysan n'a pas l'instinct de la
propriété. Généreux dans son indigence, magnifique dans son humilité, l'Amazonien abandonne
cette terre prodigue et féconde à la voracité des
étrangers. Quant à lui, il se laisse vivre, faisant
bon ménage avec sa pauvreté.

Installé dans son flegme naturel, il supporte
le cours du temps avec une indifférence superbe.
Et les siècles s'écoulent sans rien changer à son
insouciance, ni à son dénuement. Un étroit sentier
mène de sa hutte à sa pirogue. Quand cela lui
chante, le *caboclo* embarque, remonte ou descend
le fleuve selon son humeur du jour ou son inspi-
ration du moment, fend l'eau de sa godille, paresseusement, sans se presser, et dirige son fragile
esquif jusqu'à l'entrée d'un lagon écarté ou d'un
bief aux eaux dormantes où le *pirarucú*, vient
frayer. Et quand le grand poisson laisse miroiter
le rubis de ses écailles, maître Caboclo se dresse,
crache la salive noire de sa chique et lance le
harpon. Puis il se rassoit tranquillement dans
le fond de son embarcation, attendant que le
pirarucú captif, mais blessé à mort, le remorque
dans une course folle à travers les lagunes.

A moins que ce drame ne se déroule tout près
du rivage, sous des branches qui l'obligent à se

courber, le pêcheur impassible ne bouge que lorsqu'il sent sa victime épuisée. S'il s'agit d'un poisson de taille moyenne, il le hisse séance tenante dans son petit canot; mais si c'est une de ces grosses pièces qui, une fois découpées en quartiers, y vont de leurs trois ou quatre arrobes et recouvrent toute la superficie du séchoir, il la tire à terre afin d'achever sa capture d'un coup de couteau.

L'Amazonien se nourrit de sa pêche. Il vend le reste, une fois séché, au village le plus proche. Avec le produit de la vente, il s'achète une provision de sel, de la farine et de l'eau-de-vie de canne, la fameuse *cachaça* qui a le goût de l'alambic primitif dans lequel elle a été distillée, un goût de cuivre, et, avec cela, le paysan amazonien vit heureux. Et il ne fera plus rien tant que dureront ses petites provisions. La *cachaça* pour l'usage courant, un tour de danse de temps en temps, le dimanche, dans la première taverne venue, histoire de se dégourdir les jambes, et voilà ses aspirations. Le reste du temps, cloîtré dans la selve, retiré dans la solitude la plus absolue, l'Amazonien mène, en marge du monde contemporain, une vie obscure et ignorée. Mais c'est bien à tort que l'on prendrait le *caboclo* pour un misanthrope; c'est un chrétien superstitieux qui vit près de la nature et qui, comme un Peau Rouge, l'écoute parler.

Quand le *Justo Chermont* passait, Alberto voyait la famille entière de l'homme des bois monter sur le toit de la hutte pour admirer ce fugace symptôme de la civilisation battre des hélices et remonter le courant du fleuve, et un des gamins courait aux amarres, surveiller la pirogue du père, par crainte des remous causés par le sillage de la grande machine à vapeur.

Il arrivait aussi qu'Alberto apercevait quatre ou cinq croix rustiques pourrissant dans les hautes herbes, sur un point élevé du rivage. Mais cette vision s'évanouissait aussitôt qu'entrevue car la jungle envahissait généralement ce petit cimetière, et ces humbles nécropoles oubliées, sans marbres artistiques ni épitaphes, apportaient la seule note romantique dans ces solitudes aquatiques et sylvestres.

Alberto finit par se lasser de ce spectacle qui se déroulait infiniment sur les deux rives.

Il y avait déjà longtemps qu'il avait entendu sonner là-haut, sur le pont des premières, le gong annonçant l'heure du déjeuner et les échos qui lui parvenaient maintenant du pont supérieur témoignaient que les estomacs étaient bien remplis et que, dans des rires et des conversations bruyantes, on s'apprêtait à déguster un bon cigare. Vraiment, Balbino tardait. Il avait dû l'oublier. Ah! peu lui importait la qualité de la nourriture, mais cet oubli était un affront!

Les yeux d'Alberto ne s'attachaient plus au paysage exotique, mais ils comptaient les marches de l'escalier qui menait aux premières. Sa faim s'était accrue. A force d'y penser, elle le dévorait.

Il était torturé. Ayant fumé cigarette sur cigarette pour l'apaiser, il en avait la nausée. Un tenace mal de tête le lancinait. Il espérait malgré tout, échafaudant des suppositions, revenant sans cesse sur cette question de nourriture. Balbino allait venir le chercher. C'était évident. Le ferait-il asseoir à la table des premières ou lui ferait-il envoyer son manger? Que l'on devait être bien, là-haut! « Vous êtes en retard, cher ami, venez-vous déjeuner? Je vous en prie, prenez place, ne vous gênez pas », lui dirait-il. Alberto tenait essentiellement à ce témoignage d'estime qui le distinguerait du troupeau des troisièmes, où il était vraiment par trop malheureux...

Mais quand Balbino descendit, quelques heures plus tard, sur le pont inférieur, il passa près de lui, gratifia Alberto d'un petit bonjour sec et hautain et compta d'un regard scrutateur le groupe des misérables qui formait son personnel. Cette visite était visiblement intéressée. Non, il ne manquait personne et le bien-être des hommes parqués dans ce pont nauséabond devait être le dernier de ses soucis. Il tirait sur son cigare. Deux, trois Céaréens se présentèrent humblement et balbutièrent quelques mots, à quoi Balbino fit une réponse brève et sans réplique. Puis il s'en alla, raide et renfrogné. La brise effaça derrière lui le parfum opiacé de son gros cigare.

Alberto serrait les poings de rage. Il avait envie de démolir quelque chose, de cogner sur le pre-

mier venu. Cette damnée humiliation! Pour qui
se prenait-il, ce Balbino? Il ruminait des pensées
de vengeance et de haine. Sa rage ne s'apaisa qu'aux
approches de la nuit, lorsque, l'esprit et les nerfs
détendus, il sentit monter en lui une affreuse tristesse, en se retrouvant devant l'impérieuse nécessité de manger.

C'était l'heure du dîner.

Vaille que vaille la nature humaine cède devant
un chaudron fumant.

Dans une coursive ses compagnons de misère faisaient déjà la queue devant la porte de la cam-
buse, et Alberto — comme les autres — alla tendre
sa gamelle sous la louche que brandissait le cuisinier.

CHAPITRE III

MANAOS

CETTE lente remontée de l'Amazone — quinze jours bien comptés de Bélem au *Paradis* — agaçait Alberto, toujours prompt à s'impatienter.

Le *Justo Chermont* utilisait tour à tour des chenaux si étroits qu'on croyait naviguer au cœur de la forêt vierge, ou le milieu du fleuve, à contre-courant, sur lequel il vomissait des torrents de fumée sale.

Quand on portait le regard en amont, l'issue de cette lumineuse coulée d'eau dans le vert sombre de la forêt était aussi mystérieuse qu'avait été son entrée, en aval, et malgré la progression du navire, après chaque courbe, derrière chaque tournant du fleuve, à chaque détour on se heurtait encore et toujours à un horizon bouché par de nouvelles forêts circonvoisines, et seul l'œil expert des pilotes pouvait s'y reconnaître, dans ces dédales, dans ces méandres, dans ces bras d'eau, chacun large comme un grand fleuve d'Europe, et par lesquels des trans-atlantiques de fort tonnage pouvaient se faufiler,

s'aventurer dans l'immense forêt inondée, de Sali-
nas, dans les bouches de l'Amazone, jusqu'aux frontières du Pérou et de la Bolivie, soit, sur le seul
parcours brésilien de ce fantastique réseau fluvial,
durant quarante jours de voyage.

Un œil profane ne trouvait aucun point de re-
père sur ces rives uniformes dans leur complexité
et dont la multiplicité des essences végétales variées
qui les habillaient offrait, à force de se répéter
identiquement à elle-même sur des milliers de
milles marins, qu'une seule caractéristique, celle
de l'énormité. On se sentait perdu, égaré. Chaque
courbe en répétait une autre, chaque ligne droite,
une autre ligne droite déjà vue. L'esprit restait
perplexe, et l'on se demandait avec stupeur si l'on
n'était pas déjà passé la veille par tel chenal, le
long de telle grève déserte et si, loin de progresser,
le vapeur ne faisait pas un voyage en arrière...

Cependant, les pilotes brésiliens, doués d'un flair
infaillible, réussissaient à conduire au port les
navires engagés dans cette étendue fluidique où se
mirait de la chlorophylle. Le jour, la nuit, sous
le soleil, dans le noir, on entendait leur voix indiquer avec précision au timonier la route à suivre.
Et comme il n'était pas rare d'être contraint de
changer plusieurs fois de cap dans la même heure,
de louvoyer, de se glisser d'une rive à l'autre pour
chercher les grands fonds, éviter les bancs de sable
où les tortues venaient pondre la nuit et où elles
se prélassaient dans la journée, les barrages mo-

biles, les bois flottants, on se demandait si ces mari-
niers experts n'étaient pas doués d'un sixième sens
ou de la double vue, tant cette navigation paraissait tenir du rêve quand des blocs de milliers de
tonnes de terre, qui réveillaient tous les échos de
ces profondes solitudes, se détachaient des berges
asséchées, fendillées par la chaleur et se précipitaient dans le fleuve débordant ou que l'on voyait
surgir, descendant à vau-l'eau et venant à votre rencontre, une île à la dérive, constituée par un pan
de forêt que le courant avait rongé.

Il arrivait que le navire débouchât soudaine-
ment dans une nappe d'eau bordée par aucune
rive... Où était-on? Au milieu d'un lac préhistorique, dans une eau morte? Les forêts avaient-
elles été englouties dans un cataclysme ou était-ce
le niveau du fleuve qui avait enflé? Alberto faisait
un tour d'horizon, tant cette nappe d'eau lumineuse qui ne reflétait que le ciel lui paraissait
étrange, irréelle... et quand il découvrait enfin la
rive, c'était une imperceptible ligne noire, une
mince bordure de tourbe qui sertissait ce joyau
dont la surface miroitante qui réfléchissait le soleil
paraissait légèrement bombée dans son étendue...
Il avait alors la sensation d'être porté par une
eau qui sourdait du centre de la terre, qui gonflait,
montait, s'étalait pleine, allait déborder, se mettre
à courir pour se précipiter dans une faille en grandioses cataractes et se déverser de l'autre côté du
monde. Mais cette vision était purement imagi-

naire. Sur les arbres morts entraînés par le courant lymphatique que l'on sentait à peine, des
flamants roses, des aigrettes se laissaient paisiblement emporter.

Ces colonies d'oiseaux voyageaient en dormant.
Beaucoup étaient perchés sur une patte, le bec
sous l'aile; d'autres, battant l'air de leurs longues
ailes déployées, mais renonçant à prendre leur
vol, saluaient, selon un rite millénaire, la marche
glorieuse du soleil du tropique.

Bien d'autres choses encore flottaient sur les
eaux lentes et vaseuses, ou entravaient leur cours;
notamment un véritable flottage des bois exotiques
les plus précieux, des trains de *mumurés,* d'*aningas,*
de *muris* aux troncs blancs que décoraient les touffes arrachées des *canaranas* qui s'y accrochaient au
passage.

Une procession interminable de plantes vivaces,
vagabondes, à demi submergées, mais dont l'exubérance et l'épanouissement auraient fait pâlir
d'envie les plus fameux horticulteurs de l'ancien
monde, venait doucement au fil de l'eau : des né-
nuphars, dont les boutons étaient des nids de coli-
bris et les grandes feuilles rondes des nids de fées;
des fougères arborescentes, ajourées, laissant filtrer
le soleil par le réseau capricieux de mille pertuis
et redressant le bout de leurs feuilles roulées en
crosse d'évêque; des milliers de bouquets, liés ou
déliés, voguant de conserve, noués ou répandus,
tout un échantillonnage de plantes s'en allant à la

débandade, des feuilles rigides en forme de cornet
ou de fer de lance, des chevelures, des écharpes
entraînées dans les remous, tournoyant dans les
moires et multicolores comme des plumes d'oiseaux...

Il arrivait aussi par endroits que la brousse
étouffante s'éclaircissait, perdait de son épaisseur,
diminuait de hauteur, reculait, battait en retraite,
cédait la place, s'ouvrait entièrement sur deux ou
trois milles. On apercevait alors une plaine basse,
aux trois quarts inondée, où paissaient d'innombrables troupeaux et où les chevaux des vaqueiros
avaient tracé de sinueux sentiers entre les mares
et les flaques de boue. Mais la brousse ne tardait
pas à ourler de nouveau le rivage et masquer derrière son opulence et la surabondance de la jungle
qu'elle déployait jusqu'au plan d'eau, les maigres
espaces qu'elle concédait parcimonieusement à la
culture, ou au travail des hommes.

Mais l'esprit d'Alberto était las. Il avait le vertige. Il n'en pouvait plus de contempler le panorama. Il avait hâte d'être rendu, d'arriver à destination.

... Et Santarem parut, la première escale, en
forêt, un bourg avec ses vieilles maisons honteuses
de leur pauvreté à côté de constructions neuves, son
antique église, son parvis... et ce fut un jour de
détente pour tous, presque un jour de fête. Toute
la population mâle de la petite ville, jeunes et
vieux, gamins et adultes, Nègres et *caboclos* accou-

rut, ces gens étalant leur pacotille sur le pont ou
offrant leur marchandise, en bas, de leurs canots.
Ils vendaient surtout des fruits et des calebasses
de toutes dimensions et de toutes formes, mais
comme ils demandaient beaucoup trop cher les
marchandages étaient véhéments, et ventes et
achats s'effectuaient avec force cris.

Les calebasses de Santarem sont réputées dans
toute l'Amazonie et leur renom est mérité car la
fraîcheur et le bon goût qu'elles donnent à l'eau
sont sans pareils. Ces calebasses sont la spécialité du
pays et nulle part ailleurs on n'en voit d'aussi
jolies. Elles sont faites de l'écorce d'un fruit gros
et rond, qui peut atteindre une grande taille et
peser plusieurs kilos; les naturels en jettent la
pulpe intérieure inutile, les étranglent en leur
milieu et soumettent les deux parties à des traitements divers, après quoi ils teignent l'une ou
l'autre partie en noir. Sur ce fond noir, des mains
adroites tracent en blanc des arabesques et des
motifs décoratifs d'un art primitif et ingénu. Certaines de ces calebasses sont très réussies et d'une
pureté d'ornementation qui rappelle les dessins
de la poterie indienne.

A partir de Santarem, pas un jour ne s'écoula
sans que le *Justo Chermont* ne jetât l'ancre devant
quelque petite ville perdue en forêt ou ne lançât
ses amarres à quelque appontement devant une
plage défrichée.

La première fois ce fut devant une fazenda d'éle-

vage de la rive droite pour embarquer des bœufs
destinés à la nourriture des passagers. On attrapait
les bêtes au lasso, comme à la pampa, on les menait
au bord du fleuve où elles étaient enlevées par les
cornes au moyen du bras de charge du bord. Chaque bête se débattait en l'air avant de se retrouver
sur ses pattes et de se mettre à ruer, à glisser, à
tomber lourdement sur le pont crasseux des troisièmes, et plus d'un animal perdait une ou deux
cornes dans cette opération, et des milliers de
mouches voraces s'abattaient sur les moignons san-
guinolents qui déparaient la tête de ces pauvres
bêtes qui allaient être égorgées.

Cette même nuit, Alberto assista à une scène de
cauchemar. Il avait été réveillé par des mugisse-
ments. Se frottant les yeux et passant la tête hors
du hamac il vit le cuisinier et son aide égorger
les bêtes. Le pont était plongé dans l'obscurité,
mais une vive lumière qui venait de la chambre des
machines éclairait les deux hommes en plein. Ils
étaient rouges de sang. Ils découpaient un bœuf
sans en détacher la peau. Ils se passaient d'énormes
quartiers de viande qu'ils entassaient à même le
pont. A un moment donné un des deux hommes fit
une pose et se mit à siffler doucement. Derrière
eux, les autres bœufs flairaient le sang qui leur
coulait dans les pattes et beuglaient lamentablement. Au fond du ciel palpitaient les étoiles du tropique...

Puis, ce fut Alenquer, Obidos, où le fleuve se ré-

trécissait entre des collines qui donnaient tout à
coup un relief qui paraissait exagéré après tant
et tant de jours de navigation entre des rives désespérément plates.

Une forteresse, entourée d'arbres, était perchée
sur un point culminant du rivage. Etait-elle là
pour repousser en cas de guerre les flottes assez
folles pour vouloir envahir les forêts vierges par
leur seule voie d'accès, ce fleuve monstrueux, et
tenter la conquête de ces immenses solitudes? A ses
pieds était une petite ville somnolente, animée en
son seul marché, où des petits marchands expo-
saient sur des éventaires improvisés de la confiture
de tamarin à vendre, des grandes rondelles décorées
de fioritures de sucre en poudre.

Alberto n'était rien moins qu'indigné de consta-
ter *de visu* avec quel manque total du sens du
ridicule ou de l'exagération les autorités de ces
pauvres agglomérations leur décernaient pompeu-
sement le titre de ville. Le moindre village
d'Europe présentait mieux. Et bien que très sym-
pathiques dans leur modestie, aucune de ces faméliques cités des bois ne méritait ce titre de « ville ».
Etait-ce une surenchère voulue par les colonisateurs portugais ou une valorisation de commande
imposée par les politiciens brésiliens? Et alors, de
quel qualificatif gratifier la capitale, l'admirable
Rio de Janeiro? Dans les rues, une sorte de paille
matelassait le sol de ces bourgades et l'on avait
vite fait le décompte des maisons, nanties pour la

plupart, en guise de toiture, de feuilles de palmier...

Ce voyage solitaire à bord d'un bateau perdu dans l'immensité de la forêt permettait à Alberto d'observer mille détails puérils chez ses compagnons de route, détails qu'il notait. Jusqu'ici, tout à son monologue intérieur, il n'avait encore frayé — oh! très peu! — qu'avec Felipe de Pinheiro.

Ce Felipe avait adjoint à son prénom le nom du peuplement où il était né au fin fond du *sertão,* du grand désert d'herbes du Céara. Il faisait partie de sa bande d'engagés. C'était un gai luron, blagueur, serviable, qui avait toujours le mot pour rire. Comme tous ses compatriotes, il supprimait tous les « r », avalait certaines syllabes et appuyait sur d'autres arbitrairement. Toujours de belle humeur, Felipe parvenait à amuser Alberto avec ses histoires de « fantômes » et de chasses.

« Une fois, dans l'Acre, j'épaulais déjà mon fusil pour viser...

— Alors, tu as déjà été dans l'Acre, Felipe? l'interrompait un de ses camaradés.

— Tiens, parbleu!... Il m'est même arrivé de... »

Tout le monde savait que Felipe n'avait jamais mis les pieds dans l'Acre et, même, qu'il n'était jamais sorti de Pinheiro, mais ses menteries et ses histoires distrayaient tout le monde et l'on était indulgent; seulement ses anecdotes étaient d'un terre à terre affligeant, et, au bout d'une heure,

Alberto en avait assez de prêter l'oreille à ses
vantardises... Encore onze jours! Dieu, que ce
voyage était long!... Chaque nuit passée à dormir
était autant de gagné sur l'ennui et chaque journée
qui s'écoulait était un grain de plus dans l'interminable rosaire des jours... Pour aussi mauvaise
que fût la vie à la plantation, le séjour au *Paradis*
devait valoir certainement mieux que cette lente
remontée du fleuve qui n'en finissait pas.

L'escale à Itacoatiara succéda à l'escale des Pa-
rintins. Un matelot lui indiqua du bras l'embouchure du rio Madeira : il en sortait justement
un autre vapeur, qui prit également la direction de
Manaos, et soit que le *Justo Chermont* eût ralenti
son allure, soit que l'autre eût accéléré la sienne,
les deux *gaíolas* ne tardèrent pas à se trouver sur
une même ligne et à la même hauteur pour se provoquer et faire une course, match qui vint fort
opportunément tirer Alberto de son ennui et distraire tout le monde.

« C'est le *Victoria*, c'est le *Victoria*! » criaient
les membres de l'équipage.

Le shadburne du *Justo Chermont* sonna dans la
machinerie et le tourbillon de l'hélice s'amplifia
à la poupe. D'un bateau à l'autre on se défiait, et
l'on était d'autant plus excité à bord du *Justo
Chermont* que c'était pour la deuxième fois que le
Victoria récidivait et que le commandant Pativa
avait déclaré vouloir donner une leçon à l'impu-
dent. Le *Victoria*, plus petit, mais intrépide, réus-

sit à rester en ligne sur un assez long parcours, mais dut finalement abandonner la lutte comme son rival s'engageait dans les bouches du rio Négro.

Depuis un bon moment déjà les eaux jaunes de l'Amazone étaient troublées à leur surface par des flaques d'eau noirâtres qui allaient se multipliant au point de gagner en largeur et en étendue jusqu'à la moitié du lit du fleuve.

Alberto regardait avec étonnement se former ce tapis bicolore, aux teintes nettement tranchées, quand Felipe vint lui demander :

« Camarade, est-ce que vous descendrez à terre, à Manaos?

— Je ne sais pas encore, fit Alberto. Si, j'irai. Mais, au fait, pourquoi me demandez-vous cela?

— Je voudrais y aller avec vous, car dans une ville inconnue il vaut mieux y aller à deux que seul.

— Alors bon, nous irons ensemble. »

Cette escale toute proche dans la capitale de l'Amazonie faisait le sujet de toutes les conversations et surexcitait furieusement les passagers du bord après un voyage aussi long que monotone.

Alberto, qui avait entendu raconter tant de choses mirobolantes sur cette ville de 80 000 habitants sise dans la forêt vierge, était plus particulièrement impatient. Mais, lorsque, à dix heures du soir, le *Justo Chermont* jeta l'ancre devant cette septième merveille du monde, Balbino descendit aux troisièmes, redoutant de nouvelles désertions, et, ayant réuni son monde, il déclara sur un ton catégorique qui n'admettait aucune discussion, qu'il n'autorisait personne à descendre à terre.

« ... Personne! c'est bien entendu? » souligna-t-il, en s'en allant.

Alberto était indigné.

« Eh bien, moi, je débarque! » s'écria-t-il, en s'adressant aux autres engagés et en fixant avec défi l'escalier par lequel Balbino venait de regagner les premières.

« Il en a du culot, le type! — Du culot, que tu dis? Moi, je parie qu'il n'ira pas à terre! — Et moi je parie qu'il ira!... »

Alberto qui entendait ses compagnons se disputer au sujet de son attitude alla s'accouder au bastingage en traitant *in petto* Balbino de grand lâche... car l'homme haï, qui avait dû entendre sa protestation, n'avait pas fait demi-tour pour venir lui demander une explication.

La baie scintillait de lumières. Manaos radieusement illuminée faisait pâlir les étoiles de la nuit amazonienne. D'innombrables vapeurs se découpaient sur l'eau noire et profonde. Des chaloupes pleines de passagers faisaient la navette entre les quais et les vapeurs. On entendait des voix, des éclats de rire aller se perdre dans la nuit chaude.

Sur les quais, tout proches, on voyait une foule

de promeneurs aller et venir, des hommes vêtus de
blanc émerger dans la lumière crue des lampes à
arc, puis se replonger dans l'ombre. Des inconnus
revenaient de la chasse au plaisir ou partaient à sa
conquête. La nuit tropicale était imprégnée de
volupté. Alberto était attiré par le mystère de cette
ville inconnue et ardente, dont les grandes avenues
éclairées à l'électricité aboutissaient toutes à la
forêt circonvoisine, mais dont le centre rutilait
de bars, de cafés, de cabarets, de spectacles ouverts
toute la nuit. Il avait même entendu dire que
Manaos possédait un grand théâtre! Ah! déguster,
ne serait-ce qu'une glace à la terrasse d'un café,
à défaut de se payer une autre jouissance! Alberto
examina le contenu de son portefeuille et compta
la menue monnaie qu'il avait dans son gousset.
Hélas! il était trop pauvre pour se payer le luxe
de découcher; il se contenterait, donc, tout simplement, d'aller faire un tour en ville le lendemain
matin.

La rade offrait un spectacle enchanteur avec ses
lumières mouvantes, les candélabres de la ville qui
se reflétaient dans l'eau des bassins et les navires
illuminés comme des palais flottants. Les notes d'un
accordéon traînaient sur l'eau noire. Alberto avait
le cafard. Personne n'était monté à bord et cependant il lui semblait que ce sale pont des troisièmes
classes était tout à coup encore plus étroit que tout
à l'heure, comme si l'irruption des lumières de la
ville lui avait fait mieux voir sa misérable condi-

tion. Il avait l'impression d'être en cage. Alors,
il alla se coucher, se faufilant entre les hamacs où
des bavards surexcités se faisaient illusion en évo-
quant des plaisirs et des distractions que ces pauvres engagés, ces naïfs qui partaient dans l'enfer
de la forêt vierge avec l'espoir de revenir riches,
— et alors de s'en payer! — ne connaîtraient jamais. Et Alberto finit par s'endormir en se disant
que, pas plus que les nuits précédentes, cette nuit-là
ne compterait dans son existence...

De bon matin, les barquettes chargées de fruits,
de goyaves et de boissons surgirent tout autour du
navire, doublées d'une flottille de barques et de
chaloupes spécialement affectées au transbordement
des passagers et dont on ne pouvait se passer pour
aller à quai. Plusieurs passagers des premières
s'étaient déjà embarqués. Penché sur le bastingage,
Alberto demanda le tarif. Ses compagnons de
voyage l'entouraient, curieux de voir s'il allait
mettre son projet à exécution.

« Combien, quatre?

— Oui, quatre milreis », répéta d'en bas un bate-
lier au teint basané.

Quatre à l'aller et quatre au retour. Alberto pouvait encore se payer ça. Il fit à l'homme signe
d'accoster, rectifia le rebord de son chapeau, prêt
à passer outre si Balbino se montrait, descendit
l'échelle et sauta dans la barque qui s'éloigna rapidement, en se faufilant entre les proues et les
poupes des *gaíolas* à l'ancre.

Les quais de Manaos sont des quais flottants. Ils sont formés par d'énormes caissons de fer emplis d'air comprimé, grâce à quoi la ville pare au changement continuel du niveau des eaux. Ces caissons servent en même temps de pontons et de base solide aux manœuvres de chargement et de déchargement.

Arrivé, Alberto sauta sur la berge, gravit une pente douce et, tout de suite, il déboucha sur la grand-place.

La ville était inondée de soleil, toute claire et paraissait toute neuve. Point de vieilles bâtisses noirâtres et enfumées, point de vieilles ruelles, vestiges d'époques révolues, mais des larges artères rectilignes, propres et presque toutes plantées d'arbres. Une ville, à juste titre fière de sa jeunesse, mais sur le mauvais pavé de laquelle les autos passaient en bondissant. Le fond de la place était barré par un haut édifice portant une ribambelle d'enseignes dont les lettres géantes dominaient le rideau des arbres. L'une de ces enseignes fascinait Alberto : *La Bourse Universelle.* C'était un établissement de luxe. Les garçons étaient en train d'aligner les bouteilles de whisky et de cognac sur le bar bien astiqué car, à Manaos, les affaires se traitent entre deux verres, à l'apéro, à onze heures.

Alberto enfila la grande rue commerciale, genre boulevard de la République. Il passa devant les maisons d'approvisionnement qui ravitaillent sans

exception toutes les plantations du Haut-Amazone.
Au fond des magasins longs et obscurs il voyait en
passant les réserves de caoutchouc sous la forme
de grosses boules noires prêtes à être coupées en
deux et mises en caisse pour la traversée de l'Atlantique. Patrons et employés lui rappelaient l'allure
affairée de ses compatriotes car, en matière de
négoce, seuls les Juifs et les Syriens pourraient en
remontrer aux Portugais.

Quand il était arrivé à Bélem, regrettant la
Faculté et sa carrière d'avocat brisée, la vie des
négociants et des marchands lui paraissait des plus
mesquines; mais, aujourd'hui, dégoûté d'avance de
l'existence qu'il allait mener dans les clairières
perdues d'un *seringal*, Alberto en venait à envier
ces commis en bras de chemise écrivaillant dans les
bureaux ou présidant au pesage du caoutchouc,
un petit carnet et un crayon à la main. A six ou
sept heures, tous ces gens-là seraient libres. Ils en
donnaient strictement pour son argent au patron,
et, après, à la nuit tombante, ils feraient ce qui
leur chante.

Après tout, pourquoi pas, pourquoi est-ce qu'il
ne tenterait pas une ultime démarche pour se
tirer des griffes de Balbino et se débarrasser de la
protection intéressée de son oncle?... A celui-ci il
infligerait une leçon bien méritée et, celui-là,
il le plaquerait comme un chien teigneux qu'il
était...

Alberto était planté, les mains dans les poches,

devant la plaque de cuivre d'une firme qui ne lui
était pas inconnue :

J .B. DE ARAGÃO
COMISSÕES E CONSIGNAÇÕES

Le « Commandeur » Aragão était célèbre dans
toute l'Amazonie. C'était un de ces rudes émigrants
portugais, un de ces illettrés arrivés en sabots, me-
nés à coups de triques par leurs supérieurs, qui,
à force de modestie et de travail, d'intelligence
et de flair pour le négoce, avait su mener sa barque.
Ayant débuté comme manœuvre, il n'avait pas
tardé à passer commis dans l'entreprise qui l'employait, puis à seconder le patron et à devenir son
chargé d'affaires durant une longue absence du
maître, puis son fondé de pouvoir, enfin son associé.
Il avait mené cette maison d'approvisionnement où
il avait débuté à une si grande prospérité que quelques années plus tard, il l'avait quittée pour se
consacrer à une affaire concurrente, lui appartenant en propre et beaucoup plus lucrative encore,
car il possédait l'essentiel, à cette époque où le
caoutchouc « payait », un crédit illimité, et il
n'avait pas tardé à adjoindre à sa maison d'alimen-
tation un bureau de « commission et de consigna-
tion », puis une firme de cabotage. Aujourd'hui sa
fortune était immense, innombrables ses entre-

prises, et sa flottille de cargos rayonnait dans tout le bassin de l'Amazone. Il détenait, en outre, la plus grosse part du tonnage des navires en partance pour l'Europe et l'Amérique du Nord.

A Manaos comme à Bélem, quand un petit employé avait le cœur gros, il pensait à la réussite du « Commandeur », et ce personnage dont il se promettait de suivre l'exemple, l'empêchait de désespérer.

Nul doute qu'un homme ayant eu à lutter et à souffrir pour faire fortune comprendrait la situation critique d'Alberto et n'hésiterait pas à lui donner un coup d'épaule pour le tirer d'embarras. Que pouvait lui importer un salaire de plus ou de moins?... « Puisqu'il est Commandeur, il doit être royaliste, se disait Alberto, Aragão ne va pas rester insensible à mon cas... » Et il entra.

« Le bureau du patron est au premier », lui dit-on.

Alberto monta, le cœur battant.

« Je doute que M. le Commandeur puisse vous recevoir, émit un personnage encastré dans un guichet.

— Deux minutes, c'est pour un cas urgent...

— Mais que désirez-vous? »

Un autre personnage était au guichet, un visage sec, aux lignes anguleuses, quelqu'un de solennel.

« Est-ce à M. le Commandeur que j'ai l'honneur de parler? demanda Alberto hésitant.

— Non, monsieur. M. le Commandeur est très

occupé, il m'envoie demander ce que vous désirez.

— C'est pour une affaire personnelle. C'est très urgent. Deux minutes à peine.

— Enfin, nous allons voir. M. le Commandeur a beaucoup de travail aujourd'hui. »

Alberto resta en tête-à-tête avec une machine à écrire qui venait s'encadrer dans la perspective du guichet.

Des pas. Et, enfin, au fond du couloir, une porte s'ouvrit :

« S'il vous plaît. Mais faites vite, car M. le Commandeur n'a pas de temps à perdre. »

Alberto traversa une pièce encombrée de pupitres et de bureaux. Des machines à écrire crépitaient. Son guide s'effaça :

« C'est ici. »

Alberto poussa une porte avec précaution entra en murmurant un humble : « Pardon, monsieur... »

Il se trouvait devant une table couverte de paperasses, où était assis un homme chauve, joufflu, aux moustaches blanches. Il était petit, gros. Il était en bras de chemise. Des bretelles de couleur se croisaient sur sa chemise de soie.

« Monsieur le Commandeur? balbutia Alberto.

— Lui-même. Que désirez-vous? »

L'homme n'avait pas levé les yeux, poursuivant l'examen de ses papiers. Il ne lui avait pas offert un siège et Alberto ne retrouva rien du discours qu'il avait préparé. Cet accueil glacial lui enlevait tous ses moyens. Son cerveau se troublait. Il ne savait que dire, comment commencer. Alors, en désespoir de cause, il sortit son argument suprême, celui auquel il attachait une vertu infaillible, celui sur lequel il comptait le plus pour frapper l'esprit du Commandeur.

« Je suis un exilé politique... Royaliste... J'ai pris part à la dernière révolution de Monsanto... Monsieur le Commandeur est certainement au courant de cette affaire?... »

Mais comme Aragão ne paraissait nullement impressionné, ni même disposé à vouloir se laisser distraire de l'examen de ses papiers, Alberto insista :

« Je suis royaliste... De Monsanto j'ai dû me réfugier en Espagne, d'où je suis venu jusqu'ici... »

Flairant un quémandeur, un importun, Aragão rompit brusquement le silence pour en venir au fait :

« Mais enfin, que désirez-vous?

— Je suis sans ressources. Je sais que monsieur le Commandeur possède un cœur généreux, qu'il est à la tête d'une grande maison de commerce... alors je venais lui demander un emploi... Oh! n'importe lequel, n'importe quoi! se hâta d'ajouter Alberto en voyant le geste de contrariété qu'esquissait déjà le Commandeur. Mes prétentions sont modestes, tout juste de quoi vivre...

— C'est impossible! s'exclama avec humeur le riche négociant. Tous les jours on vient me faire

des propositions de ce genre. Si je disposait de tout
le commerce de Manaos je ne parviendrais pas à
caser toutes les personnes qui me sont recomman-
dées.

— J'ai quelques connaissances, fit Alberto. J'ai
terminé ma quatrième année de droit et serais aujourd'hui avocat si ma qualité de monarchiste...

— Voilà justement le mal! Chez vous autres, là-
bas, au lieu d'écouter la voix du bon sens, il n'est
question que de coups de fusil et de révolutions.
J'en suis honteux pour mon pays, honteux...

— Mais, monsieur le Commandeur n'ignore pas
que c'est en réalité la République...

— République ou pas République, je m'en fiche!
Chacun ferait bien mieux de s'occuper de ses propres affaires. Que diable! ils sont tous Portugais,
après tout! »

Et, changeant de ton, Aragão affirma :

« Non, c'est impossible. C'est impossible de vous
prendre comme employé avec la crise que nous tra-
versons. Le caoutchouc ne paie pas. Nous songeons
plutôt à licencier une partie de notre personnel.

— Bien, monsieur le Commandeur. Excusez-moi
de vous avoir importuné, dit Alberto en se retirant.

— Attendez! »

Aragão allongea son bras velu vers son veston qui
pendait au dos de son fauteuil, il en tira son portefeuille et, y ayant prélevé un billet de cinq milreis,
il dit :

« Tenez. »

Alberto rougit. Le sol se dérobait sous lui.

« Mais, monsieur le Commandeur!... je ne suis pas venu solliciter une aumône, mais du travail... »

Et il sortit, très digne.

Surpris, le millionnaire referma son portefeuille et se remit au travail.

« ... Et après ça, murmurait-il, essayez d'être bon! A son âge, j'avais plus de jugement... »

Dans la rue, Alberto se mit à marcher, à marcher pour se calmer. Il marcha jusqu'à épuisement. Non seulement le Commandeur l'avait offensé, mais maintenant il s'en rendait compte, il avait enfreint les ordres formels de Balbino. Quelle serait l'attitude de celui-ci quand il rentrerait à bord? Il avait donné un mauvais exemple. Balbino serait mal disposé à son égard. Il devinait que, dorénavant, il aurait un ennemi...

Manaos ne lui disait plus rien. Il renonça à pousser jusqu'au *Théâtre des Amazones*, réputé dans tout le Nord du Brésil et dont la silhouette, vue du navire, lui avait rappelé une vue de Constantinople illustrant quelque page de revue. Lentement, n'arrivant pas à s'intéresser au spectacle pourtant si animé des rues, Alberto reprit tristement le chemin du port. Le va-et-vient des tramways et des automobiles était incessant. Les cochers juchés sur les charrettes étaient des compatriotes. Il le reconnaissait à leur accent. Tous arrivaient à se débrouiller, sauf lui... Mais, après tout, qu'en savait-il?... A Manaos comme à Bélem, beau-

coup de sans-travail ne devaient même pas avoir
une charrette à conduire...

Le long du quai des barques se balançaient qui
avaient fait eau. Le soleil reluisait dans le fond.

Il embarqua, découragé, résigné. A quoi bon vouloir lutter avec son destin, il n'avait qu'à se laisser
aller, emporter, au hasard, comme un tronc qui va
au fil de l'eau...

Le premier visage qu'il reconnut en s'approchant
du *Justo Chermont* fut celui de Balbino qui, accoudé au bastingage, le regardait venir.

Alberto s'attendait à des invectives ou à des me-
naces et il était prêt à tout; mais il n'en fut rien.
Il remonta à bord librement, comme il en était
parti. Les Céaréens s'amusaient à pêcher des petits
poissons qui frétillaient autour du navire.

Felipe vint au-devant d'Alberto et s'enquit :

« Alors, cette ville, comment l'avez-vous trouvée,
c'est beau, hein?

— Oui. »

Mais le bavard insista :

« Et les femmes?

— Elles sont très bien. »

Et Alberto s'esquiva sur ces mots. Il eût préféré
l'apparition de Balbino et une bonne attrapade
pour en finir avec cette histoire de son escapade et
savoir à quoi s'en tenir.

CHAPITRE IV

LE RIO MADEIRA

Le rio Madeira n'était qu'un tributaire, un simple affluent du fleuve monstrueux et pourtant ses proportions n'étaient pas moindres et il était tout aussi majestueux que l'Amazone. Le *Justo Chermont* le remontait depuis quelques jours déjà et il s'en fallait encore bien de quatre ou cinq autres journées de voyage en amont avant que cette rivière devienne impraticable aux grands steamers assurant un service direct qui rattrapaient et dépassaient la fière *gaíola*.

Alberto n'en revenait pas. Partis des Etats-Unis, ces grands vapeurs se rendaient à Itacoatiara et de là, d'une traite, à Porto-Velho. Ils circulaient sur cette rivière des bois avec la même aisance que sur l'océan.

Les rives du rio Madeira étaient si éloignées que les cris des sapajous qui parvenaient à bord semblaient venir d'un autre monde, et les affluents de cet affluent étaient encore plus larges que les plus grands fleuves du Portugal, le moindre *igarape*

avait les dimensions du Tage ou du Douro. Tout
était hors de proportion et l'esprit restait confondu
en embrassant pour la première fois du regard ces
vastes panoramas d'eau et de forêt qui faisaient
naître la notion de l'immense, de l'infini, de l'in-
commensurable. Et plus on s'enfonçait dans cette
région hostile plus cette terre devenait inhospita-
lière et la forêt impénétrable, farouche.

On ne voyait plus comme dans le Bas-Amazone
les troncs des arbres enfoncés dans une vase apportée par le courant ou déposée par les marées successives. Les longues clairières utilisées par les populations pastorales de la vallée avaient, elles aussi,
disparu. Ici, les berges avaient atteint des proportions énormes et comme on était au début de l'été,
la terre noire, fendillée, s'écroulait par larges masses,
dégageant très haut les racines des arbres. Les eaux
du Madeira creusaient, délayaient, affouillaient,
draguaient ses tristes rives abandonnées pour aller
déposer plus loin des bancs de boue, et tout ce qui
restait debout des premiers défrichements surplombait les ravines et les failles où beaucoup de maisons en ruine avaient glissé. Ces vestiges du premier établissement des hommes et de la lutte qu'ils
avaient eu à livrer avec la sombre nature du Madeira étaient une vision infiniment tragique et
lamentable qui sentait l'épouvante et la défaite.

Plus haut encore, ce phénomène de dévastation
prenait une allure de catastrophe : des berges entières se détachaient, entraînant dans leur chute

des pans de forêt. Et les arbres s'en allaient debout au gré du courant, et ce sont tous ces arbres entraînés qui avaient suggéré au conquistador Mélo Palheta de dénommer cette rivière le rio Madeira, la rivière du Bois.

Mais ces forêts croulantes, mouvantes, flottantes qui avaient donné son nom à cette immense voie d'eau, avaient aussi causé la mort du vaillant et trop aventureux Portugais qui poursuivait les tribus sauvages jusque dans cet ultime refuge dans les forêts que les selvicoles avaient jugées inviolables.

L'épopée de la pénétration des Portugais en Amazonie commence au début du XVIIe siècle. La flottille des embarcations du premier envahisseur était partie de Parà. Après avoir navigué durant des semaines et des semaines, à la voile et à la force des rames, la troupe des aventuriers éblouis par les splendeurs du tropique, épuisés, indomptables, toujours sur le qui-vive et craignant les embuscades des Indiens, avait fini par pénétrer dans l'embouchure du rio Madeira, large de plusieurs kilomètres.

A la tête de cette première expédition se trouvait João de Barros Guerra, gouverneur du Parà, qui était fier d'en assumer le commandement. Il avait reçu des pouvoirs absolus de la lointaine métropole, avide de posséder ces vastes territoires entrevus et de mettre la main sur les richesses fabuleuses de la forêt. Dans les chroniques du temps, pas une ligne ne fait mention de cette première expédition. Rien ne relate l'effroi que l'âme des Lusitaniens, aussi fruste, audacieuse, cupide fût-elle, dut éprouver au premier contact avec cet univers inconnu et les manifestations hostiles de la nature, du tropique et des sauvages de la forêt vierge. Plusieurs siècles se sont écoulés et l'impression de terreur qui se dégage de ces parages maudits ne s'est pas encore apaisée. Tout ce que l'on put apprendre sur la fin du premier Blanc qui se risqua dans ces forêts énigmatiques du Madeira c'est qu'un jour, Guerra étant au gouvernail, surveillant de près la rive, car il se méfiait des Indiens et de leurs flèches empoisonnées, fut écrasé par la chute d'un arbre énorme qui s'abattit sur son embarcation, et que le héros fut tué sur le coup.

Symbole tragique, et très longtemps le rio Madeira resta interdit aux Portugais.

Ce n'est qu'en 1723 seulement que Francisco de Mélo Palheta, l'explorateur téméraire, reprit l'œuvre de Guerra.

Mélo Palheta franchit l'embouchure du Madeira et s'engagea dans la sinistre rivière. Chaque arbre noir et dénudé qui descend le courant, pivotant sur ses racines plongeantes, mais le tronc dressé menaçant en l'air, personnifiait pour lui un ennemi. Tous ces arbres sont les défenseurs innombrables, sournois et vagabonds de ces forêts lugubres et impénétrables. A chaque minute la proue de son esquif en frôle un. On n'échappe à un plus petit que pour tomber sur un plus gros. Leur allure lente, irréfrénable, obéit à une volonté mystérieuse. C'est

l'exode énigmatique de la forêt. Et Mélo Palheta
prévenu, par la mort brutale de son prédécesseur,
du danger qu'il court perpétuellement au milieu de
tous ces troncs à la dérive, s'écria un jour : « Le rio
des Cayarys, ça? c'est plutôt le fleuve de la mort...
Appelons-le le rio Madeira! »

Audacieux, mais prudent, le deuxième envahisseur remontait inlassablement la rivière interminable, multipliant ses efforts, progressant mois après
mois. Les méandres de la rivière limitaient l'horizon
et à chaque débouché se posait la même énigme. Où
était-on? Où allait-on? La brousse masquait tout. Et
derrière, tout était à craindre. Le Portugais, dévoré
d'ambition, insufflait son âme ardente à son équipage. La retraite était peut-être coupée. Le retour,
impossible. Parfois, un rivage se démasquait, une
autre rivière se présentait, exactement semblable
aux précédentes, et l'énigme restait indéchiffrable.
C'était du déjà vu, toujours et toujours la même
chose, de la forêt et de l'eau, aussi loin, aussi
longtemps qu'on avançât. C'était à désespérer : une
selve fabuleuse végétant sur un marais vaste comme
un océan. Et la lumière du tropique... une lumière
crue, aveuglante, qui ne s'atténuait qu'à l'heure du
crépuscule, une lumière dévoratrice. Comme à la
formation de la planète elle ardait sur toutes choses
et incendiait, ensanglantait les troubles, les immenses nappes d'eau.

Les aventuriers étaient salués par des coassements
diaboliques et ils voyaient s'échapper des arbres un

vol rayonnant d'ailes aux mille et mille couleurs.
D'étranges animaux, noirs, gris, fauves, couleur de
miel, des antes, des tapirs, des cerfs et des pacas
regardaient innocemment passer leurs barques. Ces
bêtes étaient venues fouiner dans les talus des berges fendues, recherchant des plaques de sel, se
réconfortant en léchant ce sel que fruits, feuilles,
tiges, écorces, racines leur refusaient, et elles restaient là, bâillantes, le groin, le museau en l'air.

Durant cette longue, cette harassante remontée
de la rivière, les embarcations portugaises passaient
parfois entre des bandes de crocodiles, et certains
animaux étaient si vieux, si gros que Mélo Palheta
les prenait pour des troncs d'arbres se laissant porter au fil de l'eau.

La nuit, la petite troupe accostait. On allumait
un feu et l'on postait des sentinelles car la jungle
environnante retentissait de rugissements et nul
ne savait dire si les bêtes féroces de ces parages du
Nouveau Monde n'étaient pas aussi redoutables que
celles d'Afrique.

Tout faisait supposer que jamais encore un pied
humain n'avait foulé le sol de ces solitudes infinies.
Les rares aventuriers qui avaient déjà poussé dans
ces forêts vierges avaient payé leur témérité de leur
vie, victimes probablement d'une simple négligence,
peut-être la seule commise depuis l'embouchure de
l'Amazone où l'Atlantique absorbe, sous la garde
de Sainte-Marie-de-Bélem, un fleuve de boue. Sans
la certitude d'un danger partout menaçant dans

cette brousse et dans cette jungle, il y a longtemps que ces hardis envahisseurs auraient sauté sur ce sol vierge pour s'emparer des richesses que les berges jalouses leur dissimulaient. Mais derrière cette éternelle verdure glauque, ils devinaient des regards qui les épiaient, des yeux invisibles qui suivaient tous leurs mouvements avec fanatisme, et les Portugais entendaient battre le cœur des hommes libres qui se refusaient à servir de cible à leurs arquebuses.

De temps en temps, une nouvelle artère fluviale débouchait dans l'artère principale qui l'absorbait en silence et à la croisée qui s'ouvrait devant eux sur leur chemin liquide, les Lusitaniens hésitaient. Quelle percée prendre, dans quelle direction s'engager pour assurer une suite logique au grand voyage aventureux qu'ils avaient entrepris? Après un examen minutieux de l'embouchure de la nouvelle rivière qu'ils venaient de découvrir, et leur curiosité satisfaite, les « *descobridores* » remontaient encore et encore le rio Madeira, remettant au retour l'exploration complète du nouvel affluent.

Perdus au cœur de la forêt, quand ils pensaient à leur lointaine petite patrie, le Portugal leur paraissait irréel, un jeu de leur imagination enfiévrée et, peut-être même, que le Portugal n'existait pas; et ceux qui en gardaient souvenance arrivaient alors à douter de leur propre existence, et ils s'interrogeaient. Ne rêvaient-ils pas? n'étaient-ils pas

les figurants d'un voyage imaginaire, les personnages d'un récit de voyage, d'un récit fait par le
survivant de quelque expédition qui les avait précédés, d'un soldat que l'on croyait mort et qui
serait revenu pour parler des autres, de ses compagnons perdus, d'eux-mêmes? Devant tant de
contrastes qui s'amplifiaient et qui s'opposaient de
plus en plus et qui se multipliaient de jour en jour,
ils n'étaient plus que des entités, et le passé, et leur
vie présente étaient le délire de leur imagination
déréglée. Peut-être servaient-ils de truchement à
une âme défunte qui avait besoin d'âmes fictives ou
de fantasmes pour donner un semblant de réalité à
ce monde en formation, comme si dans une hallu-
cination collective on les faisait assister à une histoire de la création et resurgir devant leurs yeux
un univers préhistorique... et peut-être que, tout à
coup, sans que rien le fasse pressentir, se réveille-
raient-ils de leur mauvais rêve et que ce long cauchemar s'évanouirait subitement, sans laisser de
trace? Seul le danger, chaque jour plus redoutable
à mesure qu'ils s'enfonçaient plus avant dans ces
forêts, leur redonnait la sensation d'être des hommes de chair, et retrempait leur âme.

Et, un jour, au beau milieu de cette longue navigation qui n'en finissait pas, la rivière se cabra, la
forêt ondula en longues vagues et l'eau, jusqu'alors
muette, se mit à rugir et à tonner, nuit et jour, avec
une violence et une persistance grandissantes. On
s'était engagé dans un défilé à travers lequel la ri-

vière tombait à pic par une série de cataractes et
de rapides. On mit pied à terre pour aller examiner
les lieux et se rendre compte de l'importance de
ce changement de niveau qui atteignait des dizaines
et des dizaines de mètres de hauteur, et l'on constata qu'au-dessus de cet escalier géant empli de
vacarme et d'eau bouillonnante, le Madeira retrouvait son calme et son amplitude.

Cet obstacle ne surprit pas outre mesure Mélo
Palheta. On savait déjà à Parà que l'Amazone
n'était pas uniment une grande surface liquide, une
route mouvante, à la pente imperceptible, coulant
de São-José-da-Barra jusqu'à la mer. Des Portugais,
plus intrépides, avaient construit, sur ordre du roi,
un fort jusque sur le rio Négro et d'autres, plus
casse-cou encore, s'étaient risqués isolément dans
des affluents absolument ignorés ou négligés sur la
rive droite. Les uns et les autres avaient raconté
qu'après des jours et des semaines de voyage l'alti-
tude des terres s'accroissait sur l'un et l'autre bord
de l'immense bassin amazonien et qu'il en résultait
des séries de rapides et de chutes près des sources
de tous les affluents qui venaient se jeter dans le
lit démesuré de ce fleuve géant pour doubler encore
son volume d'eau.

Mélo Palheta fit donc traîner les bateaux à terre
et on les porta à la force du bras au-dessus des
cataractes, et l'exploration en amont se poursuivit
comme devant.

Mais les chutes se multiplièrent. La forêt vierge

avait perdu son silence. La selve tonnait sans in-
terruption. Les conquérants eurent raison des dix-
huit paliers que le rio Madeira les contraignit à
gravir par portage avant d'atteindre, enfin, après
des mois et des mois d'efforts surhumains, l'agglomération espagnole de l'Exaltacion-de-los-Cayuba-
vas, en Bolivie. Ils étaient partis nombreux; beaucoup avaient succombé en route, épuisés de fatigue
ou minés par les fièvres; bien peu arrivèrent sains
et saufs.

L'ambition des Portugais leur avait fait découvrir la route des Andes en explorant le rio Madeira.
Mais elle ne s'en tint pas là.

En 1741, deux autres expéditions partirent à
l'aventure, en sens inverse, à l'encontre du chemin
suivi par Palheta. Elles descendirent le Guaporé,
précédant de peu une troisième expédition sous la
conduite de José Barbosa de Sà, qui, en 1743, effec-
tua ce même parcours et y perdit la vie.

Six ans plus tard, Don João V donna l'ordre au
sergent-major João de Souza Azevedo et à João
Gonçalves Azevedo de remonter la rivière jusqu'au
Matto Grosso. Ils devaient atteindre le point où
Barros Guerra était mort et où Palheta avait dé-
passé la limite de ses forces.

En ce temps-là, toute l'Amazonie, comme d'ailleurs toutes les régions inexplorées du globe, était
battue par ces hommes extraordinaires dont on ne
saurait dire s'ils étaient des aventuriers, des héros
ou des bandits. Vautours affamés de gloire et de

rapines, indomptés, indomptables, ils ne connaissaient pas plus le vertige que la fatigue, ils prenaient leur élan, et ils volaient haut et loin. A la
cour, au sein du bien-être et des plaisirs de la
métropole, on n'appréciait pas à sa valeur l'esprit
d'entreprise et de sacrifice de ces furieux de gloire
qui exécutaient sans discuter les ordres les plus
insensés, sans concordance et sans rapport avec les
motifs de gloriole qui, souvent, les déterminaient.
Mais la faveur royale transformait ces aventuriers
en héros car ils étaient médusés par le mirage des
récompenses et leur vanité était insatiable.

Les Portugais ont promené leur audace dans tous
les coins et les recoins de cette brousse inhumaine et
l'*Enfer vert* de la grande forêt équatoriale, niveleuse et mangeuse d'hommes, n'a pas réussi, après
plusieurs siècles d'oubli, à effacer complètement les
traces, ni le souvenir de ceux qui, les premiers,
l'ont violé.

Alberto avait même vu en passant à Santo Antonio de Borba, il ne fallait alors pas moins de
plusieurs mois de voyage pour atteindre ce site désolé en partant du Portugal, des pierres de taille,
expédiées autrefois à Lisbonne pour la construction
d'un couvent, couvent qui n'est jamais resté qu'à
l'état de projet. Et, plus haut encore, sur le Guaporé, le fort démantelé du prince da Beira, ruines
augustes d'une vaine grandeur, amas de fers rouillés et de bronze vert-de-grisé, racontait l'odyssée de
ces matériaux : deux cent trois jours de transport à

travers la brousse la plus difficile du globe, car il
n'en avait pas fallu un de moins aux ingénieurs
militaires pour se rendre de Parà à l'endroit où
le roi du Portugal désirait régner et imposer le
prestige de sa couronne par la force de ses canons.
Cette fière artillerie, aujourd'hui rongée par l'humidité de la forêt vierge, avait été portée à bras
d'hommes, loin, au-dessus des rapides, où elle livra
son premier et son seul combat, une bataille
muette, titanique, avec les éléments de la nature
qui s'opposaient à l'avance des conquistadores.

Et les siècles avaient passé. Et à la pénétration
audacieuse avait succédé l'exploitation méthodique,
à la découverte, à l'exploration gratuite, l'appri-
voisement de la forêt vierge, son débroussement
utilitaire. Les Portugais avaient abandonné les solitudes. Leurs descendants, non moins ambitieux,
mais moins téméraires, avaient établi leur siège
dans les villes. Aujourd'hui, ils trafiquaient. De la
forêt ils ne connaissaient que son rendement pratique, que les bénéfices qu'ils faisaient sur ceux
qu'ils envoyaient mourir à la peine au fond des
bois. A bord du *Justo Chermont* Alberto était le
seul représentant de la race.

Tout en jetant l'ancre ou sa passerelle de-ci, de-
là, accostant, distribuant ses marchandises et ses
passagers sur des plages désertes, répondant aux
trois coups de fusil des plantations situées sur son
itinéraire, de plus en plus délesté, le vapeur finit
par jeter l'ancre devant Humaythà et salua cet

établissement d'un traditionnel coup de sifflet. Là
habitait un vieux Portugais, le fondateur même de
la station. Et lui aussi trafiquait avec les Juifs et les
Syriens, ce vieil invalide, qui promenait dans le
misérable défrichement, avec une allure de grand
seigneur, son bras manchot et sa barbe blanche.

Humaythà était le dernier poste avant la plantation du *Paradis*. Le *seringal* était tout proche. Il
n'y avait qu'à boucler la courbe que la rivière dé-
crivait en amont pour être rendu. Déjà les engagés
faisaient leurs bagages, ramassaient leurs ustensiles
et leurs hardes. Ils ne se tenaient plus d'impatience.
Et Alberto partageait leur nervosité. Par l'entre-
mise de ce bavard de Felipe il avait lié connais-
sance et fraternisé avec plusieurs de ses compagnons, mais, néanmoins, il était heureux de quitter
enfin cette écurie flottante.

Humaythà était un bourg plus que modeste, une
agglomération sylvestre dans le genre de Borba et
de Manicoré; son nom grandiloquent célébrait la
victoire remportée par le Brésil sur le Paraguay.
Comme partout, les rues étaient tapissées de paille
et l'adobe remplaçait la brique dans la construction. On y remarquait une petite chapelle passée au
lait de chaux et aussi la maison communale, où le
vieux Portugais, fondateur de ce village, continuait
à recevoir, pour ne pas dire à trôner avec sa déco-
ration de commandeur sur la poitrine. Le *Justo
Chermont* y jeta quelques caisses et quelques barriques et il y débarqua aussi un passager des pre-

mières. Puis il largua ses amarres. On touchait
au but.

Qu'allait-il advenir de tous? Qu'allait-il arriver?
Alberto était rempli d'émotion. Et que serait ce
Paradis, ce refuge qui s'ouvrait à sa vie de trans-
planté?

Le navire quitta Humaythà pour la rive droite
et doubla une langue de terre où ne restaient que
des traces de cultures abandonnées. Dans un épais
maquis, le pied dans la vase, un arbre isolé jaillissait de l'impénétrable fourré, s'offrant au soleil dans
toute sa hauteur et sa rotondité, sentinelle avancée
de la forêt qui affirmait son droit de reprise.

« Le *Paradis*! Voilà le *Paradis*! »

Tous les regards suivirent la direction qu'un bras
tendu leur indiquait. Les engagés étaient anxieux
de voir ce monde inconnu où ils étaient enfin arrivés, venant de si loin pour gagner leur pain quo-
tidien.

Le *Justo Chermont* gagna le chenal, passa de la
rive droite à la rive gauche et se dirigea vers un
débarcadère.

On finit par distinguer tous les détails de la
plantation : d'abord trois baraquements alignés,
puis deux bâtisses en bois et briques; l'une, la
plus vieille, construite au ras du sol, devait être la
proie des eaux à l'époque des grandes crues; l'autre,
plus vaste, était flanquée d'une véranda sur toute
la longueur de sa façade et était élevée sur pilotis;
son apparence, ses dimensions, ses couleurs vives,

tout indiquait que c'était là la résidence du maître
et le siège de l'exploitation. Depuis Tres Casas,
Alberto n'avait pas vu une maison de cette importance. Elle était entourée d'un espace bien dégagé
qui s'étendait jusqu'au bord de l'eau. Un superbe
fromager et un magnifique arbre à cajù étaient
plantés devant la maison. Trois palmiers, très no-
bles et très hauts, indiquaient l'emplacement de
l'ancrage.

Avant même que le *Justo Chermont* eût, suivant
l'usage, déchiré d'un long coup de sirène le silence
de ce jour dominical, on voyait des gens se masser
sur le rivage et leur nombre grossir sans cesse. Des
hommes sortaient des baraquements et d'autres
descendaient de la véranda. Ils se groupaient sous
les trois palmiers et on les voyait très nettement
discourir.

Le vapeur avait modéré son allure et s'approchait
de la rive précautionneusement. A bâbord, la passerelle était parée et sur le pont les écoutilles étaient
ouvertes. Maintenant on pouvait même distinguer
la race des gens et la couleur de leur peau. C'étaient
pour la plupart des Noirs et des mulâtres. Ils
étaient vêtus d'une veste rayée et d'un pantalon de
toile bleue. Ils étaient coiffés de vastes chapeaux
de *carnauba*. Ils étaient pieds nus ou chaussés de
souliers bizarres comme Alberto n'en avait encore
jamais vu. Au milieu d'eux allait et venait, agité
et aboyant, un chien blanc auquel personne ne
prenait garde.

La voix du commandant Patativa retentit. Un câble fut jeté à la rive. Un des hommes s'en saisit et l'amarra au plus gros des palmiers. Bruit du cabestan... un silence... et la coque du navire toucha la terre noirâtre de la berge.

« Sortez la passerelle! »

Le commissaire du bord surgit, le livre de charge sous le bras, des connaissements à la main.

A terre les gens s'étaient massés au pied de la passerelle et une soudaine intimité s'établit entre eux et ceux du bateau. Des plaisanteries s'échangeaient.

L'arrivée des *bravos*, c'est-à-dire des nouveaux engagés, qui étaient presque tous originaires du Céara et du Maranhão, était chaque fois un sujet de gaieté folle pour les vieux colons qui étaient déjà acclimatés à cette terre et adaptés à ses étranges coutumes. Si un nouvel arrivant, démonté par les lazzis qui l'accueillaient, montrait de la mauvaise humeur, ses bourreaux ne le lâchaient plus et se divertissaient à qui mieux mieux à ses dépens en le criblant d'un feu roulant de plaisanteries et de moqueries inimaginables, excités qu'ils étaient par les rires grossiers de leurs compères. Ahuris par cette réception inattendue, les nouveaux débarquaient sur cette terre étrangère sans que personne leur fournît la moindre explication pour les tirer d'embarras; au contraire, tout prétexte était bon, et jusqu'à leur gaucherie et leur inexpérience, pour leur faire cruellement sentir leur nouvelle condition d'engagés, sinon d'esclaves, et ce n'est qu'à force de railleries, de méchancetés, de vexations et d'allusions blessantes que les anciens initiaient les bleus au nouveau genre d'existence qu'ils allaient mener au *Paradis*.

La troupe de Balbino qui, penchée sur le bastingage, attendait l'ordre de débarquer, essuyait, résignée, la traditionnelle bordée d'invectives. Alberto se retira en arrière, afin de ne pas devenir un point de mire.

« Hé! vieux, t'en fais une gueule! Je parie que tu n'es pas capable de porter un gallon de gomme sur la tête!

— Ici, tu sais, tu n'es pas à Baturité, chez ta mère. T'as encore du lait derrière les oreilles, fiston! »

Alberto était angoissé. Il ressentait une répulsion instinctive devant la brutalité de ces primitifs. A la seule idée d'avoir dorénavant à partager leur vie, il éprouvait une rancœur profonde.

Le groupe des types qui stationnaient à terre s'écarta respectueusement pour livrer passage à un homme vêtu de blanc et coiffé d'un panama et qui, en franchissant la passerelle, faisait de nombreux saluts de la main à l'adresse de gens qui se trouvaient à bord.

Alberto s'enquit auprès du maître de l'équipage.

« C'est Juca Tristão, expliqua l'autre. Votre patron. »

Petit, imperceptiblement métissé, le patron du

Paradis dont les gros doigts étaient chargés de
bagues rutilantes, cachait mal, à l'ombre de son
chapeau et sous un sourire d'emprunt, un regard
dur et énergique.

Il conversa un moment avec le commissaire et
appela un de ses employés.

« Voici les connaissements, Binda. Examinez cela
avec Meireles. »

Et il gravit très à son aise l'escalier des premières.

Peu après il redescendit entre Balbino et le commandant.

Sur son ordre le troupeau des engagés débarqua
et alla se grouper sur la grève. Balbino faisait son
compte rendu au fur et à mesure que les hommes
franchissaient la passerelle et fournissait des explications. Alberto, qui se tenait à l'écart et qui
contemplait ce tableau de loin, évoquait les bateaux
négriers d'autrefois, débarquant leur cargaison
d'esclaves sur quelque plage secrète. La voix rude
de Balbino qui l'interpellait lui rappela que lui
aussi faisait partie de la bande.

« Et vous, qu'est ce que vous attendez? »

Tous étaient partis. La passerelle était vide. Un
matelot chargé d'une caisse attendait qu'il fût passé
pour aller déposer son fardeau à terre.

Alberto allégua sa malle.

« Portez-la », dit sèchement Balbino. Puis, se
reprenant : « Non, laissez, on vous la descendra. »

Et débarquant à son tour Alberto comprit que

Balbino parlait de lui à Juca Tristão et que ce qu'il disait au patron n'était pas à son avantage. « Mon escapade à Manaos, pensait-il, contient en germe des mauvais traitements et des persécutions futures. » Et il se sentit une fois de plus découragé.

Craintifs et résignés, les Céaréens s'étaient mêlés à la foule des *seringueiros*. Ces hommes ne les recevaient pas comme des compatriotes ou des compagnons d'infortune, mais comme des adversaires. Ils étaient sans pitié. D'ailleurs, une seule chose les intéressait : le dernier cours du caoutchouc; et comme les nouveaux venus avouaient leur ignorance, ils s'attiraient une grêle de malédictions.

Sur le rivage s'entassaient caisses, sacs et barriques, surtout des barriques, car le tafia de traite est la seule consolation du *seringueiro* au sein de sa misérable existence.

Balbino et Juca Tristão débarquèrent sans trop se faire attendre. Le patron interpella un homme :

« Caétano, menez-les au vieux baraquement! »

Balbino, familier et méprisant, donnait du « tu » et du « toi » aux pauvres bougres qui l'entouraient pour connaître le cours du caoutchouc.

« La hausse ou la baisse? demanda quelqu'un.

— La baisse.

— A combien?

— Il cote à cinq milreis, tu es satisfait? J'espère que tu ne vas pas économiser tes coups de machete, maintenant? Mais pas de *muta*[1], hein, sinon gare!

— Je n'ai jamais fait *muta*, missié Balbino. Et que croyez-vous, qu'il va remonter ou qu'il va redescendre encore?

— Remonter, naturellement. Pour sûr qu'il va remonter. »

Et Balbino s'en retourna rejoindre le patron.

Malgré cette déclaration optimiste, les *seringueiros* se regroupèrent en donnant des signes de profond découragement. Ah! oui, c'en était fait du beau rêve qui les avait entraînés ici. La gomme se dévalorisait. On gagnait tout juste de quoi manger, de se payer, le dimanche, quand ils venaient s'approvisionner au magasin du *Paradis*, un kilo de manioc et autant de viande séchée. Ceux qui, à force de travail et de surmenage, réussissaient à se faire octroyer une avance, n'arrivaient pas à la rembourser. La nourriture la plus stricte coûtait beaucoup plus cher que ne rapportait la cueillette de la semaine. Il fallait se priver de tout pour se procurer les quelques mètres de toile nécessaires à la confection d'une blouse neuve ou pour arriver à avoir le litre de tafia où noyer son chagrin. Quelle désillusion! Le retour au village natal, là-bas, dans les plaines du Céara, devenait d'année en année plus problématique. C'était une hypothèse chimé-

1. *Faire muta* consiste à entailler l'arbre dans le haut au lieu de le faire dans le bas. Au commencement on extrait davantage de gomme mais le caoutchoutier ne tarde pas à dépérir, l'arbre est saigné à blanc. B. C.

rique qu'on n'osait plus envisager. Certains « chemins [1] » ne donnaient pas plus de deux gallons par jour, quand encore ils les donnaient, et il fallait faire au moins deux tournées pour récolter ça! et à la fin de la semaine on totalisait trois boules de caoutchouc et quelques kilos de *sernamby* [2], lequel ne valait d'ailleurs presque rien. Et dire que tous ces maudits crétins de bleus, qui débarquaient, s'imaginaient pouvoir faire rapidement fortune et s'en retourner très prochainement chez eux, riches à millions, comme l'avaient fait les premiers colons, les pionniers qui avaient planté leur « boîte à lait » dans les caoutchoutiers sauvages de la forêt vierge. Oh! les imbéciles! Et les vieux résiniers désabusés méprisaient d'autant plus les nouveaux venus qu'ils devinaient que ces illusions et ces bobards étaient ancrés dans leur cerveau, et leur mépris allait jusqu'à la haine.

Les nouveaux marchaient à la queue leu leu derrière Caétano qui leur avait fait prendre un sentier longeant une barrière de barbelés servant de clôture à un terrain réservé aux vaches et aux chevaux de la plantation. Ils passèrent ensuite sous l'ombre d'un grand manguier dans un bourbier que les porcs affouillaient de leur groin. Un *bleu* qui glissa dans la boue avec son sac provoqua d'énormes éclats de rire et fit accourir toute la

---

1. *Chemin* : sentier qui unit entre eux dans la forêt vierge les arbres exploités par un groupe de deux, trois résiniers. *B. C.*
2. *Sernamby* : résidu de la gomme à caoutchouc. *B. C.*

bande des anciens qui les regardaient défiler. Enfin ils pénétrèrent tous dans le vieux bâtiment qu'Alberto avait aperçu du bord.

Ils se trouvaient dans un vaste carré dont le sol en terre battue exhalait une forte odeur de moisi. Il y avait dans un coin un chaudron rouillé, un *boião* ayant servi à fumer la gomme.

« Restez-là! » dit Caétano d'un ton impératif et peu rassurant.

Mais déjà le groupe des anciens entrait dans la bâtisse par une autre porte, chacun s'enquérant d'un pays pour avoir des nouvelles des siens et évoquer des souvenirs.

Afin de ne pas devenir à son tour le sujet de plaisanteries dans le genre de celles qui avaient salué certains de ses compagnons, et d'autant plus que sa tournure de citadin commençait à éveiller la curiosité générale, Alberto alla s'adosser à une porte du fond et se mit à étudier les alentours.

Derrière le vieux bâtiment s'étendait le verger, planté d'un cajù et de nombreux goyaviers. Dans les petits dômes verts des arbres fruitiers exotiques dont Alberto ignorait le nom, s'ébattaient des perruches jacassantes. A un kilomètre environ, à la limite du verger, près de la ligne sombre de la forêt qui recommençait au-delà, il aperçut quatre petites croix de bois. Et s'il venait à mourir, lui aussi?... Les voix des *seringueiros,* maintenant fraternellement mêlés aux bleus et qui parlaient de relations communes, aggravaient encore sa tristesse.

Il n'avait pas une personne, pas un compatriote à qui se confier et, s'il venait à mourir ici, sa mère ne le saurait même pas...

Son regard se porta sur la grande maison du maître. Derrière la porte-fenêtre qui donnait sur la véranda il aperçut un visage de femme qui retint son attention. Mais la vision disparut. Le miroitement des vitres empêchait de voir ce qui se passait à l'intérieur. C'était peut-être la femme de Juca?... Pour elle non plus la vie ne devait pas être drôle au *Paradis*.

Le *Justo Chermont* lança un long coup de sirène et s'éloigna à petite allure. Du haut de la passerelle le commandant Pativa saluait du geste Juca Tristão qui, de la véranda, répondait au commandant. Sur le pont des premières, quelques rares passagers contemplaient la plantation d'un air apitoyé. A l'arrière, sur le pont des troisièmes, trois bœufs, la tête hors du navire, ruminaient avec lenteur. Binda surgit, précédant une longue file de Noirs et de mulâtres qui enlevèrent les colis et les marchandises abandonnés sur la rive par le vapeur. Le départ du *Justo Chermont* lui broya le cœur. Alberto sentit soudain tous les liens d'affection qui le rattachaient à ce navire qui emportait quelque chose d'inexprimable avec lui. Alberto le suivait du regard. Ses deux cheminées allaient encore fumer, fumer en amont, puis elles fumeraient de nouveau en aval, à Manaos..., à Bélem..., Bélem... à quinze jours à peine du Portugal.

« Attention, nom d'un chien! »

C'était Caétano qui était revenu. Planté au milieu de la grande pièce, il faisait son choix et distribuait les engagés.

« Toi! »

Du doigt il désigna un Céaréen. L'homme s'avança humble et silencieux. Et se tournant vers l'un des anciens, Caétano ajouta :

« Tu le prendras avec toi à Popunhas. Allez, vous pouvez monter! »

Il les mit ainsi par paires, un ancien avec un nouveau, et chaque couple se dirigeait vers l'escalier de la grande maison.

Durant cette opération de triage le regard de Caétano s'était posé à deux ou trois reprises sur Alberto, mais chaque fois il avait passé outre. Quand il ne resta plus que lui dans le vieux bâtiment, il lui dit sèchement :

« Et vous, suivez-moi! »

Ils prirent un étroit chemin qui longeait le bâtiment principal du côté de la véranda.

« Il doit faire très chaud ici », risqua Alberto.

Mais Caétano, qui tenait à garder ses distances, affecta de n'avoir pas entendu.

Quand ils arrivèrent au sommet de l'escalier, Caétano le planta là et alla demander à Juca Tristão :

« Et celui-là, qu'est-ce que je dois faire de cet homme? C'est un Portugais ou je ne sais quoi!

— Attendez... Balbino, Balbino! » cria le patron. Balbino accourut.

« Et cet homme?

— Quel homme? Ah! celui-là? C'est un Portugais qui m'a été recommandé à Bélem. »

Caétano saisit au vol l'occasion d'épancher sa bile. Il n'avait pas encore digéré le choix de Balbino pour le voyage du Céara.

« Je ne comprends pas comment vous avez pu vous encombrer d'une peste pareille, dit-il. Vous savez bien que les Portugais ne sont bons qu'à faire des colporteurs!

— Comment? Alors vous n'avez plus souvenir du commandeur Gonçalvez, de Pasto Grande? C'était un Portugais pourtant! Il entaillait les arbres aussi bien qu'un Céaréen. Et puis, vous semblez oublier que cet homme ne m'a pas coûté cher. J'ai payé son voyage et c'est tout. Pas d'hôtel, pas d'avances d'argent, rien, rien. M. Juca d'ailleurs est au courant.

— D'après ce que j'ai déjà pu en juger, moi... » hasarda Caétano.

Juca Tristão trancha le différend :

« Ça va! Nous saurons avant peu de quoi il est capable. Où l'envoyons-nous? A Buiassù? A Laguinho?

— Mieux vaudrait à Todos-os-Santos, avec Firmino, qui possède bien le métier, dit Balbino. Ensuite on avisera.

— Bon! Alors, voyez Firmino. »

Peu après un mulâtre, dont le pantalon retroussé laissait voir une énorme cicatrice au mollet, se trouvait au côté d'Alberto.

« Suivez-moi », fit-il.

Alberto et lui franchirent la porte du magasin et se trouvèrent avec les autres *camaradas* entassés devant un comptoir. Tout le monde attendait que commençât la distribution des fournitures.

Le magasin était rempli de toutes sortes de marchandises, disposées sur des rayons en un ordre parfait : de la toile écrue pour les vêtements de travail et de la toile rayée pour les blouses; des blancs anglais pour ceux qui pouvaient se payer ce luxe et aimaient à parader dans les fêtes, parmi les *caboclos;* des souliers vernis, des sandales de gomme, des chapeaux de paille jaunis en magasin, des savonnettes et aussi du patchouli pour les raffinés qui ne sauraient aller au bal sans une pochette parfumée. Sur les rayons supérieurs, des pyramides de boîtes de conserves et de lait condensé, des pilules de quinine, des flacons d'élixir et des boîtes d'onguent. Les bouteilles de whisky, de cognac, de vermouth composaient une frise au ras du plafond pour le seul plaisir de la vue, car le contenu en était absorbé exclusivement par Juca Tristão.

En bas, sur une table crasseuse, gisait le sac de *jaba,* cette viande séchée provenant des élevages du sud. Binda, le magasinier, en suçait de temps en temps un déchet tout en pesant et en mesurant aux *seringueiros* la marchandise demandée.

Les caisses de riz, de sucre, de café et de haricots noirs étaient ouvertes sous le comptoir.

Tout au fond, entre le plancher et les placards, on voyait briller le robinet de métal qui distribuait le pétrole et on pouvait distinguer à côté un second robinet, mais en bois, d'où le tafia gouttait par un entonnoir dans des mesures d'étain resplendissantes.

Un bureau communiquait avec le magasin. C'est là, dans un cagibi, que, la plume à la main, trônait Juca Tristão et qu'il enregistrait les commandes de ses ouvriers. Lorsqu'un colon avait déjà à son compte un crédit dépassant la normale, le patron rognait sur la commande du pauvre type.

« Un panier de farine? Mais tu n'y penses pas! Tu en auras deux litres.

— Mais, alors, missié Juca, qu'est-ce que je mangerai cette semaine?

— Ça, je m'en fiche. Tout ce que je sais, c'est que tu me dois déjà six cents milreis. Travaille!

— Moi, travailler? Et quand missié Alipio ou missié Caétano m'ont-ils vu couché? J'en tire tout ce que je peux de mon « chemin ». C'est lui qui ne vaut plus rien! »

Juca Tristão ne répondait pas. Mais si le *seringueiro* avait de l'argent, il ne lui refusait rien, pas même le superflu. Et le patron trouvait beaucoup plus de profit à ce trafic que s'il avait délivré un chèque à ces pauvres naïfs qui auraient alors pu l'échanger contre des espèces sonnantes et trébuchantes dans quelque autre comptoir de Manaos.

Séjour trop court dans la plantation, paresse, maladie, le motif importait peu. Si le pauvre bougre n'arrivait pas à solder sa dette, il ne restait rien d'autre au *seringueiro* pour ne pas crever de faim que d'aller à la pêche ou à la chasse. La quantité du caoutchouc récolté par l'homme dans la semaine servait de base pour lui donner les marchandises désirées. Certains engagés avaient eu assez peu de vergogne pour crever avant d'avoir payé leur dette! D'autres avaient pris le large, et allez les rattraper! Il y en avait comme cela une longue pancarte; l'énuméré en était assez éloquent pour démontrer à Juca Tristão combien il était dangereux pour sa bourse de vouloir faire du sentiment ou de se laisser aller à toutes sortes de compromis avec ses hommes.

« Alors, patron, vous me le donnez ce panier de farine? »

Sans fournir plus ample explication, Juca Tristão lui délivra un bon sur lequel il avait inscrit deux litres, et le type pouvait encore s'estimer heureux de l'avoir. Puis, le patron passa au suivant.

Ensuite on allait se présenter au comptoir où Binda délivrait strictement ce qui était porté sur les bons.

Avec les nouveaux qui avaient envie de tout et ne savaient choisir entre l'indispensable et le

superflu, Juca Tristão procédait d'une autre façon.
C'était lui-même qui dressait la première liste des
fournitures : le *boião* à fumer la gomme, le seau
de fer-blanc pour recueillir le latex, le gallon, le
machete, les pots, bref tout le fourniment indispensable à l'extraction du caoutchouc. Il y ajoutait un kilo de *pirarucú* et quelques litres de farine
car, au début, un bleu ne sait pas tirer parti de la
pêche au *tambaqui,* ni de la chasse au paca et à
l'agouti.

Ces premières dépenses constituaient la note mas-
sive qui, ajoutée aux frais du voyage et aux autres
avances, enchaînait le malheureux croquant pour
un nombre indéterminé d'années à la plantation
du *Paradis.*

Alberto se retrouva avec sa facture à la main
(720 milreis détaillés en deux, trois lignes!) et une
demi-douzaine d'objets hétéroclites alignés devant
lui sur le comptoir. Il crut à une erreur, mais,
ayant jeté un coup d'œil sur la facture de son voisin, il dut bien se rendre à l'évidence : toutes les
notes de Binda étaient à peu près de la même importance.

Si sa camelote n'avait guère de valeur, elle était
par contre d'un poids excessif pour un seul homme.
Firmino lui offrit son sac, une espèce de vaste
besace soutenue par deux courroies que l'on passait sur les épaules. Il y fourra les pots de fer-blanc
et leurs provisions de la semaine. Quant au *boião*
ils le porteraient à tour de rôle.

La nuit était proche. Le mulâtre pressa Alberto de se mettre en route.

« Et ma malle?

— Au premier voyage à Igarapé-Assù, un bœuf vous l'apportera et vous irez la prendre. »

Des *seringueiros* et d'autres nouveaux engagés attendaient encore leur tour devant la véranda. Tout le monde riait maintenant. Les bleus se familiarisaient avec les manières rudes des anciens, trop heureux de bavarder. Alberto ne pouvait pas comprendre ces gens-là. Ils étaient enchantés d'être là, au *Paradis*, et de vivre bientôt une vie qu'ils estimaient être normale, alors qu'à lui tout lui paraissait équivoque et prodigieusement provisoire dans cette plantation. Aussi, lorsque Firmino l'aida à endosser son lourd sac, il se sentit ridicule et gauche, lui, le citadin, cravaté, bien mis, chaussé de souliers vernis, qui allait s'enfoncer en forêt avec une charge brimbalant dans le dos.

Ils passèrent derrière la maison du maître. Une femme était penchée à une fenêtre. Elle avait le regard perdu sur la bananeraie. Firmino tira son chapeau. Alberto l'imita. La femme répondit à peine à leur salut. Ses yeux continuèrent à regarder au loin avec indifférence. Elle avait un visage d'une beauté un peu mûre, empreint de mélancolie, ce qui surprit Alberto qui trouvait que tout dans la plantation, aussi bien les hommes que les choses, avait l'air rudimentaire, sinon brutal et inachevé.

« Qui est cette dame? demanda-t-il.

— C'est Dona Yaya, la femme du gérant. »

Ils passèrent entre les papayers. Deux urubus s'envolèrent à leur approche. Ils arrivèrent bientôt au bout du verger tout planté de goyaviers et de citronniers. Les citrons étaient tout ronds et fort différents de ceux que l'on récolte au Portugal et qui ont la forme allongée du sein d'une jeune vierge. Ici, même les fruits avaient un aspect sauvage. A l'orée de la forêt dansaient des ombres.

La forêt...

Ils y pénétrèrent l'un derrière l'autre par une coulée. Le sentier était trop étroit pour y marcher de front. Tous les cent pas il était barré par d'énormes troncs renversés et pourrissant sur place; personne n'avait idée de les déplacer. A gauche, à droite, la profondeur insondable de la forêt vierge, dont Alberto n'avait encore vu que la façade interminable durant des jours et des jours de bateau. Maintenant, il était dedans et il allait la connaître de l'intérieur.

C'était un fouillis, une mêlée exubérante, arbitraire, folle de troncs et de tiges collés les uns aux autres, autour de quoi serpentaient, ondulaient en courbes d'une audace inouïe, en annellements d'une fantaisie incroyable tout un monde de lianes et de plantes parasitaires, vertes, drues, vigoureuses et si serrées par endroits que cela faisait des touffes, des bouquets noués de liens, un obstacle infranchissable. Les arbres n'érigeaient leur tronc et n'étalaient leur frondaison que sucés depuis la racine

jusqu'au faîte par des milliers et des milliers de
tentacules. La lumière était filtrée à tel point que
lacérée par les feuilles, les branches, les palmes, elle
venait expirer au-dessus des arbustes du sous-bois
d'un vert intense et frais, car les ardeurs du soleil
ne parvenaient pas à percer jusqu'à eux. Le sol
était recouvert de feuilles en putréfaction, mais
on voyait bourgeonner sur les troncs morts, couchés
dans la pénombre, des champignons, des mousses,
des herbettes velues comme des oreilles de lapin.
Dans cet humus, s'étalaient les larges palmes des
tajas et autres plantes de la même espèce qui nichent dans le terreau.

Les taillis et les fourrés s'élevaient à deux fois
la hauteur d'un homme et ce n'est qu'à cette hauteur seulement que l'œil avait quelque chance de
découvrir un espace dégagé; mais les longues lianes
des *cipos* s'enchevêtraient là-haut, s'élançant d'un
arbre à l'autre, guirlandes audacieusement suspendues dans lesquelles couraient et faisaient de l'acro-
batie des petits singes de toutes les catégories.

Au-dessus s'incurvaient les dômes séculaires, dé-
ployés les uns à côté des autres et tous également
magnifiés par la lumière.

C'est cette incomparable lumière qui donnait
du relief aux géants de la selve et qui, en cares-
sant les ailes de myriades de papillons, se décom-
posait en vives couleurs comme un fantastique arc-
en-ciel palpitant.

Parfois, un fin et blanc palmier jaillissait comme

une fusée, perçait la voûte des frondaisons et épa-
nouissait ses quatre palmes en plein ciel, dans une
échappée folle.

Au début, quand on pénétrait sous bois, l'œil
s'attachait volontiers à tel ou tel détail, aux par-
ticularités de tel ou tel tronc. Mais l'on renonçait
vite à cette curiosité, car ni la mémoire, ni la pu-
pille n'étaient assez puissantes pour retenir ou fixer
l'image de tant de variétés de feuilles, d'herbes,
d'écorces, de façons de porter des branches. Quant
aux fruits, oubliés dans les arbustes ou pourrissant
par terre, dont les espèces étaient infiniment plus
nombreuses que dans tous les vergers d'Europe,
personne ne se serait hasardé à les goûter par
crainte de s'empoisonner.

Tout caractère individuel se fondait dans la
masse de la verdure; aucune comparaison n'était
possible entre les différentes essences dans l'em-
mêlement des ramifications que l'on ne savait à
quel arbre rattacher. Complaisamment Firmino
s'évertuait à lui nommer des plantes, mais en eût-il
énuméré des centaines et des centaines, qu'il restait
encore des milliers et des milliers d'espèces anonymes dont Alberto ne saurait jamais le nom.

De place en place, le soleil couchant, filtrant par
un trou, illuminait par en dessous un cloître invraisemblable.

Partout régnait le silence, le silence de la grande
forêt, un silence symphonique, composé de millions de gazouillements atténués et fondus dans le

doux murmure du feuillage. C'était un silence d'une suavité exquise. Un silence d'extase.

Souvent, un crissement bref et inattendu faisait sursauter Alberto qui, d'instinct, saisissait le bras de son compagnon.

« C'est un *inhambú* », expliquait Firmino en souriant.

Et quelques pas plus loin on voyait le grand lézard s'enfuir dans les feuilles.

Mais, à la longue, le silence des bois devenait angoissant, il était trop prolongé, trop profond. La forêt vierge semblait attendre depuis des milliers d'années la venue d'une proie merveilleuse. L'envol bruyant des perroquets et des *maracanas* faisait baisser la tête aux deux hommes, car chaque fois on était surpris. Et plus loin, le cri rauque d'un autre oiseau, semblable au cri d'un paon, dégringolait du sommet des arbres géants et roulait d'écho en écho sous le toit de la verdure. Puis le silence retombait lourd, solennel, quasi éternel.

Alberto avoua sans honte : « Ce n'est guère rassurant par ici! »

Firmino sourit encore :

« Oh! maintenant, ce n'est rien! C'est quand les Indiens poussent jusqu'ici qu'il faut ouvrir l'œil.

— Comment, il est venu des Indiens par ici?

— Oh! s'il en est venu? Il y en a même encore. Je parie que vous n'en saviez rien? »

Et comme Alberto faisait un geste de dénégation, Firmino ajouta :

« Tenez, précisément à Todos-os-Santos où nous allons, ces salopards se font de temps en temps un malin plaisir d'y venir faire un tour.

— Et ils sont d'un rapport facile? demanda Alberto.

— Ah! vous croyez ça, vous? répondit Firmino. Eh bien, écoutez. Vous savez, Féliciano, celui qui exploitait votre « chemin » avant vous, eh bien, pas plus tard que le mois dernier, les Parintintins sont venus et ont emporté sa tête! Personne ne veut plus de ce « chemin ». C'est d'ailleurs pourquoi on vous y a mis, vous. A Popunhas, il y a une quinzaine, il y a aussi eu de la casse, et sérieuse! Les Indiens sont arrivés là-bas et ils n'ont pas trouvé de tête à couper, alors, ils ont tout saccagé. »

Devant la stupéfaction du bleu, Firmino continuait à sourire niaisement. « Vraiment, pensa Alberto, le camarade exagère, il veut me faire peur et se gausser de moi. » Et Alberto ne posa pas d'autre question.

Mais le sentier passait un peu plus loin devant une vaste grotte formée par les racines aériennes d'un arbre gigantesque. Cela avait l'aspect d'un temple hindou, avec des fenêtres multiples percées à différentes hauteurs et des portes innombrables, de dimensions et de lignes irrégulières. Cet abri naturel se composait de plusieurs salles dans chacune desquelles on aurait pu dresser une table de jeu.

« C'est un *sapopema* », expliqua Firmino qui souriait toujours.

Les racines de l'arbre filaient dans tous les sens,
ici minces et affûtées comme des socs de charrue,
épaisses là comme des pans de mur, ailleurs contorsionnées et serpentantes pour s'achever plus loin
et se nouer baroquement autour d'une embrasure
comme un encadrement de style manuélien.

« Si, par hasard, il vous arrivait de vous égarer
en forêt, tapez sur les racines du *sapopema* avec
un bâton : il y aura toujours un *seringueiro* dans
le voisinage pour vous répondre. »

Et tirant de sa gaine son long couteau de débrousseur, le mulâtre en frappa le monstrueux végétal à plusieurs reprises. Le coup se répercuta dans
les galeries intérieures de l'arbre et un écho sourd
et prolongé comme le son d'une cloche troubla
le profond silence de la forêt et résonna à des
lieues et des lieues à la ronde.

« C'est aussi là-dedans qu'ils se cachent quand
ils s'apprêtent à tirer sur un homme, raconta Firmino, en rengainant son couteau et en pensant encore aux Indiens. Le type passe. Les bougres poussent un sifflottement. L'homme se retourne... Pan! »

Le sourire béat du mulâtre n'était pas du goût
d'Alberto, aussi passa-t-il à un autre sujet :

« Et les centres d'extraction, sont-ils très loin
de Todos-os-Santos?

— Non, mais seuls les familiers de la forêt peuvent circuler sans risque de l'un à l'autre. Il faut franchir des *igapos*, des lagunes, des marécages. On risque de s'enliser sous les arbres. Mais chaque centre est relié à la maison de Juca par un sentier particulier.

— Combien d'hommes y a-t-il dans chaque centre?

— Ça dépend. Depuis que les Indiens ont emporté la tête de Féliciano, nous ne sommes plus que deux à Todos-os-Santos, Agostinho et moi. Maintenant que vous êtes là, nous serons donc trois. A Igarapé-Assù, ils sont une dizaine. A Popunhas, cinq. A Laguinho, quatre seulement. Vous le voyez, ça dépend... »

Et s'apercevant que le jour allait disparaître, Firmino ajouta : « Allons, ne lambinons pas, sinon, nous serons obligés de passer la nuit dehors. »

La forêt s'enténébrait déjà. L'enchevêtrement inférieur perdait ses contours. Les fourrés remplis d'ombre se multipliaient. Et la nuit qui estompait tout montait le long des troncs centenaires. Le vert intense du sous-bois s'était éteint. Par terre, les feuilles en putréfaction faisaient des taches phosphorescentes et dans les cimes, qui se découpaient sur un ciel uni et blafard, les derniers rayons de lumière qui s'accrochaient aux plus hautes branches dessinaient les nervures d'une fantastique verrière.

Enfin, le silence cessa. La forêt commençait à parler dans les ténèbres. De toutes parts s'élevaient des voix étranges et imprécises qui finirent par créer un bourdonnement puissant et continu. L'ombre tombante n'était pas une pourvoyeuse de mélancolie. Telle une gigantesque draperie elle s'était déployée sur la forêt pour exalter son murmure.

Firmino prévint :

« Attention, jeune homme! »

Et Alberto s'aperçut qu'ils étaient sur le bord spongieux d'un *igarapé*. Ils franchirent le cours d'eau sur un pont fait de deux grosses perches jetées d'une rive à l'autre et d'une demi-douzaine de planches mal ajustées, fixées par des bouts de liane.

Puis ils reprirent leur sentier qui s'enfonçait sous bois comme dans un tunnel.

Firmino s'agenouilla. Il posa sa lanterne, en ôta le tube, passa ses doigts sur la mèche et, frottant une allumette, fit jaillir la flamme. Après quoi, sa grosse main noire alla fouiller dans sa besace et en sortit une bouteille de tafia.

« Merci, répondit Alberto à l'invite de son compagnon.

— Allons, une gorgée!

— Non, merci. »

Mais Firmino insistait trop pour que son offre ne fût pas faite de bon cœur. Alberto porta le goulot à ses lèvres, mais le retira bien vite. Il ne pouvait supporter l'alcool et le bouteillon de Firmino était rempli de *cachaça* qui est une eau-de-vie rudimentaire et brutale. Firmino, lui, en lampa une forte dose et poussa un grognement de satisfaction; puis, se dressant, il empoigna sa lanterne et passa devant.

Ils marchèrent encore une heure, deux heures dans ce sentier interminable, avançant lentement, à la lueur du falot qui faisait danser d'une façon fantastique leurs ombres extravagantes qui se cognaient aux branches, aux troncs, zigzaguaient dans les fourrés, se déchiraient, plongeaient dans les coulées, sautaient plus haut que les cimes.

Alberto était harassé. Le poids des ustensiles et des vivres lui broyait les épaules. Chaque pas en avant lui causait de vives douleurs. Il serrait les dents pour ne pas se plaindre, ayant de l'amour-propre. Il maudissait son sort. Il en vint à fermer les yeux, souhaitant d'aller ainsi de l'avant, toujours, toujours et d'aller se perdre en forêt. Sa fatigue était si grande que toutes sortes d'idées absurdes s'entrechoquaient dans son cerveau. C'était Balbino, et l'oncle Macédo, et les bateliers de Tres Casas, et le profil de Dona Yaya, et le sac de viande séchée sur le comptoir de Juca Tristão...

Et si c'était vrai! Si les Indiens existaient pour de bon? Si Balbino l'avait envoyé à Todos-os-Santos pour se débarrasser de lui, par vengeance?... Puis il pensait au Portugal, à la révolution, à l'université, à sa vie en Espagne, à sa mère... Si jamais elle savait ce qu'il endurait... pour sûr, elle en serait morte de chagrin...

Firmino s'arrêta tout à coup et regarda Alberto, l'oreille aux aguets.

« Ce sont eux!

— Qui ça, eux?

— Les copains. Ceux d'Igarapé-Assù. Dépêchons, sinon ces brutes vont se moquer de nous. Ils sont partis bien après nous. Ils vont nous rattraper. »

Alberto gémit, à bout de forces.

« Je n'en peux plus. Ça pèse de trop. Je ne suis pas habitué...

Firmino hésita.

« C'est qu'ils arrivent! »

Alors, prenant une subite résolution :

« Donnez-moi le chaudron, je m'en charge », dit le mulâtre.

Alberto était ému. C'était le premier témoignage de bonne camaraderie qu'il recevait depuis qu'il s'était engagé.

« Ça va! Je porterai tout. Allons-nous-en. »

Alberto ne les entendait pas venir, les autres, mais il ne flancherait pas! Et pour faire plaisir au mulâtre, il accéléra le pas. La sueur l'inondait.

« Enfin, nous y sommes! » dit Firmino.

Il s'accroupit, tira sur une corde, amena une pirogue et eut un rire de triomphe en embarquant.

« Maintenant, il faudra bien qu'ils attendent que je leur renvoie le bateau! »

Et il godilla vers l'autre rive.

« Ici, c'est Igarapé-Assù, dit-il en sautant à terre. Nous allons laisser tout le fourbi chez Chico et dans un rien de temps nous serons rendus à

Todos-os-Santos. On repassera demain prendre nos affaires. »

Quelques pas en avant les menèrent à une cabane dont le seuil projetait sur le sol un rectangle lumineux. Alberto n'entra pas. Il confia son sac à Firmino et alla s'adosser, les yeux clos, contre le premier arbre venu. Il sentait vaguement que quelqu'un l'observait de l'intérieur de la cabane, mais il n'ouvrit pas les paupières.

A partir de ce moment et jusqu'à la fin du trajet, Firmino dut conduire le bleu par le bras et lui remonter le courage.

« Nous allons arriver... Encore une petite demi-heure... Plus qu'un quart d'heure... Nous arrivons... On y est! »

Comme il avait oublié son hamac, Firmino lui offrit un vieux drap. Alors, sans même avoir la force de maudire son sort, Alberto roula sa veste en guise d'oreiller, s'étendit à même le plancher et se laissa aller au sommeil sans plus attendre.

Il était couché dans la cabane de Firmino.

A Todos-os-Santos.

CHAPITRE V

LA VIE AU « PARADIS »

« ALLONS, jeune homme, c'est l'heure!... »

Penché sur Alberto, Firmino le secouait par le bras.

« Quoi, qu'y a-t-il?

— C'est l'heure d'aller au travail. »

Alberto se leva tout endolori.

Son regard fit le tour de la pièce.

Les rais du soleil qui perçaient les cloisons de la cabane venaient s'entrecroiser sur lui, l'éblouissaient. Il se frotta les yeux, bâilla.

« Si vous voulez faire votre toilette, vous avez de l'eau dehors. »

Alberto suivit Firmino sur la varangue.

La veille au soir, en arrivant, il était trop fatigué, et Alberto n'avait fait attention à rien; mais, ce matin, tout l'intéressait.

La cabane était édifiée sur pilotis, à cinquante centimètres du sol. Plancher et parois étaient faits exclusivement de *paxiúba,* rondins de palmier dont la hache avait tiré le meilleur parti possible. Laissé en contact avec le sol, le cœur d'un tel bois se serait transformé en un paquet d'étoupe en moins de deux mois, mais l'écorce de ce palmier était d'un grain si serré qu'une balle de revolver arrivait à peine à l'entamer. Les planches étaient attachées avec des lianes à l'armature de la maison, car on n'aurait pu y enfoncer un clou, mais elles n'étaient d'aucune protection contre le froid et l'humidité nocturnes. A cette heure matinale le soleil pénétrait par toutes les fissures et les interstices, et l'intérieur de la cabane était criblé de rayons. Le toit était recouvert de grandes palmes plates, toutes fixées dans le même sens pour laisser ruisseler l'eau les jours de pluie.

La cabane se composait de deux pièces. Celle du fond possédait pour tout ameublement les hamacs, une natte et une vieille malle; la première, de dimensions plus restreintes, une natte, deux caisses vides en guise de sièges et deux fusils accrochés à la cloison près de l'entrée. Cette petite pièce donnait à l'extérieur sur une varangue ouverte à tous les vents. Un vieux bidon à pétrole, amputé d'une de ses faces, servait de réchaud. Une cafetière était en train de bouillir. Deux chaudrons noircis, quelques assiettes de fer, le sel, le sac de farine, le *pirarucú* apportés la veille par Firmino étaient suspendus au plafond. Au bout de la varangue, Alberto trouva un seau d'eau et une cuvette dans laquelle il plongea la tête.

Firmino l'appela pour lui dire de venir prendre le café. Un autre homme était là. Firmino fit les présentations :

« C'est Agostinho. Lui aussi exploite un « chemin »... Un nouveau qui vient apprendre à extraire le caoutchouc. »

Agostinho était petit, le visage marqué de petite vérole; une mince moustache ornait ses lèvres qu'il avait très épaisses; le fusil en bandoulière, il était prêt à sortir sitôt le café bu.

Alberto essuya prestement sa main avant de serrer celle que l'autre homme lui tendait.

« Enchanté », fit-il.

Mais il n'aurait su dire pourquoi Agostinho lui déplaisait.

« Faisons vite, missié Alberto, dépêchons », dit Firmino.

Et remarquant les chaussures d'Alberto, il ajouta :

« Vous ne pouvez tout de même pas venir avec ces beaux souliers, vous allez les esquinter. Voyons si je n'en ai pas par là une vieille paire? »

Il revint bientôt avec deux galoches invraisemblables, deux sabots en caoutchouc moulés sur une grossière forme de bois, l'unique article fabriqué sur place avec le produit de l'exploitation, la chaussure typique des résiniers qui avait tant frappé Alberto au débarqué. Il les mit avec le sourire :

« Grand merci, Firmino. Cela me va à merveille.

— Et enlevez votre veste, sinon vous l'accrocherez à une de ces épines du diable ou à quelque feuille d'*inaga* qui vous fera une entaille pire qu'avec un couteau. Là, cela suffit tant que vous n'aurez pas encore de blouse. Otez aussi votre cravate et votre faux col, ça gêne et ça donne chaud. »

Agostinho était déjà parti.

Le mulâtre coiffa son grand chapeau de paille, prit son fusil et marcha en tête pour indiquer le chemin. Sur le seuil de la cabane Alberto s'arrêta. Quoi, on ne fermait pas? Non, à quoi bon. Une simple natte fixée avec un bout de ficelle suffisait, histoire de ne pas laisser la paillote béante au soleil. Evidemment, les voleurs n'étaient pas à redouter. Mais si les fameux Indiens venaient? Alors ils pilleraient tout.

« Allons-nous-en, missié Alberto, c'est l'heure. »

Ils descendirent et, à cent pas, ayant traversé la clairière, ils entrèrent dans la forêt.

Le « chemin » était encore plus étroit que le sentier qu'ils avaient emprunté la veille. C'était un tracé presque imperceptible dans les feuilles mortes et les racines. On tournait à gauche, on tournait à droite, on baissait la tête par ici, on se coulait par là pour éviter branches, feuillages et épines. Il courait d'un caoutchoutier à l'autre, à travers l'immense forêt, pas plus large entre les tiges qu'une trace de serpent.

Le soleil se levait. Une douce lumière éclairait les hautes cimes, descendait de la voûte, glissait rapidement le long des branches, illuminait des

salles aériennes cachées dans le fouillis des frondaisons.

Cependant, vers la partie moyenne des vieux
troncs, là où s'épanouit le faîte des jeunes arbres,
la futaie, encore plongée dans l'ombre, opposait
sa masse opaque à la pénétration de la lumière.

Un orchestre invisible préludait. Des milliers de
gazouillis différents se fondaient dans un même
rythme, s'harmonisaient en une douce musique
qui confinait presque au silence, à ce profond silence de la grande forêt qui avait tant impressionné
Alberto la veille au soir, mais qui, ce matin, avait
une résonance plus mystérieuse encore, plus active
et plus troublante. Une forte odeur de pourriture
surprenait l'odorat. Elle se dégageait des feuilles
et des troncs en décomposition. L'humus produi-
sait, détruisait avec la même exubérance. On traversait des nappes d'un parfum intense, émanant
de quelque jardin secret, et plus tenace et plus eni-
vrant que les parfums les plus raffinés de France
ou les plus précieux d'Arabie.

Une lutte désespérée se livrait entre les tiges des
différentes essences pour accaparer ce sol, où il n'y
avait pas un pouce carré qui ne donnât naissance
à une plante d'une vitalité prodigieuse.

La jungle était maîtresse de tout. L'homme ne
comptait pour rien au milieu des feuilles. Il devait
se résigner à ne rien comprendre à l'énigme de la
végétation qui l'entourait et être prêt à y perdre
la vie. Même l'animal était subordonné au règne

végétal et, pour arriver à se défendre dans ces solitudes tachetées d'ombres et de lumières, il devait
camoufler son pelage de bête fauve.

La grande forêt engendrait l'épouvante. On avait
envie de fuir.

Un mystérieux secret flottait dans la profondeur
des bois. Cela devenait une véritable obsession. Les
nerfs ne tardaient pas à être surexcités. Cette variété effarante de feuilles se répétant indéfiniment
avec la même monotonie durant des lieues et des
lieues à la ronde vous donnait une sensation
d'étouffement, d'ensevelissement. L'eau seule, quelque lac prisonnier, quelque petite rivière s'évadant,
quelque *igarapé* s'échappant dans les herbes, réussissait à rompre l'uniformité désespérante de ce
fond de verdure en y faisant une trouée.

Il est vrai que l'on tombait parfois sur une
grande vasque de fleurs aux pétales énormes et
bizarres, jaunes, rouges, tigrées, de teintes et de
formes différentes. Mais seule la première impression de la forêt vierge était grandiose, car par la
suite on ne la retrouvait jamais plus. L'esprit était
épouvanté. Cette terre chaude en perpétuel travail,
possédée par la fièvre de la gestation, lui insufflait
la hantise de la mort. Ce spectacle de germination
et de pourriture était trop déconcertant dans ses
manifestations pour qu'un esprit sain pût s'accorder à ces solitudes taciturnes, ou se délecter longtemps aux féeries spontanées des myriades d'insectes
irisés tourbillonnant dans la lumière du tropique.

Firmino s'arrêta au pied d'un *sapopema*.

« C'est ici que les Indiens ont tué Féliciano. Ils s'étaient cachés dedans, et quand le pauvre type est passé, ils...

— Mais alors, ces Parintintins, ils existent réellement? l'interrompit Alberto.

— Alors, vous avez cru que je plaisantais? fit le mulâtre. Tenez, regardez ce bout de flèche qui est encore planté là. C'est une des flèches qui l'a raté. »

Et du doigt Firmino désigna un bout de flèche planté à deux mètres du sol. C'était un morceau de bois terminé par une dent convexe qui avait fait un trou dans le tronc. Il y pendait un bout de cordon.

« Vous voyez? »

Et comme Alberto restait stupéfait devant l'évidence, le *seringueiro* lui raconta :

« Je vous montrerai tout à l'heure, à la maison, les flèches que nous avons extraites du corps de Féliciano. Ces salauds-là se sont cachés dans le tronc du *sapopema*. Quand il est passé, ils ont sifflé. Féliciano avait déjà remarqué, la semaine d'avant, un jeune arbre tordu. C'est le signal des Indiens lorsqu'ils en veulent à quelque pauvre type. D'autres fois, ils placent une flèche empoisonnée sur le « chemin » et la recouvrent de feuilles sèches. Malheur à qui s'y pique! Féliciano s'est sûrement retourné. Il n'a pas dû avoir le temps de filer. Les Parintintins lui ont envoyé une telle grêle de flèches que lorsque je suis venu reconnaître son

cadavre on aurait dit qu'on avait plumé tout
autour un ara tellement il était recouvert de
plumes. Ils ont emporté sa tête, bien entendu.

— Et pour quoi faire?

— Ils emportent toujours la tête des hommes civilisés. Ils l'empalent au bout d'un bâton et dansent
autour. C'est une fête à leur manière, pour prouver qu'ils sont courageux, qu'ils ont vaincu. Mais,
pressons, pressons, il se fait tard, vous reverrez tout
ça demain. »

Ils n'avaient pas fait quatre pas que Firmino s'arrêta cette fois-ci devant un arbre marqué d'une
longue rangée de cicatrices et de blessures. On
l'avait martyrisé au point que l'écorce avait formé
des bourrelets dans sa partie inférieure.

Firmino fouilla de sa main droite dans un buisson et en retira un machete.

« C'est un arbre à caoutchouc? demanda Alberto.

— Vous n'en aviez jamais vu? »

Et, se dressant sur la pointe des pieds, Firmino
commença la leçon :

« Regardez, on prend la machete comme ceci
et on entaille comme cela. Regardez bien, il faut
éviter d'arracher l'écorce et de blesser le bois, tout
est là. Il y a un tour de main à prendre. Si vous
arrachez l'écorce, les inspecteurs le rapportent à
Juca. »

Il étendit le bras pour prendre cinq godets accrochés aux branches d'un buisson.

« Voici les pots. Vous les fixez à l'arbre par les bords... ainsi... solidement; sinon, ils tombent et la gomme coule à terre. Vous comprenez?

— Oui, oui. »

Firmino entailla l'arbre à cinq endroits différents, mais à la même hauteur.

« Le nombre des pots varie suivant la grosseur de la *seringueira*. Les gros troncs peuvent en avoir sept, comme l'arbre que vous voyez là-bas, celui-ci cinq, d'autres trois ou quatre si vous l'estimez trop faible. Vous commencez par l'entailler en haut, puis vous descendez. Quand vous arrivez en bas vous recommencez par en haut, le bois a ainsi le temps de se reposer. Les plus malins font *muta*. Mais au *Paradis* c'est défendu.

— Qu'est-ce que ça veut dire, faire *muta*?

— Je vais vous l'expliquer. Vous montez dans l'arbre et vous entamez le tronc, là, où les branches commencent. Vous lui faites une profonde entaille à cet endroit. On obtient tout de suite beaucoup de gomme, mais l'arbre est bientôt mort. »

La masse obscure des plantes rampantes, des buissons et des arbustes du sous-bois avait retrouvé son vert intense. La lumière avait enfin réussi à transpercer la seconde voûte du haut et la couronne des géants de la forêt était baignée de soleil. Ce n'était plus une lueur flottante ou un poudroiement lumineux qui régnait dans le sous-bois, mais une rutilance virulente qui allumait les fûts et les colonnes de la selve. La matinée était avancée. La

chaleur lourde. Le silence des bois plus énigmatique. Alberto à plusieurs reprises déjà avait
porté les yeux sur le fusil que son compagnon
portait en bandoulière.

« Et ces Indiens, où campent-ils? » demanda-t-il
soudain.

Firmino en avait déjà terminé avec son quatrième caoutchoutier quand il entendit son nouveau
camarade lui poser cette question. Il venait de se
blesser la paume de la main en plaçant son dernier
godet. Tout en examinant sa blessure, le mulâtre
fournit complaisamment les détails :

« Ils demeurent aux cent diables! Au fin fond de
la forêt, par là. Personne n'y est allé voir, — et
pour cause! En somme personne n'en sait rien.
Quand ils s'emparent d'un homme vivant, ils l'emmènent avec eux et ne lui rendent jamais la liberté.
Il y en a eu un, paraît-il, qui aurait réussi à s'éva-
der au bout de vingt ans. Mais lorsqu'il rentra à
la plantation, il était si vieux qu'il ne connaissait
plus personne.

— Mais, bon Dieu, comment viennent-ils jusqu'ici puisqu'ils habitent si loin?

— L'Indien est une bête puante. En été, à la
baisse des eaux, les vieux et le grand chef restent
là-bas dans leur campement pendant que les autres
partent en expédition. Avec deux feuilles
d'*ubim* et quatre bâtons ils se font des cahutes
provisoires au bord d'un ruisseau et ils attendent
le moment propice pour faire une incursion dans

les centres civilisés. Les femmes et les gosses suivent, portant les flèches et le carquois. Les hommes portent l'arc et, pour tirer, ils maintiennent le bout inférieur de l'arme avec le gros orteil. Les bougres ne s'arrêtent que lorsqu'ils ont tout saccagé sur leur passage. Parfois, ils emmènent avec eux le fils du chef pour mettre son courage à l'épreuve et pour qu'il conquière le droit de porter le casque à plumes. Regardez bien. C'est ici que commence votre « chemin ». Il fait un tour complet sur lui-même. A dix heures on se retrouvera au même point et nous nous apprêterons à récolter la gomme. Les petits pots seront pleins. »

Et, posant dans l'herbe le gros seau de fer-blanc qu'il avait apporté de la maison, le mulâtre expliqua encore :

« Il vous faudra un fusil, missié Alberto, car il pourra vous arriver de sortir seul. Ici, personne ne peut circuler sans arme. Si vous avez la chance de tuer le chef, la troupe s'enfuit. Ça va faire trois ans qu'on en a tué un, mais ce n'était pas un *turuna,* c'est-à-dire un grand chef. C'était pourtant un gaillard comme jamais je n'en avais vu de pareil. Il en faisait deux comme moi. Et rouge comme un piment! Ça, ce sont des hommes!

— Et les Indiens viennent ici chaque année?

— Ça dépend. Ils peuvent ne pas venir comme venir deux ans de suite. Depuis que je suis ici, on les a vus trois fois. Une fois à Todos-os-Santos et deux à Popunhas. C'est comme ça! Il leur faut une tête d'homme civilisé pour danser autour. Quand ils n'en ont plus, ils viennent en chercher une. » Et Firmino sourit de toutes ses dents. « A défaut de tête d'homme, ils se contentent d'une tête d'enfant, ou de chien, ou de chat... comme ça se trouve. Après quoi, ils mettent le feu à la baraque et saccagent le manioc et la canne à sucre. C'est pire que le jaguar, cette engeance. Ce sont des bougres. Ça ne peut pas sentir l'homme civilisé.

— Et pourquoi?

— Parce que les hommes civilisés se sont emparés de leurs terres. Sans aller plus loin, ici, par exemple, avant d'appartenir aux Boliviens qui ont vendu le *Paradis* à Juca Tristão, la forêt était aux Parintintins. Moi, je resterai jusqu'à ce que j'aie payé ma dette au patron. Mais je n'attendrai pas un jour de plus pour filer dans le rio Machado. Ici, on n'est jamais tranquille. Ce n'est pas que j'aie peur de ces animaux-là, mais je ne peux pas les sentir.

— On n'a jamais tenté de les apprivoiser?

— Si. Un colonel, nommé Rondon, je crois, qui est parti à leur recherche avec des gramophones et des miroirs; mais il n'a pas réussi. Voyez-vous, tant qu'il en restera encore une seule de ces sales bêtes-là, nous aurons tout à craindre, car c'est rusé. Moi, si jamais il s'en trouve un au bout de mon fusil, je ne le raterai pas, je tire. Allez donc perdre votre temps à vouloir discuter avec ces bougres pour qu'ils emportent ensuite votre tête! »

Alberto avait la tête en feu. A plusieurs reprises il lui avait semblé apercevoir le visage de l'ennemi à travers le feuillage. Devant chaque nouveau *sapopema* il s'efforçait de faire bonne contenance pour ne pas avoir l'air d'un poltron. Cependant, Firmino, qui ne s'occupait pas de l'état d'âme de son compagnon, allait toujours de l'avant, donnant un coup de machete par-ci, un coup par-là, accrochant ses pots bosselés par l'usage autour de chaque caoutchoutier, selon son habitude et insouciant du danger.

La forêt offrait un spectacle fantastique d'ombres et de clartés contrastées. Le soleil était déjà haut. Partout où il trouvait une trouée, il se précipitait en se fracassant, éclaboussant les troncs, les branches, les feuilles, faisant des nappes lumineuses dans les recoins les plus obscurs, laissant des flaques inégales sur le sol dans lesquelles scintillaient des ailes polychromes et transparentes.

De tous les côtés, à toutes les hauteurs, des cages étaient suspendues, des salles aériennes, des coupoles transparentes, toute une architecture de conte de fées creusée par la lumière dans la masse sombre de la verdure, des chambres réservées ou interdites. Mais la forêt perdait néanmoins de son mystère car, ensoleillé, le fourré paraissait moins redoutable.

Firmino s'arrêta brusquement, fit un signe rapide à Alberto qui marchait derrière lui et, saisissant son fusil, visa et fit feu. Alberto pâlit. Son angoisse s'accrut quand il vit le mulâtre, une fois le coup parti, courir en avant sans plus se soucier de lui. Il tenta de le suivre, mais il resta rivé au sol, le cœur battant.

Ce n'était qu'une fausse alerte car Firmino s'était arrêté à trente mètres. Il examinait le sol, fouillait les buissons du regard.

« Je l'ai ratée. Tant pis! cria-t-il.

— Qu'est-ce que c'était? demanda **Alberto en** accourant.

— Une ante, répondit le mulâtre. Elle a du plomb, j'en suis sûr, mais elle n'a pas laissé de traces. Elle était de la grosseur d'un petit taureau.

— Ça se mange?

— Si ça se mange, jeune homme! Il n'y a pas de chair plus fine dans toute l'Amazonie. Certains préfèrent le paca ou l'agouti. Chacun son goût, bon! Mais pour moi il n'y a pas de meilleur morceau que l'ante ou le cerf. Vous voyez la cicatrice que j'ai au mollet? Elle me vient d'une ante. Je lui avais tendu un piège car l'ante passe toujours par le même chemin quand elle va farfouiller dans un marigot. J'avais placé mon fusil dans la fourche d'un bâton et relié la gâchette avec une ficelle à un autre bâton. A son passage, l'ante devait recevoir la décharge en pleine poitrine. Mais, cette nuit-là, elle n'est pas venue. Le lendemain matin, je vais me rendre compte si la bête est tuée. Je ne me souvenais pas exactement de l'endroit où j'avais tendu

mon piège. Ma jambé se prend dans la ficelle et...
pan! je reçois la balle dans le mollet. » *

Ils avaient repris leur marche en avant. Alberto,
impatient d'arriver au bout du circuit, cherchait
à découvrir le détour du « chemin ». Mais le paysage était partout le même, le « chemin » semblait
filer tout droit et ne jamais vouloir les reconduire
à leur point de départ.

« Vous avez peut-être faim?

— Oh! moi, je n'y pense pas.

— Si vous avez faim, nous pouvons rentrer à la
cabane manger la soupe. Sinon, récoltons de suite
la gomme, nous rentrerons quand nous aurons terminé.

— Comme vous voulez. Vidons les pots. Mais la
cabane est donc si près que cela?

— Tout près, nous avons fait le tour complet. »

Alberto, qui ne s'en doutait pas, n'en croyait pas
ses yeux. Mais le seau de fer-blanc était là,
que Firmino avait déposé au pied du premier
arbre.

« Regardez bien, missié Alberto, dit le mulâtre
en entamant la seconde partie de la leçon. Vous
enlevez les pots ainsi. Mais faites bien attention à
celui qui est au-dessus, sinon vous recevez tout le
lait sur le nez. Ensuite vous videz le godet dans le
gallon. Là... vous raclez bien le fond pour ne pas
en perdre une goutte. Quand vous les avez vidés
tous, vous les emboîtez les uns dans les autres et
vous les enfilez sur cet arbuste, l'ouverture en bas,

pour qu'ils s'égouttent, comme on les a trouvés en
arrivant. Vous avez saisi?

— Oui, oui, j'ai compris.

— Vous allez d'ailleurs voir comme je procède
dorénavant et vous apprendrez vite. Oh! récolter
la gomme, ça n'est pas malin! Le plus difficile c'est
d'entailler l'écorce sans blesser le bois.

— Et vous, Firmino, combien de temps avez-vous
mis pour apprendre?

— Moi, peut-être quinze jours. Je ne m'en souviens plus très bien.

— Et y a-t-il longtemps que vous êtes ici?

— Six ans. Quand je suis arrivé au *Paradis,* le
caoutchouc valait dix à douze milreis.

— Et tout le monde faisait fortune à cette époque bénie?

— On le payait à douze milreis, c'est entendu;
mais le patron ne nous en donnait pas plus que
cinq ou six. Mais même à ce tarif on réussissait à
amasser un petit magot, tout petit naturellement.
Les Noirs partaient alors, là bas, au Céara, et, quand
ils avaient tout dépensé, ils s'en revenaient à la
plantation. Puis le caoutchouc a commencé à
baisser. Aujourd'hui il est à cinq ou six et Juca
nous en donne la moitié. Moi, vous savez, je ne suis
pas très bien renseigné. Il paraît que, des fois,
tandis qu'il est à cinq ici, il est à sept ou huit à
Manaos. En continuant comme ça, c'est l'esclavage
à perpétuité. Moi, j'ai toujours ma dette. Pas
moyen de liquider ce sacré compte! Quand missié

Alipio est venu au Céara recruter du personnel,
il m'avait certifié qu'un homme faisait fortune en
un rien de temps au *Paradis*. Je l'ai cru, et à l'heure
qu'il est je n'ai pas encore pu leur rembourser les
frais du voyage! D'ailleurs, dès que vous êtes tombé
dans leur filet, ils vous tiennent et adieu les belles
paroles! Ils vous vendent tout à prix d'or. Le
seringueiro ne peut pas amasser d'argent. Il restera
sa vie durant prisonnier de ce pays de malheur.
Ma décision est prise. Dès que j'aurai liquidé mon
compte avec Juca, je pars pour le Jamary ou le
Machado. Ce n'est pas que les Indiens me fassent
peur, un homme ça meurt partout, mais, ici, il n'y
a plus rien à gratter. Un « chemin » vous donne
un gallon ou un gallon et demi, ce n'est pas du
travail qui paie. Dans le Machado on récolte encore trois ou quatre gallons et un homme peut se
faire une bonne semaine. On redoute d'y aller,
rapport aux fièvres. Moi, je m'en fous! Si je crève,
tant pis! et si je ne crève pas, ça sera pour rentrer
au Céara. Quand je pense au pays je sens quelque
chose qui me serre la gorge.

— Vous avez de la famille au Céara?

— J'en ai eu. Ma mère est morte l'an passé. Ce
que j'ai pu pleurer, bon Dieu! Je ne me serais
jamais imaginé qu'un homme pouvait tant pleurer.
Je cachais ma tête dans le hamac pour que Féliciano et Agostinho ne me voient pas. »

Le mulâtre soupira, recueillit le latex d'une
seringueira et poursuivit :

« Je l'aimais tant. C'était une si bonne vieille, tout ce qu'il y a de bon. Quand je suis parti pour l'Amazonie, elle m'a dit des paroles que j'entendrai toute ma vie : « Mon fils, maintenant nous ne « nous reverrons plus qu'au jour du jugement « dernier. Avant... jamais, jamais je ne te reverrai! » C'est à croire qu'elle avait eu un pressentiment, la pauvre. Le remords me ronge le cœur. Pensez, missié Alberto, je n'ai de ma vie envoyé un centime à la vieille! Et, malheur, qu'aurais-je pu lui envoyer? Depuis que je suis au *Paradis*, je la crève!... J'ai aussi un frère, mais je ne sais s'il est mort ou s'il vit encore. Il voulait venir me rejoindre. Je lui ai fait écrire de n'en rien faire, que l'on vivait très mal ici. Alors, il est parti dans l'Acre, emmené par le premier venu, par un de ces maudits racoleurs dont c'est le métier de vous bourrer le crâne avec leurs bobards. Faire fortune, ici, dans la forêt? Oui, la peau! Mais faites attention à cette épine, missié Alberto, ces cochonneries-là s'enfoncent dans le pied et c'est tout une histoire pour les retirer. »

Alberto évita l'obstacle. Firmino se tut. Ils cheminèrent longtemps silencieusement, allant d'arbre en arbre. Enfin, Alberto demanda :

« Il en manque encore beaucoup? »

Firmino répondit :

« Non, moins de la moitié. »

Et le mulâtre se tut de nouveau. Il avançait, le seau de fer-blanc brimbalant au bout de son bras,

accrochant des rayons de soleil. Il semblait égaré,
perdu dans un labyrinthe. Enfin, il dit à haute
voix :

« J'avais aussi une fiancée. Ce n'est pas qu'elle
était jolie, jolie. Mais j'étais très amoureux. Si je
suis venu en Amazonie c'était surtout pour elle.
Je voulais amasser un peu d'argent, puis rentrer au
pays et l'on se serait mariés. Mais elle m'a oublié.
Il y a deux ans, j'ai appris qu'elle avait épousé un
crétin quelconque. J'ai cru devenir fou. Je voulais
partir, aller lui planter mon couteau dans le ventre.
Mais ça m'a vite passé... D'ailleurs, c'est elle qui
avait raison. Elle m'a attendu longtemps, puis elle
a dû se dire que je ne reviendrais jamais... Suis-je
même si sûr que ça de pouvoir rentrer un jour?
Ah! ce que je voudrais partir, revoir le pays!...
Après ça, je mourrais content... Et c'est la même
chose pour tous ceux qui viennent ici dans l'espoir
de faire fortune... Si le type est marié et a laissé
trois enfants, il en trouvera cinq au retour et en
entra chez lui il fera bien de se baisser, rapport
à ses cornes. S'il a laissé une fiancée, le mieux pour
lui c'est de s'en chercher une autre...

— C'est partout pareil, allez! hasarda Alberto.
Les femmes...

— Ah! vous avez laissé une femme au Portugal,
vous aussi?

— Moi? Pensez-vous! Ni femme, ni fiancée. Je
n'ai laissé que ma mère.

— Je vous plains, missié Alberto. Le caoutchouc

n'est pas fait pour des gens comme vous qui ont
la peau blanche. Et c'est pour faire fortune que
vous êtes venu ici?

— Ah! non, par exemple! protesta Alberto.

— Alors, pourquoi, diable, êtes-vous venu vous
échouer ici?

— La vie... »

Le mulâtre n'insista pas. Devant cette discrétion
pleine de délicatesse, Alberto se laissa aller aux
confidences. A parler de lui, à évoquer avec chaleur
les bons et les mauvais jours, le temps passait plus
vite, le travail était moins pénible, le « chemin »
plus court.

Rentrés à Todos-os-Santos, Firmino décida :

« Et maintenant nous allons fumer la gomme. »

Le *defumador* était là, à côté des cannes à sucre.
C'était une petite paillote posée au ras du sol.
On y pénétrait par une ouverture pratiquée de
chaque côté. Le réduit était plein de fumée.
Agostinho était déjà là, assis sur une caisse et ayant
entre les genoux le *boião*. L'ustensile était de la
forme d'un entonnoir ou mieux d'une porte-voix
en métal. Il en sortait une épaisse fumée qui vous
piquait les yeux et rendait l'air absolument irres-
pirable.

« Si vous voulez vous reposer, rien ne vous empêche de retourner à la cabane, dit Firmino. Je vous
rejoindrai bientôt. Ce truc-là, vous l'apprendrez une
autre fois. »

Alberto ne se fit pas prier. Il rentra, fit un brin

de toilette, boutonna son col, noua sa cravate, passa
sa veste et alla s'asseoir sur le seuil. Ainsi vêtu il
se donnait l'illusion de recouvrer un peu de sa
dignité.

Quand Firmino arriva à son tour, il poussa une
exclamation :

« Oh! mais sans doute avez-vous l'intention
d'aller au bal, missié Alberto?

— Pourquoi?

— Ménagez votre costume, jeune homme! Tenez,
endossez une de mes blouses, croyez-moi. Elle n'est
pas neuve, mais elle est propre. »

Peu après la bonne odeur du *pirarucú* grillé
remplit la hutte.

« Venez, le manger est prêt. »

Ils s'assirent sur le plancher. Bientôt Agostinho
vint les rejoindre. Le plat était rempli d'une soupe
faite de farine et d'eau. Un morceau de *pirarucú*
carbonisé qui rappelait à Alberto la morue du pays
natal nageait à la surface. Firmino accompagnait chaque bouchée d'une tranche de piment
rouge.

« Dire que si j'avais tué l'ante, ce matin, j'aurais
eu mon content pendant deux jours, car j'adore
l'ante. »

Et, le manger expédié, il dit encore :

« Maintenant, missié Alberto, je vais à Igarapé-
Assù chercher vos affaires.

— Je vous accompagne.

— Pourquoi? Si je ne peux les porter tout seul

je me ferai prêter un bœuf. Vous avez une tête
d'enterrement, allez donc vous reposer. »

« Quel brave type tout de même que ce Firmino », pensait Alberto, en suivant des yeux le
mulâtre qui s'éloignait. Il était grand, avait les
jambes longues, son pas tranquille connaissait
toutes les embûches du sentier. Coiffé de son grand
chapeau de paille, les pantalons retroussés jusqu'aux
genoux, les pieds chaussés de ses extravagantes galoches en caoutchouc brut, le bon *seringueiro* avait
une allure de pitre, avec son fusil sur l'épaule.

« Quel brave type, quel type excellent! » et
Alberto s'assit sur la dernière marche de l'escalier.

Leur demeure était construite au milieu d'un
petit espace débroussé conquis par le feu sur la
grande forêt circonvoisine. Cette clairière n'avait
pas plus de cent mètres. Quelques fleurs exotiques
étaient plantées dans une vieille caisse en bordure
de la varangue. Derrière la maison poussaient quelques touffes de cannes à sucre; un peu plus loin
quatre, cinq, six pieds de manioc. Caché dans les
hautes herbes s'ouvrait un petit puits. Et c'était
tout. Et tout autour de cet îlot habité, bruissait la
forêt, infinie dans son étendue, mais, là, toute
proche, prête à envahir cet îlot perdu, prête à
l'étouffer dans son étreinte, à le déborder, à l'en-
gloutir. On subissait l'influence de ce voisinage.
Une menace pesait sur vous, une surveillance énigmatique. De le sentir vivre si près, le monstre, de
l'entendre respirer, vous donnait la panique. On

avait envie de fuir, d'échapper à cette hantise.
Le regard se détournait vers le ciel afin de découvrir un champ libre, de la vastitude, de l'apaisement, de l'espace, mais il revenait sans cesse à la forêt taciturne. Alberto était écrasé par cette présence qui semblait se rapprocher et grandir au fur et à mesure que le soleil descendait sur l'horizon.

Peut-être que les Indiens cachés dans la verdure suivaient chacun de ses mouvements.

« Pour combien de temps en ai-je à moisir ici, ô mon Dieu? » se demandait-il.

CHAPITRE VI

TODOS-OS-SANTOS

Quinze jours s'étaient écoulés. Alipio, Caétano et Balbino entreprirent leur ronde d'inspection dans les différents « chemins » et visitèrent chaque centre d'exploitation pour juger des progrès accomplis par les nouvelles recrues.

Les *seringueiros* étaient soumis à une étroite surveillance.

« Que vous travailliez ou non, qu'est-ce que ça peut bien leur faire? » demanda Alberto.

Firmino avait bien ri de cette naïveté.

« Ce que ça leur fait? Ah! jeune homme, on voit bien que vous êtes un nouveau! Tu as entendu, Agostinho, il demande ce que ça leur fait que nous travaillions ou non? Mais, c'est clair, voyons, ça fait que Juca ne gagnerait rien! Si nous ne travaillons pas, pas de caoutchouc et sans caoutchouc nos comptes restent en souffrance. Comprenez-vous? Et c'est pour nous empêcher de dormir tout le long du jour que missié Alipio, et missié Caétano, et missié Balbino viennent à l'improviste nous surprendre dans nos clairières. A supposer qu'il nous trouvent couchés, ils nous diraient des choses fort désagréables à entendre, pas vrai, Agostinho? Et après, ils iraient le rapporter à missié Juca.

— Et alors, qu'est-ce que ça peut vous faire?

— Ce que ça peut nous faire? Mais alors, le dimanche, quand nous nous présentons au magasin pour avoir de quoi boire et manger, le patron nous refuserait toute espèce de nourriture et nous traiterait par-dessus le marché de sales canailles. Or, un ouvrier qui a cette réputation de fainéant et de voleur, pourrait turbiner toute sa vie ici sans jamais arriver à s'en tirer. Le pire, c'est quand les visites des inspecteurs tombent juste un jour où l'on a un accès de fièvre. Ces cocos là n'admettent pas que l'on puisse être malade, et il faut les entendre, alors, vous agonir d'injures! Ce que je ne comprends pas, c'est qu'ils ne se soient pas encore montrés depuis quinze jours que vous êtes là, les nouveaux. Probablement que l'on a dû faire la noce au siège, et que missié Juca est encore une fois soûl. »

Et, devant le regard interrogateur d'Alberto, le mulâtre expliqua :

« En l'absence de sa femme et de son fils, le patron passe ses nuits à jouer aux cartes entre un verre et une bouteille d'alcool. Le personnel du siège lui tient compagnie. Dans la journée il cuve son vin. »

Et cet après-midi-là, l'opération du fumage du caoutchouc était à peine terminée, quand ils en-

tendirent un galop de cheval. C'était Balbino qui
surgissait derrière les cannes à sucre. Sa physionomie
était encore plus dure et plus renfrognée que de
coutume.

« Bonjour. Alors, quoi de neuf, Firmino?

— Ça va, missié Balbino. Vous aussi?

— Et le nouveau?

— Voilà huit jours déjà qu'il exploite le « chemin » de Féliciano et que j'attends des ordres pour
revenir au mien.

— Comment s'en tire-t-il?

— Pour la récolte de la gomme, ça va. Pour la
taille de l'arbre, couci-couci. Vous n'allez pas y
voir, missié Balbino?

— Si, j'y vais. »

Et sans plus se soucier des hommes, l'inspecteur
s'éloigna dans la direction de la forêt.

« Il vous y enverrait seul dès demain que je ne
serais pas surpris, pronostiqua Firmino.

— Ça m'est égal. Mais je n'ai pas de fusil.

— Ça, c'est vrai, il vous faut un fusil. Demandez
à missié Balbino de vous en faire envoyer un d'Igarapé-Assù.

— C'est cher?

— Oh! très cher. Cinq cents milreis et même
plus. Mais il peut s'en trouver un d'occasion quand
un *seringueiro* vient de mourir. »

Les hommes traversèrent la clairière pour rentrer
à la maison.

En passant près de la jument de Balbino, attachée

près des cannes à sucre, Firmino lui passa, deux, trois fois la main sur l'encolure. L'animal frissonna sous la caresse, tourna lentement la tête, puis, ayant reconnu le mulâtre, se remit à brouter de l'herbe.

Alberto et Firmino s'installèrent sur la varangue et comme Firmino avait abattu un agouti dans la matinée, ils se mirent à le dépouiller.

Mais, soudain, le regard d'Alberto se porta sur un spectacle extraordinaire. La jument était toujours en train de brouter de l'herbe près des cannes à sucre. Derrière elle, Agostinho s'était juché sur une caisse et s'était déculotté. Mais c'était fou! Alberto n'en croyait pas ses yeux. Mais il n'y avait pas de doute possible.

« Firmino, Firmino... regardez! » murmura-t-il avec stupeur.

Le mulâtre riait en sourdine.

Il cria à Agostinho :

« Ne te gêne pas, dis donc, espèce de cochon! »

Alors Firmino expliqua :

« Il n'y a pas de femmes, ici, comprenez-vous, missié Alberto?

— Mais, c'est horrible, c'est horrible!

— Oh! vous aussi, missié Alberto, un jour vous y viendrez...

— Ne dites pas ça, hein! Je vous défends de dire dés choses pareilles!

— Vous verrez... vous verrez... attendez un peu... »

Alberto quitta la varangue pour rentrer dans la

cabane. Il avait envie de gifler son camarade. Il se
laissa choir dans son hamac. Il n'arrivait pas à maî-
triser son dégoût... « Il n'y a pas de femmes ici?...
Ah! les cochons... les saligauds... les misérables... »
De même qu'à bord du *Justo Chermont*, il se sentait différent de ces hommes frustes. Il était plein
de répulsion. De rage, il s'enfonça les ongles dans
la paume des mains. Il eut une crise de désespoir.
Ah! si seulement il avait pu fuir!...

Le silence qui régnait dans la cabane finit par
l'étonner. Pas un bruit de couteau, ni d'assiette,
rien. Un soupçon l'effleura. Il se glissa sur la varangue. Firmino n'y était plus.

L'eau bouillait dans la marmite en faisant tour-
billonner les morceaux d'agouti.

Alberto retourna s'étendre dans son hamac. Peu
après il entendit Agostinho, puis Firmino remonter. La voix du mulâtre l'appela pour le déjeuner.
Il ne bougea pas. Non, il n'avait envie de rien.
Penser seulement aux mains qui avaient préparé
le repas!... Il eut un haut-le-cœur et des nausées
insurmontables et suffocantes.

« Seriez-vous souffrant, missié Alberto?

— Non!

— Méfiez-vous. C'est ainsi que débutent les
fièvres. »

Firmino parlait d'un ton si fraternel, si sincère
qu'Alberto en fut tout désorienté. Etait-il bon, ce
mulâtre, était-il mauvais? Répugnant tout à l'heure,
le voilà dévoué comme un chien.

« Non, je ne suis pas malade, répondit-il. Mais je n'ai envie de rien. Laissez-moi seul. »

A peine avait-il dit ces paroles, qu'il entendit la voix de Balbino le héler du dehors. Il se leva et courut à la porte pour ne pas faire attendre l'inspecteur. Firmino était derrière lui.

A sa vue Balbino éclata :

« Je voudrais bien savoir pourquoi vous laissez esquinter les arbres par cet homme?

— Je...

— Ça ne peut pas continuer ainsi! Ces canailles de Portugais savent venir nous trouver, en ville, quand ils ont besoin de nous. Ils s'y entendent pour faire les hypocrites, sans le moindre scrupule, pour se faire embaucher. Mais une fois ici, qu'est-ce qu'ils foutent, hein, les vermines? Saigner nos arbres à mort! Les brigands... »

Alberto avait pâli sous l'insulte. Il avait envie de descendre et d'aller étrangler son ennemi, mais Balbino, qui s'affairait après sa jument, retira le fusil qu'il avait en bandoulière et le posa sur le dos de l'animal. Et il poursuivit :

« Je ne connais encore personne qui ait réussi à se foutre de moi. Quand je reviendrai la prochaine fois, je veux croire que tout sera en ordre. Ça vous dégoûte, les types de cette espèce qui veulent en remontrer à tout le monde et qui esquintent si bien les arbres que, ma parole, on croirait qu'ils le font exprès! Vous avez entendu, Firmino? A la prochaine fois, hein? »

Balbino prit son fusil, mit le pied à l'étrier, sauta en selle et partit à fond de train.

Alberto était outré. Adossé au montant de la porte, il restait là, sans bouger, le regard rivé au sol. Un insecte vint se poser sur le sol, juste au point que fixait son regard, une sorte de mille-pattes.

« Ils sont tous pareils! S'il était nouveau, comme vous, je voudrais bien le voir entailler les arbres, fit Firmino.

— Qui ça, Balbino? Oh! je sais bien à quoi m'en tenir avec lui. Il veut se venger. Mais il s'y prend d'une façon bien misérable...

— Ah! il vous en veut? Et pour quel motif? Il me semblait bien que ses paroles avaient un double sens. En somme, de quoi s'agit-il? »

Agostinho, curieux, s'était aussi approché. Et Alberto leur raconta son escapade à Manaos. Les deux hommes furent d'accord pour reconnaître qu'il était inique de retenir des hommes prisonniers à bord d'un bateau à l'escale.

« Le poison, c'est qu'il ne vous fichera jamais la paix.

— C'est ce que nous verrons bien! » murmura Alberto entre les dents.

Mais il souffrait surtout dans son amour-propre.

Le silence retomba. Firmino, adossé à la cloison, nettoyait ses ongles avec une fibre de palmier. Agostinho, assis sur une caisse, était nimbé par la fumée de sa cigarette.

Firmino décida :

« Suffit! Pensons à la bectance. Vous venez, missié Alberto?

— Où ça?

— A l'*igapo*. Je vais tendre une ligne et essayer de prendre du poisson.

— Je vous suis. »

Firmino prit des lignes, des hameçons, décrocha son fusil et boucla la ceinture qui portait le grand coutelas.

« Alors, on y va?

— En route. »

En quelques pas ils furent au bord de l'*igapo* stagnant sous les arbres, immobile, empuanti et plein de miasmes.

Cela débutait par une lagune minuscule, circonscrite par des troncs d'arbres portant encore la marque de l'étiage atteint par la crue précédente qui avait inondé la forêt. Des branches poisseuses trempaient dans une eau morte qui se terminait par une plage boueuse. Les deux hommes s'embarquèrent dans une petite pirogue qui était amarrée là. Un peu plus loin, l'eau, tantôt noire, tantôt verdâtre, selon les jeux de la lumière, débordait de son lit pour aller s'épandre à travers la grande forêt, à perte de vue.

Cette immense nappe d'eau, prisonnière de la forêt vierge, était tout ce qui restait de la crue du dernier hiver. Elle nourrissait des nuées de moustiques; elle engloutissait silencieusement les bran-

ches, les feuilles mortes, tous les détritus de la selve
qui tombaient en elle. Sa couleur trouble. laiteuse,
provenait de cette infusion lente et méphitique. Ce
n'était qu'un pourrissoir et les forêts environnantes
étaient pleines de ces lagunes pestilentielles qui
serpentaient et s'entrecroisaient selon les plis du
terrain, longs canaux naturels qui permettaient aux
seringueiros de circuler en pirogue sous le couvert,
mais dont ils ne connaissaient pas exactement la
direction, ni l'étendue.

Pour s'ébattre dans ces eaux morbides on ne
pouvait concevoir d'autres êtres vivants que des
monstres antédiluviens, mais Firmino affirmait
qu'on y pêchait de l'excellent *tambaqui* et d'autres
poissons savoureux et que cette pourriture vaseuse
était des plus poissonneuses.

Assis à la poupe, godillant, Firmino faisait avan-
cer son embarcation sur cette étrange voie aquati-
que recouverte de fougères arborescentes. Il
contourna un barrage de vieux troncs et s'engagea
sous un tel enchevêtrement de branchages et de
lianes qui passaient d'une rive à l'autre qu'Alberto
eut l'impression de naviguer dans un tunnel me-
nant tout droit en enfer.

Sur les deux rives, des tiges de toutes les tailles
et de toutes les grosseurs poussaient au hasard et
servaient de support à un dôme de verdures basses
fait de branches et de lianes emmêlées au-dessus de
leurs têtes, de plantes acharnées à vivre, à se tendre vers la lumière, une mêlée incohérente. D'in-

vraisemblables racines couleur café au lait pendaient du haut des airs et vous frôlaient au passage.
Cela tenait du rêve éveillé. Sur ces eaux stagnantes
la selve changeait une fois de plus de visage. C'était
une palette de jaunes et de marron. Des feston-
nages. Des stalactites végétales. On croyait descendre au royaume de la fièvre.

Firmino, l'œil alerte, tournait à gauche, tournait
à droite, évitait des rideaux d'épines, des cordages
vivants, des lianes pendantes, autour desquelles se
nouaient d'immondes serpents, des éventails de
feuilles hérissées de piquants, des touffes de grandes
herbes coupantes où bourdonnait un monde d'insectes à la piqûre cuisante.

Il aborda enfin à un endroit où les plantes étaient
plus hautes et l'eau moins trouble. Et comme appât
le mulâtre jeta dans l'*igapo* un des fruits bizarres
qu'il avait apportés.

« Plouf!... »

Ce bruit, qui aurait dû être imperceptible, ren-
voya un écho aussi fort que le plongeon d'un grand
corps dans l'eau et le fruit disparaissait à peine
qu'il était déjà happé dans un éclair.

« L'endroit est bon, dit Firmino. Nous allons
tendre la ligne. »

C'était une longue corde fine qui supportait
d'autres cordes, beaucoup plus courtes, dont chacune se terminait par un seul hameçon appâté d'un
fruit de *catauary*. La corde tendue entre deux
arbres forma une légère courbe, flotta, laissant li-

brement s'enfoncer dans l'eau les engins tentateurs.

Puis Firmino reprit sa pagaie et poussa la pirogue plus loin.

« Vous n'avez encore rien vu, missié Alberto, dit-il. Attendez que nous soyons arrivés dans le coin où il y a plein de *cascudos* et de *trairas*. C'est là que vous allez être étonné! »

Ils avancèrent encore durant une bonne demi-heure. La pirogue finit par s'échouer sur une berge vaseuse, jonchée de feuilles mortes.

« C'est ici?

— Presque. Cinq minutes à pied et nous y sommes. »

Le bruit de leurs pas dans les feuilles mortes jetait l'alarme dans cette profonde solitude.

Firmino se retourna, un doigt sur la bouche.

« Chut! Doucement... »

Il fit encore quelques pas.

« Regardez! » chuchota-t-il.

Par une brèche pratiquée entre les branches, Alberto découvrait une petite clairière. Sur le sol noir et boueux il aperçut des échassiers au plumage magnifique, des hérons, d'un blanc de neige et aux longues pattes frêles, des *jabirus* mélancoliques, un *magoari* pensif comme un brahmane en contemplation, et d'autres, des milliers d'autres oiseaux de toutes les variétés. Certains, repus et las, somnolaient au soleil, une patte sous l'aile et le bec caché dans le plumage, sous l'aisselle. D'autres, aux couleurs éclatantes, étiraient leur long cou, picoraient

de-ci, de-là, leur œil rond, égrillard, fixant on ne
savait trop quoi. Mais des centaines d'autres volaient, s'ébattaient, faisaient un tour au-dessus de la
clairière, redescendaient les ailes déployées dans
toute leur envergure, trottinaient, se posaient sur
le sol dans une apothéose. Il y avait aussi des urubus tout noirs dont la présence signalait quelque
charogne et qui portaient au bout de leur cou pelé
une tête cynique de dévoreur de cadavres.

Firmino mit son fusil en joue :

« Voulez-vous que j'en tire un?

— Pour le manger?

— Ça ne vaudrait pas la balle.

— Alors, ne tirez pas. »

Alberto cassa quelques branches pour mieux voir.
Les urubus s'envolèrent les premiers, puis ce fut
un envol général, un immense bruit d'ailes qui se
déchira dans le silence.

Changement à vue. Tout ce qui avait composé
dans la grâce de la lumière un tableau édénique se
réduisait à une plage pleine d'immondices, de dé-
jections et de pourritures. Une mare, la plus sale
de l'*igapo*, servait d'ultime refuge à tout ce qui
rampe et barbote d'immonde dans les eaux basses
de la forêt. Cette flaque d'eau noire était un véritable réceptacle de germes, de virus. un bouillon
de culture. Au lendemain de la grande crue, quand
cette mare était pleine, débordante, les canards
sauvages étaient venus s'y ébattre par bandes
joyeuses et le jaguar y avait mené boire ses petits.

Alors, la faune des bois ne se sentait pas captive et les bêtes de la forêt vivaient dans l'abondance derrière les barrières des arbres qui les encerclaient. Mais, maintenant que le fleuve s'était retiré depuis des mois et que les ardeurs de l'été avaient fait descendre le niveau de cette mare, il ne restait plus, au fond, qu'une eau fétide de deux, trois doigts de profondeur et qui empestait les environs. Pacas. jaguars et cerfs n'y accouraient plus pour y étancher leur soif. A sa surface miroitait le ventre des innombrables poissons crevés dont se régalaient les charognards et un monde de détritus innommables se corrompait et fermentait dans cette cuvette défoncée, exposée au soleil et où tout était en putréfaction.

Il était logique de supposer qu'aucun être vivant ne pouvait résister à cette eau empoisonnée. Erreur profonde!

Dans son désir éperdu de création et par un de ces illogismes troublants qui déconcertent les naturalistes, la selve amazonienne avait doté de vie des êtres qui naissaient de cette pourriture même. Ces êtres immondes grouillaient dans la vase gluante, plus à l'aise que dans les eaux du fleuve.

Ce n'était pas des vers, mais des êtres organisés, des *trairas*, des *cascudos*, des *acaras*, des poissons noirs, revêtus d'une carapace protectrice, munis d'une queue suffisante pour effectuer des parcours limités et qui sautaient de temps en temps hors de cette noire fondrière. Les *puraqués* craintifs ondu-

laient comme des anguilles pour se frayer leur chemin dans la vase. Ils avaient des moustaches de chat
et une peau visqueuse. Firmino en harponna un au
moyen d'un bâton affilé.

« Ne le touchez pas, missié Alberto!

— Pourquoi?

— Vous allez voir. »

Firmino enveloppa le manche de son couteau
dans un pan de sa blouse et toucha de la pointe de
sa lame l'étrange poisson.

« Posez votre doigt ici, sur le dos de la lame. »

Alberto obéit et reçut un choc électrique.

Firmino souriait.

« Cet animal est comme ça! Si vous le touchiez
dans l'eau, ayant une maladie de cœur, vous ris-
queriez d'aller voir dans l'autre monde si j'y suis. »

Puis il plongea ses longs bras de métis dans l'eau
boueuse.

« Faites attention! cria Alberto.

— Il n'y a pas de danger. Dans ce trou il n'y a
pas de *puraqués.* »

Les mains de Firmino ramenèrent deux *cascudos*
qui se débattaient.

« Ça se mange ces machins-là?

— Si ça se mange! Vous en raffolerez. La chair
est jaune comme de la farine et, on peut le dire, elle
est excellente. »

Firmino, la besace pleine, essuya ses mains à
quelques feuilles et enfila sa blouse.

« On y va?

— Allons! »

La clarté crépusculaire qui éclairait leurs pas
était un mélange louche de lueur solaire et de
pâleur lunaire. Tout était diffus et les troncs se
dédoublaient d'une couche d'ombre qui montait
des racines à la ligne têtière. Tout se noyait dans
une lumière d'absinthe et l'on n'aurait pas été
surpris d'être saisi par des bras vivants jaillissant
des arbres et d'entendre des millions de bouches
humides se mettre tout à coup à prophétiser la fin
du monde.

Alberto et Firmino atteignirent la pirogue
comme la lune baignait de sa lueur molle la haute
cime des plus grands arbres. La nacelle glissait avec
lenteur et précaution car l'on ne discernait pas un
tronc de son ombre et l'eau d'avec les reflets lu-
naires. C'était un rêve d'une douceur merveilleuse,
un voyage à travers une crypte imaginaire conçue
par un esprit raffiné en mal d'étrangeté. On voguait sur des traînées d'argent où le lacis des branchages dessinait des visages et des masques. A
travers le feuillage endormi, le clair de lune dégoulinait, surchargeant de parures argentées la selve
extravagante et, utilisant parfois une éclaircie
comme un projecteur de théâtre, la lune promenait
sans bruit son pinceau lumineux sur la surface de
l'*igapo*. Les arbres qui se miraient dans cette ouverture de puits semblaient d'une hauteur aussi verti-
gineuse que profonde l'eau des abîmes sous les
taillis noirs de la rive. Et l'étincelante féerie conti-

nuait à l'infini dans la forêt équatoriale scintillante
et comme givrée.

Le silence était prodigieux.

Firmino avait cessé de godiller et Alberto, n'y
tenant plus, lui demanda :

« Alors, il n'y a pas de femmes par ici? »

Le mulâtre repartit d'un ton humble, comme
pour se faire pardonner son acte répugnant de
tantôt :

« Non, il n'y en a pas, en tout cas pas pour un
pauvre *seringueiro* sans argent.

— Et pourquoi est-ce qu'il n'y a pas de femmes?

— Juca n'en veut pas.

— Mais enfin...

— Missié Juca fait recruter de la main-d'œuvre
au Céara. Il paie le voyage et la nourriture des
hommes. S'ils amenaient femmes et enfants cela
lui reviendrait trop cher. De plus, si un homme
vivait ici avec sa femme il travaillerait beaucoup
moins pour le compte du patron. Il irait à la chasse,
à la pêche. Il cultiverait son manioc. Missié Juca
ne l'entend pas de cette oreille. Il veut uniquement
des *seringueiros* qui travaillent dur, qui sont inté-
ressés à faire le plus d'argent possible pour pouvoir
retourner au Céara et retrouver leur femme ou leur
fiancée. Voilà pourquoi il ne veut pas de femmes
ici.

— Ah! j'ai compris.

— C'est malheureux. Car comme femmes, ici, on
ne voit que celles des *seringueiros* ayant assez de

fric pour en faire venir une et se marier. Mais gare
à celle qui bronche, le mari a vite fait de lui loger
une balle dans la peau, ainsi qu'à son amant, par-
dessus le marché. C'est comme ça! Imaginez une
femme sans mari, missié Alberto, mais nous nous
entre-tuerions pour elle, nous autres! D'ailleurs,
ça ne se verra jamais, ici. Je voudrais bien savoir
quelle est la femme au monde qui aurait le courage de venir seule dans ce foutu pays. Il est mort
une fois à Laguinho, cela fait bien, bien des années,
un *seringueiro* du nom de João Fernandez. Il était
vieux. Il possédait de l'argent et une femme. Sa
veuve — elle avait dans les soixante-dix ans! — ne
voulait rien entendre, elle ne voulait pas se rema-
rier, na! et elle éconduisait tous les soupirants qui
venaient frapper à sa porte. Comme elle ne voulait
accorder ses faveurs à personne, de guerre lasse et
convaincus qu'ils n'arriveraient à rien par le sentiment, les *seringueiros* de Laguinho se saisirent de
la vieille et l'entraînèrent dans la forêt. Inutile de
vous dire ce qu'ils en ont fait!... Ils l'abandonnèrent
morte, car ils avaient commencé par lui tordre le
cou, à la vieille, pour lui ôter toute velléité de résistance.

— Les misérables!...

— Tous sont en prison à Humaythà. Mais ne
vous indignez pas si vite, jeune homme, vous ne
pouvez pas savoir! D'abord, on est déjà bien assez
puni par le dégoût qui s'empare de vous quand on
a agi salement; ensuite...

— Et il n'y a pas de femmes non plus à Humaythà?

— Si. Une Négresse et une mulâtresse, à ce qu'il paraît. Toutes les autres ont un mari. Mais, seuls les *seringueiros* qui sont établis chez eux pourraient se les payer, ces deux-là. Or, comme ils ont déjà une femme, ils n'ont pas besoin de se déranger. Et ceux qui ne sont pas encore établis n'y vont pas, car Juca le leur interdit : il a peur que les hommes ne rentrent pas au *Paradis*. D'ailleurs, ils n'ont pas le rond! Un jour, deux Céaréens sont partis dans une pirogue emportant une boule de caoutchouc pour faire de l'argent. Juca a fait prévenir les autorités, rapport à la pirogue volée...

— Et alors?

— Alors, les types ont écopé quinze jours de prison. Les autorités leur ont fait administrer une telle raclée qu'ils sont sortis avec toutes les dents brisées, et on les a renvoyés au *Paradis*. Chaque jour, Balbino, le fusil à la main, venait les jeter à bas du hamac et les menait de force au travail et, durant un mois, Juca ne leur a pas donné le moindre litre de farine. Pour l'instant je n'ai qu'une peur, c'est qu'Agostinho aussi ne se mette un de ces jours dans de sales draps.

— Agostinho? Tiens, pourquoi?

— Il est amoureux de la fille de Lourenço, vous savez, le vieux *caboclo* qui vit au bord du lac d'Igarapé-Assù. La gosse n'a pas plus de neuf ans, mais Agostinho veut l'épouser, il en est fou. Il l'a

déjà demandée au père, mais le vieux ne veut rien
savoir. Il n'a jamais vu une chose pareille, dit-il.
Et j'ai peur, car Agostinho est bien capable de
faire des bêtises.

— Il vous en a parlé?

— Non, mais je le connais... Attention, missié Alberto, nous y sommes! »

Firmino accota la pirogue à un tronc d'arbre
éclairé par la lune, plongea sa main dans l'eau et
retira la ligne qu'il amena avec force, car elle se
tendait, sursautait, résistait.

« Hé là!... Tout doux!... En voilà des *sambaquis*!... Ils vont nous entraîner au fond!... »

Firmino opérait avec prudence. A chaque hameçon était accroché un gros poisson argenté qui se
débattait avec violence. C'était un poisson qui ressemblait beaucoup au congre des mers d'Europe et
Alberto était surpris d'un tel foisonnement dans
une eau aussi languide.

« Est-ce qu'il y a encore d'autres espèces de
poissons dans l'*igapo*?

— Certes. Beaucoup. Mais celle-ci est la meilleure. »

Ils repartirent. Dans le fond de la pirogue la
masse écailleuse des *sambaquis* ressemblait à un
trésor qu'ils auraient dérobé. Le mulâtre achevait
les poissons en leur fendant la tête avec son couteau. Sous le clair de lune, le sang formait de gros
cabochons rubis sur un fond d'argent.

Soudain, un rugissement long et répété retentit

dans le silence des eaux mortes et se répercuta au loin dans l'immense forêt. Alberto avait sursauté d'épouvante, car ce cri avait été poussé tout près, comme si la bête allait bondir dans la pirogue.

« C'est un jaguar? »

Mais Firmino riait aux larmes.

« Faites attention, sapristi! Vous allez nous faire chavirer!... Non, ce n'est pas un jaguar. C'est tout bonnement un crapaud-buffle qui se dérouille le gosier. »

Mais tout en parlant des caractéristiques de cette grenouille monstre, Firmino s'était mis à godiller avec frénésie car il estimait que cette promenade nocturne sur l'*igapo* avait assez duré.

Floc, floc, floc...

Une algue, une touffe d'herbe, une liane tendue, une autre liane qui pendait, autant de tresses blondes oubliées par les sylphes dans le feuillage phosphorescent. Quel est le génie de la nuit qui s'était complu à souffler ces grottes fantastiques d'ombre transparente dont l'aspect suggérait le désir de la mort comme la suprême volupté? Le mirage aidant, Alberto qui tenait ses yeux fixés sur les écailles d'argent croyait voir se former au fond du bateau le corps d'une jeune femme endormie. La pirogue emportait une vierge vaincue, enroulée avec amour dans un rayon de lune. Au-dessus de leurs têtes, les feuilles n'étaient qu'un pointillé de taches opaques et de doux éclats. Une multitude de petits miroirs flottaient sur les eaux tranquilles de l'*igapo*.

La blanche lumière de l'astre nocturne gouttait des hautes futaies dans l'eau. Le paysage était irréel.

La lune s'obstinait à enduire les troncs et les branches et, parfois, l'astre trompeur fixé au ciel se mirait comme au fond d'un puits dans l'eau, d'où son disque semblait émerger comme une chair nue. Firmino s'était mis à chanter et Alberto aimait son chant. Mais le mulâtre finit par se taire, lui aussi ensorcelé par la splendeur de la nuit illuminée.

La pirogue s'échoua si violemment sur la berge qu'Alberto en perdit l'équilibre.

« Nous sommes enfin arrivés! »

Firmino enfila les *tambaquis* par les ouïes sur un bâton.

« Prenez un bout sur votre épaule, missié Alberto, moi, je prends l'autre. A deux, nous sommes assez bons pour faire un âne. »

Ils arrivèrent promptement à la cabane. Il était tard. Agostinho était déjà couché. Il leur avait laissé le reste du dîner.

« Je n'ai pas faim, dit le mulâtre. J'ai encore l'agouti sur l'estomac. Mangez, pendant ce temps-là je vais vider les poissons. »

Quand Alberto eut mangé et voulut aller donner un coup de main à Firmino, le mulâtre s'y opposa avec véhémence :

« Pensez donc, vous n'y entendez rien! Allez vous coucher. »

Et comme Alberto insistait pour l'aider :

« Ce que vous êtes bête, jeune homme! Vous voulez rire! Avec ces mains de docteur! Allez vous reposer, vous dis-je, vous en avez besoin. »

Puis, changeant de ton :

« Du moment que Balbino n'a rien dit, je vous accompagnerai encore. Mais pendant que vous ferez la cueillette, je m'occuperai de mon « chemin ». C'est facile. Balbino ne pourra pas raconter que je ne vous enseigne rien ou que je profite de votre présence ici pour ne rien faire.

— Mais vous aurez deux fois plus de travail, Firmino.

— Ne vous en faites pas pour moi. Je veux éviter toute discussion avec cette tête à gifles. Et quand je vous laisserai seul dans votre « chemin » je vous donnerai mon fusil.

— Je vous remercie, Firmino, mais je n'en ferai rien, car c'est vous qui seriez désarmé pendant ce temps-là.

— Qu'est-ce que ça peut bien faire? Quand un homme doit mourir ce n'est pas son fusil qui l'en empêchera! Et puis, dites donc, si les Indiens... hein?... je m'en tirerais toujours mieux que vous, vous ne le croyez pas?...

— Mais je ne veux pas vous priver de votre fusil, Firmino!

— Vous devez le prendre. On vous a confié à moi vivant, missié Alberto, je suis donc responsable, c'est à moi à veiller sur vous. »

Alberto fut saisi d'un violent désir d'embrasser cet homme à l'aspect si rude, mais au cœur si simple et si généreux.

« Merci, Firmino », dit-il.

Et sa voix était pleine de sanglots.

CHAPITRE VII

LE BAL DES « CABOCLOS »

CAÉTANO était convaincu que Balbino, son heureux
collègue, aurait à se repentir d'avoir recruté Alberto, le Portugais. Aussi, sa tournée d'inspection
terminée dans son secteur, il oublia un jour sa
fatigue pour galoper vers Todos-os-Santos.

Très mal à l'aise dans son costume de toile qui
s'était resserré à la dernière lessive, ses grosses jambes épousant mal les flancs de sa monture qu'il éperonnait sans relâche, il n'en éprouvait que plus de
hâte d'arriver dans la clairière pour voir ses soupçons confirmés par des preuves matérielles, et savourer à froid la volupté de la vengeance.

Parti de Laguinho à la pointe du jour, il avait
traversé Popunhas et Janayrà, brûlant les étapes.
A son passage les résiniers qui traînaillaient dans
les baraquements, bafouillaient de vagues explications et se mettaient immédiatement au travail
dans la crainte de le voir revenir.

Mais, aujourd'hui, Caétano n'avait aucune envie
de s'attarder nulle part. Il savait où il allait. La

distance, les mouches voraces, rien ne l'arrêtait. La
pensée que ce veinard de Balbino avait été au
Céara aux frais de la plantation l'éperonnait. Il
avait l'occasion de se venger de son collègue et, nom
de Dieu, il ne la raterait pas. Il s'agissait d'aller et
revenir dans la même journée, afin que Juca soit
informé au débotté du résultat de son enquête.

Le soleil était déjà haut et tous les replis de la
forêt noyés dans la lumière quand Caétano s'arrêta
à Todos-os-Santos et sauta à terre. Son cheval était
blanc d'écume. Mais l'homme cherchait des yeux
quelqu'un à qui s'en prendre, tellement il était
surexcité.

Personne en vue aux alentours. La solitude était
absolue. La clairière déserte. Vu la hauteur du
soleil il estima que les hommes devaient être à leur
seconde tournée, sur le circuit, en train de faire la
cueillette du précieux latex. Il souleva la natte qui
tenait lieu de porte et entra dans la cabane de
Firmino, mais il n'y avait personne. Alors, il se
mit en route pour aller surprendre Alberto et voir
ce que le Portugais avait fait de son « chemin ».
En passant dans le champ, derrière les cannes à
sucre, il arracha une pastèque qui mûrissait et c'est
en en suçant une tranche et en en crachant les
pépins qu'il pénétra sous bois.

La première *seringueira* que Caétano examina mi-
nutieusement, avec la ferme intention d'y dénicher
quelque chose de répréhensible, n'était pas trop
mal en point. C'est tout juste si les entailles pra-

tiquées dans l'écorce de l'arbre accusaient de l'inexpérience. Mais, au cinquième arbre, il trouva enfin
ce qu'il cherchait : l'incision n'était pas nette, la
main qui tenait le machete n'était pas ferme, l'outil
avait glissé, faisant sauter des morceaux d'écorce,
des copeaux, et mettant l'aubier à nu. Ensuite il
nota un autre arbre abîmé, le suivant intact, quatre
complètement sabotés, un autre encore d'impeccable, puis trois caoutchoutiers, très mal en point,
puis encore quatre, puis vingt. Caétano tenait sa
vengeance. Il jugea inutile de pousser son inspection plus loin. Le délit était patent. Il rebroussa
donc chemin, revint en hâte à la clairière, en-
fourcha sa monture et partit à fond de train pour
le siège de l'exploitation. Il était triomphant et
arriva en trombe.

Caétano avait failli crever son cheval, mais Juca
Tristão n'était pas là.

« Le patron est au corral », lui dit João, le cuisinier.

C'était un samedi soir, aux premières heures du
repos hebdomadaire et les *seringueiros* de l'exploitation commençaient à arriver la besace vide en
bandoulière et, sur l'épaule, enfilée à un bâton, la
boule de caoutchouc représentant le travail de la
semaine.

Caétano redoutait l'arrivée de Balbino, ce qui
aurait contrarié son dessein de lui nuire. Il se rendit donc en hâte au corral, en traversant la basse-
cour et le verger, planté de manguiers et où des

piments rouges et ronds comme des cerises étaient
mûrs. Il poussa la porte, encastrée entre deux
énormes *taperebazeiros,* et pénétra dans l'enclos, mi-
boueux, mi-herbeux, réservé au bétail.

Alexandrino, le berger nègre, attrapait les bêtes
au lasso et si la bête prise offrait trop de résistance
pour se laisser soigner, Alexandrino l'empoignait
par les cornes et la renversait sur le sol. Dès lors,
les plaies étaient à portée de sa main.

Juca, qui s'intéressait beaucoup à son troupeau,
assistait volontiers à l'opération.

Dans ce climat insidieux, toute égratignure ou
piqûre de mouche ou d'insecte, aussi insignifiante
soit-elle, se transforme rapidement en plaie profonde, où les vers se mettent à grouiller par paquets. Ils se multiplient si bien et il y en a souvent
une telle quantité que leurs têtes émergent de la
peau des bêtes, à croire que bœufs et vaches, surtout sur la croupe et au garot, sont recouverts de
nids d'abeilles dégoulinant de sanie au lieu de miel.
La chair à vif, le bétail ne résiste pas longtemps
au travail vorace de ces milliers et milliers de parasites aveugles qui les rongent et finissent par ané-
mier le troupeau.

En Amazonie le bétail est triste et résigné car il
se familiarise avec ce genre de souffrance qui le
démange perpétuellement et le fait dépérir. Les
hommes eux-mêmes n'échappent pas à cette cala-
mité et bien rares sont les habitants du pays dont
le gros orteil n'héberge pas un ver, qui y loge et

qui le mange sans qu'aucune trace extérieure ne révèle la présence de la bestiole déconcertante.

Quand Alexandrino tenait un bœuf sous lui, il nettoyait la plaie avec son couteau, puis appliquait sur la blessure une pâte faite de sel de mercure en poudre et d'une solution de créosote.

« Alors, Alexandrino, je t'en prie, mène celle-là à l'étable », conseillait Juca quand une de ses bêtes à cornes était par trop abîmée.

Force fut à Caétano d'attendre la tombée de la nuit pour pouvoir parler au patron.

Ils rentrèrent côte à côte à la maison, Juca Tristão mordillant le bout de son cigare avant de l'allumer, Caétano, les mains ballantes et se demandant comment et par où commencer ses doléances. Enfin, il se décida :

« Aujourd'hui, j'ai parcouru Laguinho, Popunhas, Janayrà et Todos-os-Santos pour me rendre compte de la manière dont travaillent les nouveaux.

— Ah! et alors?

— Ça va très bien. Nos hommes connaissent déjà leur métier, sauf celui de Todos-os-Santos... Ah! celui-là! Si on le laisse faire, en moins de trois mois tous nos arbres seront crevés. Chaque entaille qu'il fait, ce type-là, c'est un assassinat.

— Qui est ce type?

— C'est ce sacré Portugais que Balbino a ramené de Bélem.

— Ah! je vois.

— Je n'arrive pas à comprendre comment Balbino a pu se laisser embobiner et nous amener une peste pareille. Il esquinte tout le « chemin ». Ah! je voudrais que vous voyiez ça de vos propres yeux, patron, c'est un désastre. Féliciano en tirait deux gallons...

— Que lui avez-vous dit?

— Rien, patron. Je voulais d'abord avoir votre avis. Cet homme, c'est de l'argent perdu!... Non, je ne peux pas comprendre comment Balbino a pu se laisser rouler de la sorte. Je vous donne ma parole que moi, à sa place, je ne me serais pas embarrassé d'un Portugais. »

Juca Tristão mettait le pied sur la première marche de la véranda. Il s'arrêta :

« Vous avez raison, Caétano. Il faut que ça cesse. Moi non plus je n'ai pas confiance dans les Portugais. Demain, je lui parlerai moi-même. Il faudra le tenir à l'œil, cet oiseau-là. Je vous en charge, Caétano. Toutes les semaines vous irez faire un tour à Todos-os-Santos... »

Le lendemain, dimanche, quand Alberto et Firmino arrivèrent pour se ravitailler, la véranda était déjà pleine de *seringueiros* qui attendaient que Juca veuille bien venir s'installer derrière son guichet et Binda, le magasinier, au comptoir. Il y avait des têtes de toutes les couleurs et des corps de toutes les tailles. Tous étaient uniformément vêtus de la blouse rayée et d'un pantalon en toile bleue. Alberto reconnut la plupart de ses com-

pagnons de voyage. Aujourd'hui, ils étaient tous
des malheureux rivés à la même chaîne. Leur
ambition et le travail de leurs mains en avaient
fait des prisonniers. Ils étaient tous également
esclaves du caoutchouc. La présence d'Alberto
suscitait encore bien des commentaires. Il sentait
qu'il était l'objet de railleries, de malignité, d'envie. A cause de sa tenue, ces gens-là devaient l'assi-
miler à la race maudite des Juifs et des Syriens
qui vont, de plantation en plantation, troquer fur-
tivement leur camelote contre de la gomme et qui
sont traqués par les propriétaires des exploitations
qui supportent mal la concurrence déloyale que
leur font ces damnés colporteurs.

Mais le bruit se répandit bientôt que c'était le
jour des comptes et que chacun allait recevoir le
sien; aussi l'effervescence était-elle vive parmi ces
pauvres diables qui avaient l'espoir chevillé au
cœur et qui s'imaginaient chaque fois qu'ils
allaient enfin trouver la forte somme à leur crédit.

Un homme traversa la véranda et entra dans le
bureau. C'était le premier Blanc qu'Alberto rencontrait à la plantation. Il frisait la cinquantaine,
avait la barbe et les cheveux grisonnants. Il était
chaussé de pantoufles et vêtu d'un pyjama qui
découvrait sa poitrine velue. Tous les *seringueiros*
s'étaient découverts sur son passage.

« Qui est-ce? demanda Alberto.

— Le comptable. Il exerce les fonctions de gérant quand Juca se rend à Parà. »

Binda ouvrit la porte du magasin et la foule tur-
bulente des *seringueiros* s'y précipita. Devant le
comptoir se trouvait la balance où chacun dépo-
sait à tour de rôle la boule de caoutchouc représentant sa cueillette de la semaine.

Juca était installé derrière son guichet, l'oreille
attentive à la voix de Binda qui annonçait sans
se presser :

« Manuel da Costa, de Popunhas, douze kilos
de fin et trois de *sernamby*...

— ... et trois de *sernamby*, répétait Juca en no-
tant les quantités annoncées.

— Belisario do Riachão, de Laguinho, neuf de
fin et quatre de *sernamby*...

— ... quatre de *sernamby*... »

Puis, c'était la scène inévitable. Juca fixait
le *seringueiro* et s'écriait, en enlevant son lor-
gnon :

« Deux litres de *cachaça,* mais tu es fou! Tu n'en
auras pas un! Comment, tu fais plus de *sernamby*
que de fin et tu voudrais deux litres?

— C'est que, patron, le latex coagule, je ne sais
pas pourquoi.

— Il coagule parce que tu ne fais pas attention, espèce d'imbécile! Tu auras un demi-litre
d'eau-de-vie et, si tu continues, plus une goutte!
Regarde, mais regarde donc ton compte, malheureux, tu me dois un conto et huit cents milreis...
et tu voudrais... »

Et au suivant :

« Cinq litres de farine? Mais si tu manges tant de farine, tu vas avoir un ventre, mon vieux, tu sais, un de ces ventres comme les Nègres qui mangent de la terre... En attendant que tu me paies mon compte, espèce de voleur, tiens, attrape!

— Comment, rien que deux litres, patron? Mais je vais crever de faim!...

— Et qu'est-ce que tu veux que ça me foute, à moi? Je ne veux pas perdre mon argent et, toi, tu ne vas pas me raconter que tu meurs de faim, non? »

Le Céaréen restait bouche bée, un sourire idiot découvrant ses dents. Devant la colère du patron, il ne désirait que faire preuve de bonne volonté et de soumission.

Mais quant à la question de la *cachaça* les *seringueiros* se sentaient tous solidaires. Pour une goutte d'eau-de-vie chacun d'eux aurait fait plusieurs fois par jour tous les « chemins » du *Paradis* et pour un bouteillon ils auraient donné le fruit d'un mois de travail. Aussi, dans la distribution de ce nectar qui déverse l'oubli et où l'on peut noyer sa tristesse, Juca se montrait d'autant plus généreux que la dette du pauvre type qui lui en demandait était mince.

Dès le lundi soir on ne trouvait plus une goutte d'eau-de-vie au fond d'une gourde dans les campements et les défrichements, et les parias du *Paradis* vivaient jusqu'au samedi suivant dans la hantise de l'alcool, n'ayant rien pour étancher leur

soif ardente et oublier leur misère, et c'est pourquoi la semaine était lugubre, triste, trouble et
mortellement ennuyeuse dans les clairières perdues
au fond de la selve; la nostalgie des hommes,
trouble et morne comme l'eau de l'*igapo* et les
journées longues et inutiles comme l'étendue des
bois profonds qui les entouraient, qui gagnaient
sur leur clairière et où ils se sentaient ensevelis.
L'alcool était la seule lumière pour ces enterrés
vivants.

Quand Alberto, suivi de Firmino, se présenta à
son tour devant le guichet, Juca le toisa de toute
sa hauteur.

« Ah! vous voilà, vous? Vous en avez du culot!
A ce qu'on m'a dit, il paraît que vous êtes venu
ici pour organiser une véritable hécatombe d'arbres! Si vous n'aviez pas l'aptitude ou si vous
avez un mauvais esprit, je me demande ce que vous
êtes venu chercher dans une plantation de caoutchouc? Nous n'avons pas besoin de saboteurs, au
Paradis. Un Portugais n'est pas plus idiot qu'un
Céaréen, je suppose. C'est mon dernier avertisse-
ment. Tenez-vous-le pour dit. Si vous persistez à
assassiner mes arbres, vous n'obtiendrez pas de
moi un seul litre de farine!

— Ce n'est pas mauvaise volonté de ma part,
monsieur Juca, murmura Alberto qui sentait ses
nerfs le gagner. Faites-moi confiance encore durant
quelques jours. Il n'est pas question d'intelligence,
mais de pratique. Il faut s'habituer à l'écorce de la

seringueira. Le machete glisse, vous échappe alors qu'on s'y attend le moins. Je n'ai pas encore la main.

— Tout ça, c'est des boniments. Comment se fait-il que les autres engagés s'en tirent mieux que vous, alors que vous êtes tous du même convoi?

— Sans doute sont-ils mieux acclimatés que moi. Je suis un étranger.

— Alors, c'est moi qui dois en être la victime? Firmino, tu l'accompagneras trois jours de plus dans son « chemin », tu as compris?

— Oui, missié Juca.

— Et vous, je vous conseille de profiter de la leçon. Je vous ai prévenu. Vous savez ce qui vous attend... »

Et, changeant de ton :

« Voyons ça. Voici votre compte. Que désirez-vous?

— Trois litres de farine...

— Trois litres de farine...

— Un kilo de *pirarucú*...

— Un kilo de *pirarucú*...

— Un demi-kilo de sucre...

— ... de sucre...

— Je voudrais aussi un fusil. »

La plume de Juca s'arrêta.

« Un fusil? Seriez-vous une crapule, vous aussi? Ou vous payez-vous ma tête? Un fusil! Savez-vous combien ça coûte, un fusil?

— C'est à cause des Indiens. A Todos-os-Santos, comme vous savez...

— Qu'est-ce que c'est que cette histoire d'Indiens? Un résinier qui n'est pas fichu de chatouiller la peau d'un caoutchoutier, qui esquinte les arbres et qui, par-dessus le marché, vous demande un fusil pour aller à la chasse aux Indiens!... »

Firmino, prévoyant un désastre, tirait Alberto par sa blouse.

« Apprenez qu'ici on n'a jamais vu d'Indiens en hiver, hurla Juca Tristão, et que nous ne sommes pas encore en été. Les crues commencent à peine. Travaillez, prenez de la peine et nous verrons par la suite s'il y a moyen de s'entendre. Tenez, voici votre bon. »

Et il lui mit dans la main la liste des vivres demandés.

Peu rassuré par l'état d'énervement d'Alberto, Firmino poussa son camarade dehors, cédant son tour au guichet.

« Attendez-moi ici, missié Alberto. Ne contrariez pas missié Juca, cela vaut mieux, croyez-moi. Vous n'y gagneriez rien. Et ils nous tiennent à l'œil, tous les deux. Je vous donnerai mon fusil. »

Alberto s'adossa à l'escalier de la véranda. Il était exaspéré. Autour de lui les autres *seringueiros* ergotaient au sujet de leurs comptes. Ils sortaient de chez le comptable en poussant des exclamations de découragement, refaisant une fois de plus leurs calculs pour voir ce qui leur restait

de temps à passer au *Paradis* avant d'avoir payé
leur dette et de pouvoir rentrer au pays.

Au guichet, la même comédie continuait. Juca
venait de refuser un fusil à un autre bleu. Alberto
entendit le bleu rouspéter :

« Ce n'est pas pour y laisser ma peau que je
suis venu ici, missié Juca!

— Et moi, je ne suis pas venu ici pour me ruiner,
repartit le patron. Allons, ouste! »

Le bleu vint se mêler aux autres. Il avait les
yeux injectés de sang et ses lèvres tremblaient de
fureur. Il se mit à récriminer auprès de ses camarades :

« Le patron m'a refusé un fusil. Il s'en fout,
lui, il est à l'abri. Les Indiens ne viendront jamais
dans sa belle maison.

— A moi aussi il m'en a refusé un.

— A moi aussi.

— Après tout, c'est un idiot, dit le premier, car
si je crève, il sera bien avancé, il perdra tout et
zut pour mon compte! »

Tous éclatèrent de rire. Ces pauvres types
avaient la résignation facile. Leur indignation
était vite tombée. Maintenant, ils se remettaient
à parler du cours du caoutchouc et ils faisaient
d'absurdes paris sur la hausse, car tous croyaient
à la hausse.

Alberto regarda le papier qu'il avait à la main.
Il n'y manquait rien : les frais de voyage du Céara
au Parà pour l'homme qu'il avait remplacé à Bé-

lem; les frais de son propre voyage à bord du *Justo Chermont;* ses fournitures : machete, seau, pots de fer-blanc, *boião,* quelques mètres de toile, tout, le comptable n'avait rien oublié.

— Un conto et sept cents milreis... »

Firmino revenait. Ils entrèrent tous les deux au magasin, reçurent leurs vivres pour la semaine et sur la réponse de Binda : « Non, il n'y a pas de lettre pour vous! » Ils s'en allèrent.

Sortis du bureau les *seringueiros* avaient la mémoire courte et pour oublier plus rapidement encore leur déception et leur amertume, ils se répandaient en bavardages et les bouteilles passaient de main en main. On en voyait des rangées; adossés aux colonnes de la véranda, dans la cour, ils renversaient la tête en arrière et s'enfonçaient le goulot dans la gorge, les lèvres goulues. Parmi ces buveurs, Tiago, un grand Nègre squelettique et courbé par l'âge, circulait en boitant, mendiant une gorgée par-ci, une gorgée par-là, aux rares colons avec qui il n'était pas encore brouillé à mort. Firmino savourait sa ration tout seul, sans sortir de son mutisme.

« On s'en va, missié Alberto? Maintenant, ça va mieux.

— Si vous voulez. »

Ils partirent. Le mulâtre était taciturne et pensif. La *cachaça* l'avait rendu mélancolique.

« Aujourd'hui vous allez voir ce que c'est qu'un bal de *caboclos,* dit-il, lorsqu'ils furent rentrés sous

bois. Ne vous attendez pas à quelque chose de
fameux, missié Alberto. Ça manque de femmes,
mais, malgré tout, on trouve moyen de se divertir. »

Il marchait devant, sans se presser et sans plus
parler. La *cachaça* lui avait lié la langue. Loin,
derrière eux, on entendait venir la bande bruyante
des habitués qui se rendaient chez Lourenço, au
bal *caboclo*, la seule attraction du dimanche dans
ces solitudes infinies de la forêt vierge.

Alberto qui n'aimait pas l'ivresse hébétée de son
compagnon s'évertuait à le faire parler :

« Et toutes les exploitations de caoutchouc sont
dans le genre du *Paradis*, Firmino?

— Oui. Pourquoi?

— Je veux dire... est-ce qu'elles ont toutes un
Juca?

— Plus méchants ou moins méchants, ça dépend,
mais tous sont tout aussi avares, et tous les patrons se ressemblent. Quant aux plantations elles
sont toutes les mêmes, à peu de chose près. Dans
les unes on récoltera un peu plus de gomme,
comme par exemple sur le Jamary, le Machado et
je crois aussi dans l'Acre; dans d'autres, on en
extrait moins. Quant à la vie qu'on y mène, elle
est partout la même pour nous. »

Firmino se tut à nouveau.

Mais Alberto l'interpella encore :

« Dites donc, Firmino, est-ce que Juca visite
parfois les coupes, lui aussi?

— Des fois.

— Il est bien mal renseigné, en tout cas. Balbino a dû le monter contre moi, c'est évident. Bien sûr, je ne suis pas un as, mais je ne crois pas non plus avoir saigné les arbres à blanc, pas vrai? Peut-être que si Juca venait un jour dans notre clairière, il pourrait se rendre compte qu'on lui a monté le coup?

— Oh! ce que vous pouvez être bête, jeune homme! Mais si le patron venait un jour, ce serait encore pire pour nous. L'année dernière, peu de temps avant la mort de Féliciano, missié Juca est justement venu à Todos-os-Santos...

— Alors?

— Féliciano avait un terrible mal de ventre. L'avis de Juca fut que Féliciano avait tout simplement la flemme et, le dimanche d'après, il lui a refusé toute nourriture, lui disant : « Tu as mal « au ventre, pauvre vieux? Alors ne mange pas!... »

Les ombres grandissaient. Le soleil déclinait rapidement. L'écho des voix des *seringueiros* qui venaient derrière eux s'amplifiait à mesure que la nuit montait. Alberto sentait la lourde mélancolie du mulâtre le gagner. Firmino marchait comme écrasé par le poids de son balluchon. Il ne répondait plus aux questions de son camarade.

Alors Alberto pensa avec amertume à sa mère, à sa vie gâchée, à son titre de « docteur » qu'il ne décrocherait jamais... Quelle déception pour sa vieille mère qui s'était privée de tout pour lui permettre de faire ses études... et qui devait l'attendre

en espérant le voir rentrer un jour à l'université...
dans un, dans deux, dans trois ans?...

La terre était endeuillée et le ciel d'un triste
gris terne quand la cabane de Lourenço barra leur
route. C'était le seul toit dressé sur la rive du lac
Assù, long de plusieurs kilomètres.

Au milieu du lac s'élevait une île toute plantée
de bambous et de palmiers, où l'on aurait volontiers accosté pour y planter sa tente et y vivre un
roman d'amour.

Lourenço était le seul occupant de cette clairière,
la plus vaste de la région. Sa condition de *caboclo*
lui conférait des droits dans toute l'étendue de la
plantation et une situation tout à fait particulière
au *Paradis*. Parmi tant de parias mâles et valides
réduits à l'état d'esclaves, il était le seul homme
à ne pas s'employer à l'extraction du caoutchouc.
C'était un privilège héréditaire. A force d'indo-
lence et d'indifférence, de pères en fils les ancêtres
de Lourenço avaient toujours échappé à la loi du
travail.

Le *caboclo* amazonien n'a aucune espèce d'ambition. Son univers se limite à sa cabane, à sa
femme, à son harpon, à sa pirogue. Et tandis que
des légions d'étrangers débarquaient du Céara, du
Maranhão et même de Pernambouc pour affronter
la forêt vierge et y subir toutes sortes de vicissitudes et de tourments dans le seul but de faire de
l'argent, le natif souriait de pitié en les voyant
débarquer. Car, comme déjà ses ancêtres avant

lui, il avait déjà vu des affamés venir s'installer
sur sa terre sans plus se soucier de lui que s'il
n'existait pas, comme si tout leur appartenait et
comme si ces immenses forêts de l'Amazonie
avaient été créées à leur intention. Puis, après très
peu de temps, il voyait ces illuminés, ces orgueil-
leux, ces flambards, ces ambitieux, tous ces cos-
tauds se transformer en vaincus. Pour un de ces
conquérants qui regagnait son pays d'origine, des
centaines et des centaines d'autres restaient pour
toujours prisonniers de la forêt, brisés, minés par
les fièvres, esclaves du travail, enterrés vivants ou
morts, morts pour de bon. Pas de miséricorde pour
ces présomptueux, la forêt, la nature, le climat
amazoniens défendaient âprement les richesses que
tous ces aventuriers avaient voulu leur arracher de
force. Aussi, l'autochtone, aux cheveux noirs et
lisses, était-il le seul homme civilisé à mener une
libre existence dans les bois, à y mener une existence facile puisque, dès sa naissance, le *caboclo*
avait renoncé à tout et qu'il vivait sur place, simplement, sans se soucier des trésors fabuleux qui
attiraient tant de victimes dans la forêt équatoriale.

Quand Don Santos Mercado, plein d'ambition et
magnifique d'énergie, avait descendu le Béni, puis,
d'un seul bond, avait franchi les rapides du Madeira pour venir fonder dans la région cette exploitation du *Paradis*, les ancêtres de Lourenço vivaient déjà dans une des îles du grand lac Assù.

A l'endroit de son choix le Bolivien avait fait abraser un kilomètre carré de forêt vierge et, avec la main-d'œuvre d'hommes recrutés au loin, il s'était mis à exploiter la mine végétale.

Don Santos Mercado savait qu'il existait quelque part, sur l'autre rive du lac, deux maisonnées de *caboclos* pleines de marmaille, mais il ne se soucia jamais d'eux.

En ce temps-là les *caboclos* du lac formaient une caste particulière. Un abîme de préjugés les séparaient de la mentalité des envahisseurs. Insouciants, indifférents, passifs, ces paysans de la forêt se bornaient à semer, au cours de l'été, quelques graines de tabac et, une fois les larges feuilles à Nicot récoltées, ils les roulaient pour en faire des cigares ou les coupaient en menus morceaux pour les chiquer. Et c'était tout. Pour le reste, rivières et lacs, harpon et pirogue pourvoyaient largement à leurs besoins.

Don Santos Mercado rentra en Bolivie, fortune faite, et après avoir vendu le *Paradis* à un certain Don Sisino Monteiro. C'est alors que l'île des *caboclos* commença à se désagréger. Un arbre tombait un jour dans le courant; le lendemain c'était cinq mètres de terrain qui se détachaient pour s'en aller à la dérive. Petit à petit les eaux emportaient tout et ne tardèrent pas à menacer les deux maisons *caboclas*. Le père de Lourenço monta dans sa pirogue, traversa le lac et pour la première fois depuis que l'exploitation était ouverte en

forêt, il débarqua au *Paradis* pour solliciter l'hospitalité de Don Sisino Monteiro. Ce dernier, loin
d'y voir un inconvénient, ne trouva que des avan-
tages dans l'établissement d'une famille de *caboclos*
dans l'enceinte de sa propriété, puisque dorénap-
vant ces *caboclos* pourraient échanger sur place le
pirarucú qu'ils avaient coutume d'aller troquer
à Humaythà contre du sel, de la farine et de l'eau-
de-vie. Le père de Lourenço s'installa donc sur la
rive du lac, tandis que son voisin et compère émi-
grait à Popunhas. Sous la direction de Tristão Juca,
Lourenço avait perdu son père et il s'était marié
avec l'une des femmes qui vivaient autrefois dans
l'île disparue.

Lourenço avait une bonne et large tête, la moustache tombante, les cheveux longs et luisants. La
capture d'un beau *pirarucú* ou d'un poisson-bœuf
géant, comme cela s'était produit ces jours derniers, lui fournissait toujours l'occasion de donner
une fête aux colons, et la *cachaça* coulait à flots,
et tous les dimanches soirs les désenchantés du
Paradis ne manquaient pas de venir oublier leurs
chagrins et leur tristesse chez Lourenço. Avec le
produit de sa pêche, le bon *caboclo* achetait quelque colifichet à sa fille, qu'il avait en particulière
adoration.

Alberto, présenté par Firmino, fut gratifié du
plus obséquieux des sourires. Le simple paysan ne
pouvait croire que le jeune homme menait, malgré
la couleur de sa peau et son accent distingué, la

même vie misérable que les autres *seringueiros*.

Le plancher de sa cabane n'offrait pas une surface assez vaste pour danser à l'intérieur; aussi
Lourenço avait-il construit un grand hangar à
côté, dont le sol en terre battue représentait le
plus grand effort de travail qu'il eût jamais fourni
de sa vie. Le pourtour était meublé de vieilles
caisses et de billots de bois en guise de sièges. Une
lanterne se balançait au plafond au gré de la brise
nocturne. Une pauvre lumière en tombait qui donnait aux couples des danseurs une apparence falote.
Les blouses étaient imprécises, les jambes se confondaient et dans la pénombre du hangar brillaient
seuls les yeux et les dents des Noirs. Il faisait sous
ce toit une chaleur d'étuve.

La foule était déjà compacte. Dans l'anse où l'on
amarrait les bateaux, le nombre des pirogues devenait plus grand de minute en minute et ceux qui
arrivaient par voie de terre de tous les coins de
la plantation, étaient également très nombreux.

A n'importe quelle heure du jour un *caboclo*
offre toujours une tasse de café à ses visiteurs. Lourenço s'affairait donc à droite et à gauche pour
satisfaire sa clientèle. Le moral de tous était bon,
d'ailleurs, le tafia dominical absorbé en cours de
route avait déjà mis tout le monde de belle humeur. Les épanchements étaient chaleureux. La
chica, orgueil de Lourenço, qu'il distillait lui-
même, contribuait à l'effusion générale. Lourenço
tenait de son père, qui lui-même l'avait appris des

Boliviens, le secret de la fermentation du maïs.

Pedro Suruby, assis dans la pénombre, tira un gémissement de son accordéon.

« Allons, un peu d'exercice avant le dîner! » s'écria le vieux Lourenço.

Mais cette proposition n'eut aucun succès. Les hommes se tenaient serrés autour du hangar, la cigarette aux lèvres, le regard allumé. Les femmes assises à l'intérieur et qui faisaient bande à part, se donnaient des airs et feignaient l'indifférence. Tous les bals *caboclos* débutent par cette comédie. Pas de doute, sa mélodie n'avait aucun succès. Pedro Suruby l'interrompit au beau milieu, cracha sa cigarette et entama un autre air de danse. Une gamine surgit sur le seuil de la cabane, intimidée et n'osant commencer.

Pedro Suruby sentit tous les regards se poser sur lui. Sans se démonter il s'interrompit encore, alluma une nouvelle cigarette, enfila de nouveau ses bras dans les courroies de son accordéon et attaqua une troisième danse.

« Et alors? qu'attendez-vous? »

Et le vieux Lourenço donna l'exemple. Il se mit à danser avec la Négresse Victoria. Aussitôt les *seringueiros* se précipitèrent et, quand toutes les femmes présentes furent engagées, les *camaradas* s'enlacèrent entre eux pour se livrer à la griserie des *maxixes*. Silhouettes démoniaques dans le rayonnement de la lanterne du plafond, formes imprécises se trémoussant dans l'ombre, seuls les visages aux lèvres humides de plaisir brillaient dans cette confusion.

Firmino ne dansait pas. Alberto s'imagina que son compagnon n'avait pas voulu le laisser seul. Il lui fit un signe de la tête :

« Et vous, Firmino?

— Plus tard. Rien ne presse. Et vous, missié Alberto?

— Moi? Non, je ne danse pas. Mais allez-y donc. Je suis très bien ici. Ne vous privez pas pour moi.

— Dans un moment... J'ai le temps... »

Quand l'accordéon eut cessé de jouer, Alberto s'amusa à dénombrer les « dames » présentes.

« Une, deux, trois, quatre, cinq... Hé, Firmino, vous me disiez qu'il n'y avait pas de femmes au *Paradis* et, rien qu'ici, j'en compte cinq!

— Elles y sont toutes, missié Alberto. Il ne manque que la femme du gérant qui est blanche et qui, par conséquent, ne vient jamais, et Dona Tita, la femme d'Alipio. La petite que vous voyez là-bas est la femme de Lourenço. La Négresse qui est près d'elle, c'est Victoria, la mère d'Alexandrino, le vacher. Elle lave le linge de Juca, de Guerreiro, de Binda et des autres. Celle-là, marquée de la petite vérole, c'est la femme de Nazario, d'Igarapé-Assù. L'autre, celle qui tient une branche de jasmin, c'est la femme de Chico, qui avait de l'argent et qui vit ici depuis vingt ans. Il l'avait fait venir du Céara, mais il n'a jamais réussi à repartir

car, entre-temps, il avait fait une nouvelle dette
chez Juca. Elles ont toutes un mari, missié Alberto,
et tous les maris ont un fusil. Et à supposer que
les maris n'aient pas de fusil, combien d'hommes
croyez-vous qu'il y ait au *Paradis*?

— Et la gosse qui est appuyée à la porte?

— C'est la fille de Lourenço, celle qu'Agostinho
veut épouser.

— Cette petite? Mais c'est encore une enfant!

— Quand un homme ne trouve pas d'autre
femme...

— Voyons, Firmino!

— Si ce n'est pas Agostinho qui la prend, ça sera
un autre. Ils sont nombreux, allez, à tourner autour, exactement comme le tamanoir quand il flaire
une fourmilière.

— C'est donc pour cette raison qu'Agostinho
n'est pas venu?

— Parbleu! Il s'est fâché avec Lourenço du
moment que le vieux lui a refusé sa fille. »

Pedro Suruby se remit à jouer.

« Allez danser, Firmino, allez danser.

— Non... plus tard... pour le moment je n'en ai
pas envie... »

Sous le hangar ils s'enlaçaient les uns après les
autres et à tour de rôle chaque homme présent
dansait avec les cinq femmes. Eperdus de désir,
le corps raidi, les hommes avaient des physionomies
de maniaques. De temps en temps une ombre se
glissait dehors, se déshabillait au bord du lac, plon-

geait, après quoi, calmé par le bain qu'il venait de
prendre, l'homme rentrait au bal, reprenait sa
place dans la danse, les cheveux ruisselants, de
l'eau plein les oreilles, les sourcils collés. L'atmosphère était lourde de désirs monstrueusement refoulés, mais intimement entretenus et prêts à éclater d'une seconde à l'autre.

La *chica* et la *cachaça* commençaient à stimuler sérieusement ces hommes sans joie. Des gestes
obscènes s'ébauchaient. Les mouvements, les attitudes, les regards se précisaient. Les hardiesses paraissaient possibles, et la réalisation de folles espérances et de rêves fous n'était plus une chimère
impossible. Mais les bras d'hommes crispés sur les
bustes de ces cinq femmes, ces bras qui allaient se
fermer sur une étreinte, ces bras de mâles en rut
s'ouvraient et laissaient partir leur proie au moment de la posséder. L'accordéon venait de se
taire.

Il fallait encore renoncer.

Les *seringueiros* jouissaient de ce poison jusqu'à
la dernière goutte; ils ne partiraient pas avant
l'aube et alors, ils emportaient avec eux dans les
sentiers perdus, à travers l'immense forêt, dans
les circuits et par les « chemins » qui relient le
caoutchouc au caoutchouc, le souvenir d'une nuit
chaude.

Le repas chez Lourenço donnait toujours lieu
à un beau chahut. Si l'on mangeait peu, car l'alcool absorbé coupait l'appétit, on bavardait beau-

coup et l'on buvait encore et encore. Puis l'on se
remettait à danser.

A l'accordéon de Pedro Suruby vint se joindre
la guitare de Chico Safado. Alors ce fut du délire.
Les jambes devinrent infatigables et les yeux se
mirent à chavirer. Emporté par la folie générale
Firmino saisit au passage la Négresse Victoria dont
la chevelure blanche semblait postiche et après
une *samba* éperdue, Alberto vit revenir vers lui
son camarade la lèvre pendante et les yeux noyés
de tristesse.

« Quand vous voudrez?... proposa Firmino.

— Ça suffit, je suis satisfait, j'ai vu ce que je
désirais voir, déclara Alberto. Mais vous, vous
n'avez dansé qu'une fois, Firmino. Nous pouvons
rester encore un peu.

— Non, non, partons. J'aime bien danser, mais
pas aujourd'hui. Je n'en ai plus envie. Je ne sais
pourquoi, mais mes jambes ne veulent plus.

— Alors, allons-y! »

Ils se mirent à cheminer dans la nuit. Alberto
fatigué de sa journée, Firmino comme s'il allait
entreprendre le tour du monde. Ils ne se parlaient
pas. La lanterne que Firmino portait éclairait le
fût des troncs, se ruait vers les cimes, se perdait
dans des voûtes d'une profondeur insoupçonnée et
les ombres des deux *camaradas* se balançaient aux
plus hautes branches, grimaçaient de toutes manières, tour à tour naines et géantes, tremblotantes
et souples.

Alberto pensait à son compte, voyait sa dette s'augmenter sans fin, s'étendre, se multiplier comme ces arbres de tous calibres, tailles et grosseurs, qui s'étendaient et se démultipliaient sans fin autour de lui, qui apparaissaient un instant dans le rayon de la lanterne et qui replongeaient aussitôt dans la nuit... des chiffres, des chiffres, des chiffres... Dix kilos par semaine... trente milreis... cent vingt par mois... et la nourriture?... et l'hiver, l'hiver sans ressources... avait-il une chance?... une seule?... Et la santé?...

Combien mettrait-il d'années pour payer sa dette? Alberto avait le vertige d'y penser.

CHAPITRE VIII

LA CRUE

Le fleuve commençait à monter.

Le déluge annuel venait du Pérou et de la Bolivie.

Des sources jaillissaient. Des névés fondaient. Des torrents se précipitaient des hautes terres, mugissaient, emportaient tous les obstacles. C'était à croire que le Pacifique avait escaladé les plus hauts sommets de la Cordillère des Andes et qu'il se répandait en cataractes sur l'autre versant pour noyer tout le continent.

L'eau débordait, coulait, avançait, se faufilait, serpentait dans la grande forêt équatoriale, gonflant les anses les plus secrètes, enflant les eaux de toutes les rivières, poussant sans relâche, toujours de l'avant, de l'avant, dégoulinant dans les paliers inférieurs, perdant de sa violence dans les biefs plans, pour gagner en étendue, minant les rives, suintant du sol, perforant, giclant, s'insinuant de partout.

Les torrents en furie, dévalant farouchement les pentes et chantant dans les défilés de la haute montagne, se transformaient dans la plaine en une masse lourde de boue liquide largement étalée. L'eau du fleuve avait étouffé ses murmures et ses glouglous pour charrier les débris de tout un monde en perdition qu'elle avait submergé en cours de route, elle semblait sourdre d'un continent entièrement formé d'épaves. Le lit des rivières gagnait en largeur, se dédoublait, et les embouchures des affluents absorbaient d'immenses bourbiers, engloutissant les îles et les plages dont les palmiers immergés avaient des attitudes désespérées de naufragés partant à la dérive.

Les eaux montaient, montaient toujours. Elles submergeaient les racines aériennes, atteignaient les branches penchées sur les rives, inondaient les clairières, clapotaient sous les planchers disjoints des huttes montées sur pilotis. Le sol devenait spongieux et, bientôt, tout bout de champ, tout lopin de terre, tout défrichement de *caboclo* se transformait en un lac. De même que dans le récit biblique, le déluge amazonien noyait tout, envahissant la forêt sans hâte et sans répit. Par l'embouchure des *igarapés,* par tous les canaux, par toutes les rigoles, par toutes les fentes l'eau montait, avançait, faisait déborder les lagunes et les lagons, pointait des milliers de langues qui fourchaient dans toutes les directions pour aller se rejoindre plus loin et faire nappe, sans rémission.

Aujourd'hui quatre pouces de terrain conquis, demain un mètre de gagné, puis un kilomètre de noyé, enfin, des lieues et des centaines de lieues d'envahies. Tout le bassin amazonien était submergé et la forêt vierge trempée d'eau apparaissait être une forêt sous-marine d'une autre époque plongeant dans un océan d'un autre âge. La fin du monde? Non, plutôt le commencement, la formation du monde, les continents émergeant des eaux...

Au fond des bois, les eaux mortes des mares, des marais, des *igapos,* prisonnières de la brousse durant l'été, revenaient à la vie, se mettaient en mouvement, changeaient de couleur. De vaseuses et noirâtres elles prenaient la teinte rouge de la boue roulée dans tous les méandres, les boucles et les détours de l'inondation.

Les lacs perdaient leurs contours, changeaient d'aspect. Ils perdaient leurs rives, leurs plages de sable doré, leur miroir resplendissant réfléchissant le ciel d'été, ils n'étaient plus qu'eau sale, eau trouble, une étendue sans agitation, une mer sans îles, mais étroitement bordée d'arbres amphibies, plongés dans l'eau jusqu'à la naissance des branches.

Les flaques asséchées, qui étaient des foyers pestilentiels au cœur de l'été, étaient maintenant pleines et servaient de bassins à des myriades de poissons qui s'y aventuraient, curieux de sites nouveaux et de voyage.

Toutes les mares étaient reliées par des canaux communiquant mystérieusement sous bois, grâce à

quoi l'eau s'infiltrait jusque sous les pieds des animaux et des hommes qui fuyaient la crue.

Un îlot épargné par l'inondation servait de refuge à des troupeaux d'agoutis et de pacas, d'antes
et de cerfs, et tout cela pataugeait dans un magma,
où chaque bête qui glissait s'enlisait et disparaissait dans la boue qui gagnait pouce par pouce et
jour par jour.

Les *caboclos,* prisonniers dans leur clairière,
amarraient leur pirogue à leur porte, car l'eau
montait, montait toujours, et ils écoutaient, serrés
dans leurs bicoques disjointes, la pluie, la pluie qui
tombait...

La crue durait des mois entiers. Aussi les *fazendeiros* les plus prévoyants construisaient-ils de
hautes estrades, des *marombas,* pour braver le déluge et où les troupeaux passaient l'hiver, immobilisés. Mais les années où la crue était particulièrement forte, rien ne résistait à la destruction lente
et progressive des eaux. Si le courant n'emportait
pas l'échafaudage de planches, de branches et de
troncs, l'eau gagnait le bétail, atteignait les pattes
des bêtes, puis le ventre; enfin les bœufs et les
vaches, immergés jusqu'au cou, crevaient d'inanition ou pourrissaient d'humidité et étaient dévorés
sur pied par les *piranhas* et les *cadirus,* ces ter-
ribles petits poissons de l'Amazone d'une voracité
insatiable.

L'eau venait insidieusement à bout de toutes les
mesures prises, ruinait les plantations les plus

prospères, nivelait les cultures, rendait à la brousse
les champs qu'on lui avait arrachés de force, les
défrichements si péniblement gagnés par le fer et
par le feu sur la puissance envahissante de la selve
circonvoisine. Les misérables villages étaient noyés,
les foyers domestiques s'effondraient et l'immense
nappe impure emportait dans ses replis la détresse
et la désolation des ruines qu'elle véhiculait.

Plus haut, en amont, sur le Purù, le Solimoes et
le Haut-Madeira, il n'y avait plus de terre ferme
visible, pas un banc de sable où les animaux de la
forêt auraient pu chercher refuge et le sort des
habitants de ces régions désolées était de ne jamais
connaître, leur vie durant, un site stable, une assise
définitive dans ce chaos de fin ou de commencement du monde qui se renouvelait tous les hivers.

A Todos-os-Santos c'était déjà avec beaucoup de
difficultés que Firmino, Agostinho et Alberto continuaient leur travail, pataugeant dans le sol détrempé de la forêt de caoutchoutier en caoutchoutier. L'*igapo* atteignait le pied des cannes à sucre
et les hommes ne pouvaient faire un pas dans leur
petite clairière sans risquer de mettre le pied sur
quelque épine empoisonnée ou sur quelque bête
venimeuse apportée par l'invasion des eaux. Le
soir, ils rentraient trempés jusqu'aux os, les pantalons ruisselants, leurs rudes brodequins souillés
de boue.

A Igarapé-Assù, à Popunhas, à Laguinho l'inondation qui s'étendait infligeait aux hommes les

mêmes souffrances et dans tous les centres de l'exploitation les précautions qui avaient été prises pour lutter contre le fléau s'avéraient être inutiles. Bientôt, il ne resterait plus qu'à rester les bras croisés et à contempler impuissants les ravages de l'eau ennemie, qui s'insinuait silencieusement, filtrait sournoisement, noyant tout : herbes, bêtes, chemins, arbres, forêt, durant quatre, cinq, six mois et qui mettrait tout autant de temps avant de se retirer tout aussi sournoisement, et libérer ses hommes prisonniers dont la vie ne comptait plus.

Alberto était déprimé comme un bagnard dont la durée de la peine restait indéterminée et que les calculs qu'il pouvait faire rendaient fou. Combien de temps, combien d'années pour payer sa dette au patron et quitter le *Paradis*... deux ans?... cinq ans?... et n'y laisserait-il pas la peau?...

Cette incertitude était désespérante et il ne pouvait se faire à sa situation qu'il voulait considérer comme provisoire.

Le climat, le milieu, la terre, les hommes, il ne pouvait s'habituer à rien et même la bonne camaraderie de Firmino le fatiguait. Rien en Amazonie ne lui rappelait ses habitudes d'antan, rien ne lui parlait des choses qu'il avait aimées. L'Amazonie était un monde à part, une terre embryonnaire, énigmatique et tyrannique, faite pour étonner, pour détraquer le cerveau et les nerfs. Dans cette forêt monstrueuse l'ARBRE n'existait pas : ce terme était concrétisé par l'enchevêtrement végétal,

dément, vorace. L'esprit, le cœur, les sentiments
s'égaraient. On était victime d'une chose affamée
qui vous rongeait l'âme. Et la forêt vierge montait
étroitement la garde autour des victimes perdues
dans son immensité, silencieuse, impénétrable, effa-
çant les pas, barrant les sentiers, brouillant les
pistes, emprisonnant les hommes, les ravalant au
rang d'esclaves, les tenant. Et tout autour de la
clairière où Alberto se débattait malade de peur,
malade d'ennui, se dressait la haute muraille verte,
dont les surgeons, poussés en sentinelles avancées,
proliféraient, fusaient, rebourgeonnaient avec une
vitalité insensée et d'autant plus décourageante
que le couteau du débrousseur les décapitait
chaque matin pour se frayer chemin... La selve ne
pardonnait pas la blessure qu'elle portait au flanc
et l'on sentait qu'elle n'accepterait de trêve que la
clairière reconquise et la cabane étouffée. Dix ans,
vingt ans, cinquante ans, un siècle n'importait
guère; l'issue était fatale; c'était inéluctable, les
hommes céderaient vaincus par l'épuisement des
caoutchoutiers qu'ils exploitaient, vaincus par la
maladie, vaincus par l'ennui et la désespérance,
vaincus par l'isolement, et quels que fussent les
instruments et les circonstances de cette revanche,
voire l'extermination des Blancs par les derniers
sauvages, la forêt vierge vaincrait. La menace était
partout, dans l'air que l'on respirait, sur la terre
où l'on marchait, dans l'eau que l'on buvait. La
forêt aurait le dernier mot.

Alberto ne savait plus que faire pour ne pas désespérer. Il avait relu tous ses livres, jeté sur tout le papier disponible ses notes et ses impressions, il était à bout de force nerveuse, à bout de résistance. L'ennui, comme l'eau, montait.

Les trois *seringueiros* se livraient à d'interminables parties de cartes pour essayer de tuer le temps. Mais Alberto reconnaissait toutes les cartes à leur verso à force de les avoir tripatouillées. Il ne se rasait plus. Il se laissait aller. Ses longs cheveux encadraient son visage émacié que dévoraient ses yeux agrandis par la fièvre. Ses pantalons, sa blouse déteinte flottaient sur son corps amaigri. Tout lui était égal. A quoi bon vouloir lutter. Il se laissait aller.

Tout travail était devenu impossible. Les hommes de Todos-os-Santos pouvaient toujours se rendre à Igarapé-Assù, mais en naviguant en pirogue sur le sentier où les chevaux des inspecteurs galopaient en été; et, s'ils y allaient, que trouvaient-ils chez leurs misérables voisins, sinon les mêmes conditions d'existence précaire et inconfortable. Ceux d'Igarapé-Assù étaient comme eux prisonniers des eaux et de la forêt, des parias abrutis rêvant à haute voix au demi-litre d'eau-de-vie que Juca Tristão leur octroierait parcimonieusement le prochain dimanche.

Agostinho et Firmino aimaient bien se rendre chez leurs plus proches voisins, et Alberto les accompagnait, ne pouvant plus supporter la solitude,

mais c'était une bien triste, une bien monotone distraction que d'écouter tout un après-midi les
plaintes des Céaréens, l'histoire de leurs illusions
perdues et de leurs amours interrompues. Tous
avaient le mal du pays et tous leurs récits tournaient
autour de la sécheresse qui dévastait depuis si longtemps le Céara et leur avait fait quitter leur pays.

« ... Cette année-là, il y eut une sécheresse si
grande qu'à la fin les gens buvaient de l'urine de
cheval... Alors, nous avons décidé d'émigrer et de
partir vers la côte. J'ai vu mon oncle Alfredo devenir fou de soif. Il courait derrière nous les bras
levés. Il ressemblait à un revenant. A la fin il est
tombé et son cadavre est resté là sur la route. Nous
avons pu en réchapper. Mais lui, ce sont les urubus
qui se sont chargés de lui... »

Ces récits du fléau qui dévastait le Céara étaient
tous pareils, mais ils étaient faits d'une façon si
simple, si directe, si vivante et étaient tellement dépouillés de littérature qu'Alberto s'imaginait chaque fois assister au drame. Il était ému par tant
de misère car l'exode de la population du Céara
est unique dans l'histoire contemporaine.

Ces paysans noirs n'ont été victimes ni des ins-
titutions, ni des hommes; aucune guerre, religieuse
ou politique, n'est venue renverser leurs dieux lares;
si ces pauvres gens ont dû fuir sur le chemin amer
de l'émigration, ils n'ont été chassés par aucun cataclysme mais sont tout simplement victimes d'un
phénomène climatologique qui leur a fait quitter le

pays. La sécheresse du Céara est un des nombreux fléaux qui frappent le Brésil dans l'une ou l'autre de ses zones et qui viennent retarder, sinon entraver la marche en avant de cet immense pays d'avenir.

Dans les savanes du Céara, la terre était fertile, les foyers prospères, le sol cultivé. Chaque pouce de terrain défriché promettait un avenir meilleur. Les habitants se tuaient au travail tout le long du jour et, la nuit venue, on entendait au clair de lune, le chant des guitares. Les gens étaient si fortement attachés à la glèbe que l'on méprisait dans les peuplements du Céara ceux qui revenaient de l'Amazonie. « Pour un qui a fait fortune dans le caoutchouc, combien sont morts des fièvres dans la grande forêt! Les imbéciles, on n'a pas idée de quitter les champs. »

Or, il advint qu'un soir la terre était si brûlante qu'on ne pouvait plus y poser les pieds. Les visages reflétèrent de l'inquiétude et les faces se mirent à se creuser. Les vieux ergotaient; on citait l'exemple des années où le fléau s'en était tenu à la menace; les plus optimistes prêtaient une oreille complaisante à ces propos, tout le monde ne tenait pas mieux qu'à y croire... Mais le sol s'échauffait de plus en plus.

Les fontaines cessèrent de chanter pour ne laisser couler que de rares gouttes et bientôt la sécheresse fut si générale que la végétation se desséchait, d'abord les herbes tendres, les plantes frêles, puis les arbustes, enfin les plus vieux arbres, à l'ombre

desquels tant de villageois se souvenaient avoir
dansé et chanté. Tout se flétrissait. La terreur s'empara des esprits et bientôt ce fut la panique.

Le lit des ruisseaux et des rivières n'était plus
que vase aride, desséchée. Les bouches assoiffées ré-
clamaient à grands cris de l'eau. Les animaux tombaient raides morts, d'autres devenaient enragés.
Les troupeaux meuglaient désespérément. Dans le
ciel pur, le soleil du tropique dardait dans toute sa
gloire et la terre était embrasée. Un souffle brûlant
balayait le pays. La lune elle-même avait roussi et
ce n'étaient plus des chansons, accompagnées du
son argentin des guitares, mais des cris de détresse
et des lamentations qui montaient vers elle des cabanes des paysans.

Et l'exode commença, plus imposant que celui
des Juifs fuyant l'Inquisition.

Les caravanes serpentaient à n'en plus finir à
travers les plaines jadis herbeuses et maintenant
toutes craquantes de pailles desséchées. Tous les
habitants abandonnaient leurs terres. Coteaux et
fonds se consumaient sous le soleil. Si quelque im-
prudent se fût lancé au galop de son cheval dans
ces solitudes, il n'y eût aperçu que ruines et sque-
lettes blanchis et, au bout de ce désert rouge, au
fin fond du *sertão*, debout sur la ligne sanglante
du couchant, il se serait heurté à la soif et ne serait
jamais revenu.

Lorsque l'exode général fut décidé, tout l'intérieur du pays se vida, mais bien peu de Céaréens

atteignirent le littoral. La route était jalonnée de corps inertes, vieillards et petits enfants. Des mères accablées pleuraient sur le cadavre de leur dernier-né et s'obstinaient à rester là. Mais la mort les surprenait au milieu des vautours et des urubus qui se disputaient des ossements.

Pour ceux qui continuaient, un nuage représentait l'espérance merveilleuse et chatoyante. Mais le nuage passait, ce n'était qu'un mirage. Le ciel redevenait limpide, implacablement pur et pas une seule goutte d'eau ne tombait de l'azur. Désenchantés, épuisés, affamés, assoiffés, misérables, ne possédant plus que leurs guenilles, ceux qui restaient atteignirent enfin Fortaleza, la capitale du Céara, sur le bord de l'Atlantique, et de là, ils partirent à l'aventure pour une nouvelle odyssée, les uns vers les terres fertiles de São Paulo et les plantations de café, les autres, le plus grand nombre, vers l'Amazonie, qui les attirait plus particulièrement puisque beaucoup des leurs y avaient déjà fait fortune.

Aucun de ces malheureux n'avait les moyens de faire ce long voyage à ses frais. Mourants de faim et immobilisés à Fortaleza faute d'argent, ces misérables étaient une proie toute désignée pour les rabatteurs et les racoleurs des plantations de caoutchouc qui les expédiaient en Amazonie. Mais à peine débarqués dans les plantations et distribués dans les clairières de l'immense forêt, ces pasteurs, ces bouviers, ces cultivateurs, avaient la nostalgie des plaines herbeuses de leur patrie et de leurs libres randonnées à cheval, des champs illimités, de l'horizon sans borne, et toutes les richesses de la forêt, et l'eau potable, cet immense volume d'eau douce que charrie l'Amazone, le fleuve, les rivières, les canaux, les lacs, les étangs, les mares, rien ne pouvait faire oublier à ces victimes de la soif leur village natal, leur ferme, leur champ. Ils étaient hantés et ne pensaient qu'à s'en retourner au pays...

Alberto s'humanisait au contact de ses compagnons. Il regrettait son attitude du début, son mépris, son isolement systématique. Certes c'étaient des malheureux, mais des braves gens, et le découragement qui l'accablait maintenant lui venait beaucoup plus de sa condition d'esclave que de la fréquentation quotidienne de ces rustres dont les chants, désolés, mais mélodieux, rompaient la monotonie de sa vie et berçaient sa mélancolie. Lui aussi aurait voulu s'en aller, fuir...

Il était las. Quand il sortait de la cabane, Alberto n'avait même pas la ressource d'aller faire un tour. Le « chemin » serpentait sur huit ou dix kilomètres; mais c'était toujours le même circuit. A gauche et à droite c'était l'inconnu : de la brousse, de la jungle impraticable ayant pour seules limites quelque rivière, quelque *igapo* ignorés. A supposer que la forêt eût cinquante ou cinquante mille lieues de profondeur, cela n'avait aucune importance du moment qu'on ne pouvait pas y pénétrer. Légalement, toute cette région faisait partie de l'exploitation de Juca Tristão; son domaine s'inscrivait entre deux lignes idéales et parallèles partant de la berge du rio Madeira et aboutissant au Matto Grosso. Mais en pratique il existait un autre propriétaire, énigmatique, féroce et sanguinaire comme la forêt elle-même : c'était celui qui, agitant sa parure de plumes, prenait son bon plaisir en dansant autour de la tête coupée d'un usurpateur, car nul autre pied humain que le sien n'a encore foulé ces arrière-pays aussi solitaires et inconnus qu'au premier jour de la création, et par cela même d'autant plus effrayants.

Un soir, comme ils rentraient du travail, Alberto et Firmino remarquèrent que la pirogue avait disparu. Ils pénétrèrent dans le *defumador,* mais Agostinho n'était pas là.

« Probablement qu'il y avait trop d'eau dans son « chemin, dit Firmino, et qu'Agostinho sera parti à la chasse ou à la pêche. »

Mais Alberto se demandait s'il n'y avait pas là-dessous quelque histoire d'Indiens, car il trouvait bizarre qu'Agostinho eut abandonné sa tournée sans avoir terminé la cueillette et sans prévenir personne. Mais comme Firmino ne s'alarmait pas de cette absence, il n'y pensa plus.

Le latex fumé et comme, rentrés à la maison, ils préparaient le repas du soir sur la varangue, ils virent arriver Agostinho, l'air sinistre, la lèvre mauvaise. Il y avait dans toute sa personne quelque chose d'indéfinissable et d'empoisonné. Son œil était fuyant.

« Tu veux manger un morceau? lui demanda Firmino.

— Non! » lui répondit Agostinho d'un ton tel que Firmino en resta bouche bée.

L'autre avait déjà tourné les talons. Ils le virent disparaître dans la chambre du fond et l'entendirent fourgonner dans son sac et parmi ses affaires.

Firmino haussa les épaules comme quelqu'un qui ne veut pas se mêler des histoires d'autrui, mais il était néanmoins intrigué.

Agostinho réapparut sur la varangue, traînant son hamac et sa moustiquaire, qu'il roula et fourra dans son sac.

Firmino attendait une explication, mais Agostinho persistait dans son mutisme.

Tout à coup Agostinho eut un geste nerveux, comme un qui se rappelle quelque chose de très important, dégaina son couteau et alla le laver dans la cuvette.

Le couteau était rouge de sang.

« Que t'est-il arrivé, bon Dieu? demanda Firmino.

— Rien », répondit l'autre.

Sa voix était sourde et coupante.

Alors, Agostinho ayant jeté son sac sur l'épaule, pris son fusil, mis son chapeau, demeura un instant pensif, puis il s'avança vers Firmino, lui tendit les bras et lui dit :

« Adieu, camarade! »

Les deux mulâtres s'étreignirent longuement en silence.

Des grosses larmes roulaient sur le visage d'Agostinho.

« Adieu, missié Alberto... »

Et il sortit rapidement.

Ses deux compagnons lui virent prendre la direction de la forêt.

L'homme s'enfonçait dans le mystère. Ils virent son dos disparaître entre les feuilles.

« Qu'est-ce qui se passe, Firmino? »

Le malaise était tel que Firmino ne répondit pas de suite. Ses yeux restaient fixés sur le point de la selve par où Agostinho avait disparu .

« Assurément, rien de bon! finit par dire le mulâtre. Le malheureux! Il ne sortira pas vivant de la forêt vierge. Il ne s'en tirera pas, et comment pourrait-il passer avec l'inondation? »

Cette brusque scène leur avait coupé l'appétit. Tout en mâchonnant leur morceau de viande séchée, ils se perdaient en conjectures toutes plus tragiques les unes que les autres. Ils ne pouvaient imaginer autre chose qu'un drame.

Firmino décida de descendre à Igarapé-Assù pour savoir. Mais la pirogue n'avançait pas. Leur impatience était si grande que le trajet leur parut interminable.

Il y avait foule devant la maison de Nazario. Deux *seringueiros* se portèrent à leur rencontre comme ils débarquaient. Ils étaient surexcités.

« Où est-il passé? Où est-il?

— Qui ça?

— Mais, Agostinho!... »

Les autres arrivèrent à leur tour. On les entourait.

« Vous ne l'avez pas vu?

— Mais qu'y a-t-il?

— Il a tué Lourenço!... »

Firmino resta stupéfait. Il réfléchit un bon moment.

« Il est parti dans la forêt, finit-il par déclarer.

— Par où?

— Par là...

— N'ai-je pas dit que c'était lui, hein? s'écria Nazario. Je l'ai vu se diriger vers le lac, et revenir avec la figure de quelqu'un qui vient de faire un mauvais coup. »

L'indignation était à son comble. Par sa vie indépendante, sa générosité, son désintéressement, Lourenço s'était acquis la sympathie générale qui se manifestait maintenant avec véhémence. On plaignait la victime; on maudissait le meurtrier.

Agostinho avait fendu le crâne du malheureux *caboclo* d'un terrible coup de couteau. Selon les apparences il avait dû l'avoir attaqué par traîtrise, en se dissimulant derrière l'arbre au pied duquel on avait découvert le cadavre de Lourenço. Le *caboclo* n'avait pas eu le temps de pousser un cri, car on l'aurait entendu des cabanes toutes proches.

C'est Alfonso qui l'avait trouvé, en rentrant de son travail. Les mouches...

Alberto et Firmino s'avancèrent. La victime gisait sur un étroit brancard. La cervelle avait jailli. Une main pieuse avait lavé le visage du mort. L'effroi se lisait encore dans les yeux grands ouverts. La bouche était crispée... néanmoins il persistait sur ses traits quelque chose du sourire affable qui avait été la caractéristique de cet homme simple et avenant. Le coup avait été porté de haut en bas, fendant l'arcade sourcilière. La femme de Lourenço hurlait à ses pieds et, celle qui avait été la cause involontaire de sa mort tragique, sa fille, abattue sur sa poitrine, sanglotait...

« ... Elle n'est pas plus haute qu'une botte! pensait Alberto. Un petit corps d'enfant, des bras pour tenir une poupée. Une femme, cette gamine?... Non...! »

Les deux camarades finirent par s'en aller. A chaque coup de pagaie Firmino répétait : « Je m'y attendais... je voyais bien qu'Agostinho n'était pas dans son état normal depuis quelque temps... »

Alberto broyait du noir... Qu'aurait-il dit, mais qu'aurait-il dit s'il avait pu continuer ses études et si, aujourd'hui, il était avocat, qu'aurait-il eu à dire pour défendre Agostinho, cet épouvantable assassin dont il avait partagé la vie de misère?...

Quand ils arrivèrent à Todos-os-Santos ils portèrent instinctivement les yeux sur l'endroit où ils avaient vu Agostinho s'enfoncer dans la brousse.

Alberto ne pouvait concevoir que l'homme eût disparu à tout jamais, il restait quelque chose de lui dans la clairière, quelque chose d'impondérable et de sinistre, mêlé pour toujours aux feuillages et aux ombres mouvantes. En posant son regard sur l'épaisseur des fourrés, on pensait malgré soi au criminel qui s'était livré au destin imprévisible, mais effrayant, qui l'attendait dans le mystère de la forêt vierge.

Le lendemain matin Alberto se réveilla avec cette obsession. Quand il sortit pour se rendre à son travail, il fut assailli par une angoisse inexprimable... Et les Indiens?... Où s'était-il enfui?... Par où réussirait-il à passer?.. Agostinho avait beau être un lâche, un odieux assassin, Alberto ne pouvait détourner sa pensée de cet homme Quel serait son sort, sa lutte, ses souffrances, sa mort dans ces solitudes sylvestres?... Il aurait voulu découvrir sa cachette... Probablement qu'à sa vue il aurait tressailli d'horreur comme au contact de quelque immonde bête rampante... Où pouvait-il bien être?... Ce n'était plus l'idée du crime qui l'importunait, mais il ne pouvait séparer l'acte féroce de cet homme de la brousse infernale qui l'entourait et de la ·jungle redoutable dans la profondeur desquelles Agostinho n'avait pas craint d'aller demander asile.

Ce soir même, en rentrant, Firmino lui proposa de l'accompagner à la chasse. Il refusa d'abord, étant trop fatigué; mais apprenant qu'il y avait dans

les environs des bancs de terre émergeant encore
près de la rive opposée de l'*igapo,* bancs qui servaient de refuge à un grand nombre d'animaux
sauvages, il s'empressa d'acquiescer. Ils embarquèrent et commencèrent à ramer au-dessus du sentier
noyé. Puis, Firmino tourna à gauche. La pirogue
raclait un tronc; plus loin, ils se prirent dans des
lianes. Les mains avaient assez de travail pour tirer
sur les branchages, les pagaies devenaient inutiles.

Alberto cueillit une fleur. De quel prix fabuleux
ne l'aurait-il pas payée au Portugal? Et la forêt en
était pleine! C'étaient des orchidées extraordinaires,
d'un dessin exquis, aux couleurs bizarres, aux pétales surprenants, fascinants, des fleurs de rêve
qui brillaient avec éclat dans la pénombre de
l'épais sous-bois. Leurs racines parasitaires se
nouaient avec fureur aux branches qui les portaient. Comme autant de tentacules voraces et gou-
lus, elles se nourrissaient de la sève des tiges auxquelles elles s'agrippaient et les suçaient, les épui-
saient, les vidaient. Le drame se multipliait. La
moitié des plantes de la forêt vivait de l'autre moitié comme si le sol n'eût pas suffi au règne végétal.
Des arbres nés de la terre donnaient la moitié de
leur vie à des plantes nées en l'air. Pas une branche qui n'alimentât de son sang une touffe de branches parasitaires, qui n'étouffât sous d'étranges guirlandes. L'*apuyseiro,* la plante parasitaire qui a le
plus passionné le monde savant, n'est d'abord
qu'une semence anonyme, puis une humble racine

rampante qui tâtonne à même le sol; enfin elle
dévore l'arbre entier auquel elle a réussi à s'agrip-
per et se dresse debout à sa place, aussi gros, aussi
haut que son tuteur ait été. Ces végétaux ont des
férocités insoupçonnées, des cruautés inavouables,
des égoïsmes sans pitié. Vivre, d'abord vivre! Chaque plante veut vivre; à n'importe quel prix, vivre;
vivre aux dépens des autres; percer coûte que coûte,
se tendre vers la lumière, s'épanouir : tel est l'unique désir de chaque branche, de chaque tige, de
chaque racine, si petite, si minuscule, si cachée, si
humble soit-elle.

Alberto finit par jeter son orchidée à l'eau. Sa
blouse de *seringueiro* n'avait même pas une bouton-
nière!... et il eut un triste sourire en voyant la fleur
rare, comme une étoile dans une mare, partir à
vau-l'eau et en pensant aux femmes raffinées des
grandes villes qui eussent épinglé cette fleur à leur
sein et l'eussent mordillée voluptueusement, perver-
sement pour provoquer ou se soumettre à l'amour...

Tout à coup un animal plongea dans l'*igapo* en
les éclaboussant.

« Sale bête! » s'écria Firmino, qui ramait, l'oreille
tendue et en évitant de faire le moindre bruit.

Il échoua rapidement la pirogue sur un banc de
vase. Ils débarquèrent sur une langue de terre qui
avait échappé à l'inondation. L'endroit était en-
cerclé de boues et de vieux troncs d'arbres flottés.
Les taillis étaient pleins de bêtes. Cela sentait la
putréfaction et la charogne.

Tant que la crue durait, c'est-à-dire durant les longs mois d'hiver, seuls les singes avaient l'entière liberté de leurs pérégrinations, puisque dans les forêts inondées ils pouvaient gambader de branches en branches et accomplir de longs voyages sur le pont des lianes; mais les autres animaux, traqués par les eaux, venaient se réfugier sur les rares bancs de terre qui émergeaient encore çà et là, et c'est par centaines qu'ils attendaient, sans possibilité d'évasion, la décrue sur ces quelques mètres carrés de boue, l'air morne et affamé, et aussi tristes que des bêtes en cage.

Il y avait là le paca blond, aux yeux de noctambule; l'ante corpulente, savoureuse et aveuglée par la lumière du jour; l'agouti, petit et leste comme un lièvre, en perpétuel état d'alarme; le tamanoir, le grand fourmilier à la queue en étendard, travaillé par la nostalgie des hautes fourmilières qui lui fournissaient ses succulents repas; le tatou, avec sa cuirasse blanche et son museau effilé qui lui sert à forer des trous dans les terrains les plus récalcitrants; le cerf inquiet, le jaguar carnivore, et d'autres, bien d'autres bêtes encore... Ces arches de Noé étaient complétées par des troupes de singes de toutes catégories qui n'avaient à y faire, mais que le spectacle des bêtes malades et prisonnières amusait fort, car ils s'ébattaient et se contorsionnaient dans les branches, au-dessus d'elles : des *quatiturús* et des *capijubas*, des gros ventrus et des tout petits qui se gaussaient du malheur d'autrui avec la pétu-

lance de démons jouissant de toute la liberté de
leurs mouvements.

A peine Firmino et Alberto eurent-ils mis pied
à terre que les plus courageuses de ces malheureuses bêtes se jetèrent dans l'*igapo*, et la balle sûre
de Firmino arrêta net un cerf élégant qui nageait
en se défilant dans l'ombre des futaies. Les autres
cherchaient le salut en se dissimulant dans le feuillage ou en se terrant dans des trous, et Firmino
allait les dénicher au moyen d'un bâton et leur
donnait le coup de grâce avec son couteau.

Inutile de faire des réserves et de vouloir gaspiller
le sel. On pourrait revenir dans quinze jours ou
dans un mois en toute confiance; tant que les eaux
ne se seraient pas retirées, on retrouverait les bêtes
à la même place.

La pirogue était pleine de gibier ensanglanté et
le mulâtre avait un sourire gouailleur. Mais il
épaula encore son fusil, visa en l'air, lâcha le coup
et un terrible rugissement de colère et de douleur
répondit au coup de feu. Firmino redoubla et un
énorme jaguar tomba de branche en branche et
finit par s'étaler à quelques mètres d'Alberto.

« C'est une belle bête, hein, missié Alberto? Vous
ne l'aviez pas vue...

— Ça non, je l'avoue. »

Le fauve se tordait dans les dernières convulsions. Ses yeux phosphorescents étaient injectés de
sang, ses griffes labouraient le sol, son ventre pal-
pitait, sa gueule béante, tordue par la fureur et la

souffrance, haletait, sa mâchoire était formidable.

« Ça se mange aussi? demanda **Alberto**.

— Oui, mais je n'en suis pas très amateur : la chair est coriace et filandreuse. Si vous aviez été seul, vous étiez dévoré sans même savoir ce qui vous arrivait.

— Il est si dangereux que ça?

— Et comment! Si la femelle est accompagnée de ses petits et du mâle, elle se jette sur lui quand elle aperçoit un homme et vous le met proprement en pièces. Seule, elle se défile, car elle a peur des balles. Vous ne l'aviez pas entendu grimper dans les hautes branches, n'est-ce pas, quand nous sommes arrivés? Naturellement! Mais moi, je ne l'ai pas quitté de l'œil, dès mon premier coup de fusil, mais je l'avais gardé pour la fin. C'est une sale bête, dont il faut se méfier, car elle se laisserait aussi bien tomber par peur et, alors, gare aux gens qui sont dessous... On s'en va? »

La bête haletait doucement. Ses crocs disparaissaient dans le sang qui lui coulait de la gorge. Elle était couchée sur le flanc, l'œil gauche dans la fange, la prunelle de l'œil droit chavirée. Ils la laissèrent crever là et Firmino et **Alberto** s'embarquèrent pour rentrer.

Comme ils voguaient, la forêt commença à murmurer. Le vent s'était levé et secouait les frondaisons. Le soleil avait disparu derrière un gros nuage, escorté à toute allure par d'autres bancs de nuages qui échafaudaient dans le ciel de fantastiques châ-

teaux, puis tout se confondit en une masse grise
et terne qui noya tout. L'éclat du crépuscule était
atténué, sous bois la lumière était équivoque. Le
temps était lourd. L'obscurité grandissait. Des rumeurs venues de très loin passaient au-dessus des
deux hommes et secouaient les cimes. La selve bra-
mait. L'eau noire de l'*igapo* fulgurait, reflétant les
zigzags de feu qui zébraient le ciel.

« Nous n'y coupons pas! » annonça Firmino qui
se rendait compte de la stérilité de ses efforts pour
arriver à la maison avant l'orage.

La forêt n'entonnait pas, suivant son habitude,
une triste litanie; à la monotone psalmodie s'était
substitué un appel ininterrompu de fauves en fureur. La jungle rugissait, frissonnait, se contorsion-
nait. La houle véhiculait avec elle une musique
désespérée. La terre tremblait. Des tourbillons de
feuilles arrachées s'envolaient. Tout était alerté et
cela se transformait en un concert sinistre exécuté
par des instruments discordants sous la baguette
d'un chef d'orchestre de plus en plus frénétique.
Des vagues ondulaient à la surface de l'*igapo*, ha-
bituellement calme, car le vent furieux avait réussi
à franchir l'épaisse muraille de verdures et descendait jusqu'à la surface de l'eau morte pour y faire
entendre son épouvantable chanson. Par à-coups,
tout en haut, dans les nues, les cymbales de l'orchestre infernal s'entrechoquaient avec fracas, les
éclairs se succédaient avec une telle rapidité qu'ils
doraient l'épais manteau gris jeté sur la forêt.

Alberto n'avait encore jamais assisté à un tel déchaînement des éléments. La forêt se cabrait sous les rafales, elle craquait de toutes parts dans une clameur immense. Le ululement grandissant, sinistre, fantastique, hallucinant, plein des soubresauts de la tempête. On ne savait d'où cela vous arrivait, mais le bruit terrible de la chute de quelque géant de la forêt, fendu du haut en bas par la foudre, retentissait comme un cri, et l'angoisse vous paralysait de terreur. Les roulements du tonnerre ne s'arrêtaient pas. C'était une apothéose de fin du monde se parachevant dans des soupirs.

Des grosses gouttes commencèrent à tomber et, d'un coup, ce fut l'averse. Firmino interrogeait les alentours. Il finit par découvrir un abri et échoua la pirogue entre deux troncs.

« Vite, missié Alberto, sinon on va se tremper jusqu'aux os. »

Ils sautèrent à terre et coururent se réfugier dans un *sapopema* tout proche. Comme toutes celles qui pullulaient dans la forêt, cette grotte de racines ressemblait à un rocher foudroyé. Elle était composée de torsades, de reliefs, de méplats laminés. Le grand arbre dont elle constituait la base sonore, rugissait là-haut. Firmino s'accroupit et Alberto s'installa le mieux possible. Ils se mirent à fumer. La pluie ruisselait et débordait de toutes parts par les mille fenêtres, les ogives, les arcades ouvertes dans l'arbre. Le torrent qui tombait du ciel interceptait toute perspective.

Firmino formulait des commentaires sur ce contretemps, mais, comme Alberto était morose, il se tut. Les deux hommes succombaient à une prostration nerveuse qui leur ôtait toute envie de parler. Leur âme était endolorie, pleine d'une immense tristesse due au spectacle de la selve bouleversée par l'irruption de la pluie. Des millions de feuilles luisantes s'égouttaient, frémissaient. Le sol s'amollissait. L'eau giclait de l'humus et des branches mortes. L'humidité suintait de partout et vous transperçait. L'âme était malade. La forêt n'était plus peuplée de mystère; elle avait suspendu ses étranges conciliabules; elle n'était plus en puissance de mal; elle n'était pas non plus en posture d'attente. Ce n'était qu'un monstre lourdaud et ridicule qui luttait avec le déluge qui tombait d'en haut. La lumière agonisante engendrait une intense mélancolie et jamais, comme sous cette pluie diluvienne, la selve suggérait plus passionnément le désir de la mort, de l'anéantissement.

La tristesse émanait de ce vert éternel, glauque, toujours pareil, qui lassait et vous oppressait à la longue, lavé de frais qu'il était, et plus intense, et plus persistant, au point que la rétine vous faisait mal.

Alberto se laissa gagner par le désespoir.

Des diverses solutions envisagées pour s'en tirer, il ne restait que le sentiment de son impuissance, la notion du poids de sa dette qui l'accablait et le découragement de ne pas trouver d'issue... Et ce

serait toujours ainsi... Il moisirait sous la pluie...
comme Firmino qui était au *Paradis* depuis six
ans... comme Chico, de Paraizinho, qui était à la
plantation depuis vingt ans... Il ne s'en tirerait
pas... jamais... Il s'anémierait dans ce climat... resterait... sans volonté.

CHAPITRE IX

UN COUP DE CHANCE

Il avait suffi d'un court contact avec la réalité pour
,enlever aux nouveaux arrivants leurs dernières illusions et les convaincre de leur malheur. Comme
tous les misérables qui les avaient précédés au
Paradis, ils finirent par sombrer dans le découragement et dans l'indifférence. Juca Tristão les accusait de fainéantise.

Le caoutchouc ne cessait de baisser. L'été avait
rendu libre l'accès des « chemins » dans la selve,
mais n'avait apporté aucun réconfort aux *seringueiros*. Ils savaient maintenant à quel taux déri-
soire serait taxé le prix de leurs peines et de leur
travail, aussi n'était-ce pas sans mal, ni sans effort
qu'ils s'arrachaient à l'inertie que leur avait imposée un long hivernage. Résignés à leur triste sort,
ils somnolaient dans leur prison de verdure, chas-
sant, pêchant lorsque la faim les y poussait et, dès
que la surveillance se relâchait, besognant le moins

possible à l'extraction de ce caoutchouc sans valeur.

Le rendement de la main-d'œuvre devenant de plus en plus faible, la direction usa d'un remède héroïque : elle résolut, pour éperonner les apathiques, d'organiser dans chaque centre de production la tournée quotidienne d'un inspecteur. Mais Balbino, Caétano et Alipio n'auraient pu parcourir toute la vaste étendue de la plantation, ni se trouver partout à la fois aux heures de la cueillette pour stimuler les résiniers. Ils se consultèrent donc pour s'adjoindre un homme de confiance et Juca proposa Binda, particulièrement respecté de la canaille, du moment qu'il distribuait aux colons vivres et tafia.

Ce choix fait, restait à donner un remplaçant au magasinier. Juca revisa la liste des habitants de l'exploitation. Un seul s'imposa à son esprit. Il émergeait du fond ténébreux de la brousse pour se présenter au premier plan, en pleine lumière. Sa candidature était soutenue, à son insu, par l'épicier anonyme d'un coin de rue de Bélem qui fournissait les comestibles à la famille de Juca Tristão et, en outre, par tous les comptoirs de la capitale où trônaient des Portugais. Juca soumis le cas, tout en dînant, à l'avis du comptable et ce dernier n'hésita pas une seconde :

« C'est bien l'homme qu'il nous faut, dit-il. Les Juifs et les Portugais ne sont-ils pas des commerçants-nés? »

Les dispositions furent prises en conséquence. Quand, le dimanche suivant, Alberto se présenta au magasin, Binda le prévint :

« Veuillez me suivre, monsieur Juca désire vous parler. »

Ils passèrent dans le bureau, frôlèrent le registre où l'on inscrivait les comptes des *seringueiros*, poussèrent une seconde porte et se trouvèrent enfin dans une grande pièce carrée. Par une des deux fenêtres on apercevait les crotons du jardin. La pièce était meublée d'un coffre-fort, d'une bibliothèque, d'un pupitre élevé sur lequel le Grand-Livre était ouvert comme un missel sur un autel et d'une presse à copier. Sur un calendrier accroché au mur on pouvait lire l'inscription :

B. B. ANTUNES E COMPANHIA

Comissões e consignações

MANAOS   BÉLEM

Dans un coin, Juca Tristão était penché sur une table encombrée de paperasses. Une mince colonne de fumée s'élevait du cendrier où il avait posé son cigare. Il toisa Alberto du regard et commença l'interrogatoire :

« Quelles sont vos compétences?

— Mes compétences?...

— Oui, que savez-vous question commerce?

— J'ai étudié le Droit et j'ai presque terminé mes cours. »

Alberto pensait éblouir le patron, mais Juca Tristão faucha son illusion :

« Je n'ai que faire d'un avocat. Savez-vous tenir un compte courant?

— Oui, certes. J'ai été durant quelques mois au service de deux maisons de commerce à Bélem : chez Sequeira et Mendonça, que vous connaissez sans doute, puis chez Amaro Abreu.

— Pourquoi en êtes-vous parti?

— Parce qu'à la suite de la crise du caoutchouc on a licencié une partie du personnel.

— Et, au point de vue comptoir?

— Comptoir?

— ... Avez-vous de la pratique?

— Non, mais je crois que je m'y ferais vite. »

Alberto avait percé les intentions du patron. Il attendait, immobile, le cœur battant, prêt à accepter n'importe quoi plutôt que de retourner dans la cabane, là-bas, nichée en pleine brousse, oubliée dans la clairière...

Juca Tristão tirait sur son cigare. Il examina des papiers, puis, après un court silence, il appela :

« Binda, le compte de cet homme? »

Binda s'empressa vers une étagère et, après avoir consulté les livres, répondit :

« Un conto et huit cent trente-cinq milreis! »

Juca réfléchit un moment.

« Bien, dit-il. Je vous place au magasin, du mo-

ment que l'extraction du caoutchouc est pour vous
d'un mauvais rapport. Pour vos gages, nous verrons plus tard. Allez chercher vos affaires à Todos-
os-Santos et présentez-vous ici demain matin. C'est
compris?

— Oui, monsieur Juca. Je vous remercie.

— Binda. Vous le mettrez au courant, et ronde-
ment, n'est-ce pas? Dites à João de déménager les
caisses et de débarrasser la chambre qui est au fond
du couloir. »

Alberto prit congé et sortit, non sans avoir buté
dans la corbeille à papiers tellement la bonne aubaine qui lui échéait était inattendue.

Firmino l'attendait dehors, anxieux, le regard interrogateur.

« Alors, missié Alberto, que se passe-t-il?

— Il se passe... Mon vieux, je n'exploiterai plus
le « chemin ». Dès demain matin je reviens ici. Je
passe au bureau et au magasin. Quelle veine!

— Ah! »

Le mulâtre fit un effort pour sourire et dissimuler sa tristesse :

« Tout est bien qui finit bien, missié Alberto.
Aussi, je me disais : « Ce n'est pas du travail pour
« lui, quoi!... »

Quand le magasin fut ouvert aux *seringueiros*,
Alberto ne se précipita pas vers le comptoir avec
ses compagnons. Il se mit à étudier les étagères, les
flacons, les paquets, les boîtes, les caisses pour ne
pas être pris au dépourvu et bien tenir son nouvel

emploi quand il aurait à se débrouiller tout seul.
Ses yeux se portèrent sur Firmino à diverses reprises. Il était impatient d'aller à Todos-os-Santos
pour en revenir définitivement. Il trouvait le temps
long. Le mulâtre n'en finissait pas de ses emplettes.
Enfin, Firmino empoigna son sac et sortit sur la
véranda.

Alexandrino le prévint que le bœuf attaché sous
le fromager était destiné à ramener le lendemain
les affaires de « monsieur » Alberto.

La nouvelle ne tarda pas à se répandre parmi les
Céaréens et comme les pauvres auraient dorénavant à compter sur leur ancien compagnon de
voyage pour la distribution du tafia, de la farine et
de la viande, ils commencèrent immédiatement
leurs travaux d'approche en le félicitant du choix
judicieux de Juca Tristão et en flattant Alberto à
qui mieux mieux. Mais Alberto se dérobait. Il avait
hâte de partir pour aller faire sa malle, emporter
ses papiers et ses bouquins, ses seuls confidents
dans la solitude, et aussi pour jouir tout seul de sa
chance.

Firmino, lourd de chagrin, résigné au pire et à
qui la joie visible de son camarade faisait mal, alla
détacher le bœuf et, côte à côte, pour la dernière
fois, ils prirent le sentier de la forêt, suivis par le
bœuf qu'ils tiraient au bout d'une corde passée
dans l'orifice pratiqué dans ses naseaux.

Ils cheminèrent longtemps sans parler. Alberto
jubilait intérieurement. « Entre deux maux, choi-

sissons le moindre, pensait-il. Au moins, au siège, je jouirai de l'espace libre du rio Madeira, de cette large trouée de la rivière dans l'épaisseur de la forêt. On pourra respirer! » Il habiterait dans une véritable maison. Il verrait passer des bateaux. Il pourrait monter à bord et avoir la certitude qu'il existait quelque part un monde civilisé. Le magasin? Le bureau? Bon, excellent, parfait en comparaison de la vie qu'il avait menée dans la clairière. Dieu, quelle vie! Se lever à cinq heures du matin, courir sans cesse d'un arbre à l'autre, manier le machete toute la journée, et, à chaque détour du « chemin », la menace d'une flèche mortelle...

Alberto finit par se rendre compte du mutisme de son bon compagnon.

« Alors, qu'en dites-vous, Firmino?

— De quoi?

— Mais, de mon départ pour le magasin.

— Je vous félicite. Missié Juca ne pouvait mieux choisir... »

Alberto était revenu à ses agréables réflexions, quand le mulâtre ajouta d'une voix triste et résignée :

« Et maintenant, c'est deux « chemins » abandonnés qu'il va y avoir là-bas... »

A l'accent de cette voix Alberto eut un frisson. Firmino disait vrai. Dorénavant son camarade serait le seul être humain vivant dans la clairière. Il passerait des jours et des nuits tout seul à Todos-os-Santos, sans un ami, sans personne à qui parler, ruminant toujours les mêmes pensées, hanté par l'idée fixe d'entendre quelqu'un. Il devrait se parler à lui-même à haute voix pour s'assurer n'avoir pas perdu l'usage de la parole à force d'être seul. Le malheureux serait comme un enterré vivant dans la verdure avec, comme seule présence, la brousse dominatrice, la jungle écrasante et l'immense solitude de la forêt vierge qui surplombait le toit de paille de l'humble petite cabane isolée. Et les Indiens?... Et s'ils arrivaient un beau jour?... La joie d'Alberto tomba, sa bonne humeur s'évanouit. Il essaya de consoler le mulâtre pour le mieux, mais sans beaucoup de conviction, bien qu'il prît le ton de circonstance :

« Juca ne va pas vous laisser tout seul là-bas, il faut l'espérer. Il n'est pas admissible qu'il laisse tant de « chemins » à l'abandon...

— Mais, diable, avec le caoutchouc à deux mil-reis, où voulez-vous qu'il trouve du personnel? »

Alors, Alberto se prodigua en témoignages d'amitié et lui fit des offres de toutes sortes, ne sachant que dire ni que faire pour soulager l'infortune de Firmino.

Ils logèrent le bœuf dans le *defumador*. Maintenant que la séparation était proche, ils avaient l'un pour l'autre des égards et des délicatesses inaccoutumés. Mais pour Alberto la clairière de Todos-os-Santos avait déjà perdu son sens absolu. Il ne la voyait plus avec les mêmes yeux. Les murailles vertes ne se présentaient plus dans la même perspective. La forêt n'était plus la même. Déjà son existence de *seringueiro* faisait partie du passé et s'effaçait comme un mauvais rêve. Les arbres qui l'entouraient avaient perdu de leur puissance, le vert cru n'était plus aussi intense, la profondeur des branches n'éveillait plus la même inquiétude. Les ombres de la selve pourraient grandir comme la veille, s'allonger démesurément comme toutes les fois où il avait été plongé dans les ténèbres des bois, les pupilles dilatées de stupeur et d'effroi, ces épouvantements n'étaient plus que des cauchemars évanouis. Son esprit était ailleurs. Non, jamais plus, il ne retrouverait la résignation suffisante pour se réadapter à la vie que l'on menait dans cette solitude inhumaine...

Il pensait à Firmino et c'était surtout le sort de son compagnon qui l'émouvait.

Le mulâtre était là, avec son visage mince et long, ses yeux brillants, ses dents blanches, ses cheveux crépus et un pli d'amertume et de tristesse autour des lèvres.

Ils finirent par éviter l'un et l'autre toute allusion à leur pénible situation. Ils s'étourdissaient d'un flux de paroles pour mieux cacher leurs pensées secrètes. Firmino ressassait des histoires bien connues d'Alberto et Alberto prêtait une oreille complaisante aux radotages de son pauvre camarade.

Ils firent la malle d'Alberto, éteignirent la lanterne et s'endormirent, ou plutôt feignirent de s'endormir sans tarder, car aucun d'eux n'était dupe, tellement le silence était éloquent.

Au petit jour, Firmino fut le premier à bouger.

« Missié Alberto, missié Alberto!

— Quoi?

— C'est l'heure...

— Ah!... merci.

— Habillez-vous, je m'occupe du café. »

Après avoir fait sa toilette et mis son chapeau, Alberto passa sur la varangue pour absorber le liquide fumant.

Firmino l'aida à charger ses affaires sur le bœuf. Lorsque tout fut prêt, il lui tendit les bras et se mit à pleurer comme un enfant :

« Cela ira mieux pour vous, missié Alberto, mais que j'ai donc de la peine à vous quitter...

— Moi aussi, Firmino. »

Ils s'étreignirent comme deux frères, mêlant leurs larmes qui coulaient d'abondance.

C'était l'aube. Le soleil les enveloppait.

. . . .

Au *Paradis*, sa chambre donnait sur le derrière de la grande maison et était située à l'extrémité du couloir qui partait de la véranda. Dieu qu'elle était jolie, spacieuse, tranquille, avec sa fenêtre ouverte qui donnait sur le clos où poussaient des crotons de toutes les couleurs, un jasmin fleuri et un grand pied de romarin! On accédait à ces dix pieds carrés de jardin par un escalier de bois et, tout au fond, cachés dans le feuillage, on découvrait deux grands tonneaux qui tenaient lieu de baignoire quand une bonne averse les avait remplis et qui étaient munis de deux bouts de planches pour pouvoir y poser les pieds. Derrière, sous le baraquement, c'était un bric-à-brac de vieilles caisses vides et de la paille d'emballage qui jonchait le sol.

En déposant son bagage, João avait expliqué :

« Ici, c'est la chambre d'ami; il n'y a pas d'autre pièce de libre, mais comme nous n'avons pas eu de visite depuis longtemps... »

C'était le premier sourire du destin depuis qu'Alberto avait quitté Bélem. Il suspendit son hamac, déballa et posa sur la table ses objets de toilette, poussa sa malle dans un coin et alla s'accouder à la fenêtre. Qu'on était bien! Il ne devait y avoir personne dans le magasin et le bureau qui se trouvaient à l'autre bout du corridor, car on ne percevait d'autre bruit que le piaillement des oiseaux, en bas, dans les goyaviers. Un chat foncé faisait la sieste, étendu au soleil. Le rouge des piments mûrs éclatait à travers la barrière.

Après son long voyage dans l'entrepont sale du *Justo Chermont*, après son séjour d'un an dans la clairière perdue de Todos-os-Santos et sa misérable cabane exposée aux attaques des Indiens, ce nouveau logement aéré, haut, vaste, où l'on pouvait largement déployer sa moustiquaire prenait une allure de palais et de confort, avec ses parois de planches soigneusement ajustées et sans fentes. Alberto avait déjà fait par deux fois le tour de sa chambre et était retourné se mettre encore une fois à la fenêtre pour respirer, quand on frappa à sa porte.

Il courut ouvrir et se trouva face à face avec Binda.

« Vous êtes prêt?

— Oui, monsieur.

— Alors, venez. »

Ils se rendirent au bureau.

Sur une table, Binda ouvrit le livre des comptes courants :

« Au terme de chaque trimestre, vous relevez le compte de chaque colon. A son Débit, vous inscrivez ses achats; à son Crédit, la quantité de caoutchouc que l'homme vous délivre. Tout doit figurer sur cette page de façon à pouvoir en faire à n'importe quel moment la balance. D'un côté, le total du Doit, de l'autre, le total de l'Avoir du *seringueiro*. C'est compris? Voyez, comme ça... Tenez, attrapez des feuilles de papier et exercez-vous. »

Alberto subit l'épreuve avec un plein succès. Il apprit l'art de tirer des doubles des lettres et des commandes adressées à Manaos et à Bélem sur une vieille presse à copier très archaïque. Il s'initia à l'établissement des prix de revient, transport compris. Il apprit à passer en écritures les notes inscrites sur le brouillon par Juca Tristão, le dimanche, quand il délivrait les fournitures aux hommes de l'exploitation. Bref, Binda l'initia au

travail du bureau et Alberto commençait à se réjouir du genre de travail qui lui était dévolu,
quand Binda lui dit en ouvrant la porte :

« Vous avez compris? Bon. Vous commencerez demain matin. D'abord, les comptes; c'est ce qui
presse le plus. Mais, pour l'heure, vous allez rincer
des bouteilles...

— Oui, monsieur. »

Binda le mena sous la véranda, dans un réduit
tout en longueur et sans aucune ouverture. Ce local
était plein de caisses de marchandises et de boîtes
de conserves, de paniers de whisky et de champa-
gne, de barriques d'eau-de-vie et de tonneaux de
vin, de fûts de pétrole et de barils de poudre.
Dans un coin, devant un tas de paillons, on avait
préparé quelques bouteilles vides, poussiéreuses, une
brosse à laver et un appareil à poser les bouchons.

« Prenez ces bouteilles. Vous irez les laver à la
rivière. »

Alberto avait compris : on mettait son obéissance
à l'épreuve...

L'été commençait à peine. Les berges du Madeira
n'étaient encore que des talus de boue où poussaient les *canaranas*. Le sol cédait sous les pas. On
risquait de s'enliser.

Dans ce sol détrempé, chaque brin d'herbe servait de support à une colonie de *mucuims*, espèces
de maringouins qui se nichent sous la peau et dont
la démangeaison est odieuse, car on a beau se gratter et inspecter l'endroit qui vous démange avec

minutie, on ne découvre pas l'intrus tant qu'il n'est pas passé au rouge, c'est-à-dire qu'il s'est bien gorgé de votre sang.

Au bas de la berge, les canots de la plantation, de toutes les dimensions et de tous les âges, étaient à l'amarrage. Les plus petits servaient à la pêche au filet ou pour aller chercher le courrier à bord des vapeurs qui ne faisaient qu'une simple halte, sans accoster; les plus grands étaient destinés au remorquage des troncs de cèdres géants charriés par le courant et ceux qui atteignaient les proportions de véritables chaloupes transportaient les marchandises à Buiassù. Comme Juca Tristão se méfiait toujours des tentatives d'évasion, tous les canots étaient retenus par une forte chaîne munie d'un gros cadenas; ainsi on ne pouvait tenter de voler une barque sans que toutes les autres suivent, ou essayer de défaire la chaîne sans que le bruit fait ne dénonçât le voleur. Une seule embarcation était indépendante, celle qu'utilisait le Nègre Tiago pour aller couper le fourrage des chevaux, soit quatre vieilles planches incapables de porter deux hommes et prêtes à se disjoindre.

Le lavoir, deux poutres de cèdre recouvertes de zinc et formant guérite, flottait à côté des canots, relié à la rive par un bout de planche. Alberto s'y installa. Il se mit à plonger chaque bouteille dans l'eau et à la rincer énergiquement. Mais à la démangeaison du *mucuim* qui l'obligeait à se gratter jusqu'au sang vint s'ajouter le tourment du *pium*, un diptère moins gros qu'une puce, blanc comme neige et qui venait par nuages, avec une obstination désespérante, se poser sur ses mains, sur son visage, pénétrant jusque dans ses oreilles et lui infligeant une souffrance intolérable.

De guerre lasse, Alberto entra dans le lavoir, résolu à poursuivre le rinçage sous cet abri. Mais comme, penché sur l'eau, il s'apprêtait à y plonger une bouteille, son geste s'arrêta net et ses yeux se dilatèrent de frayeur : deux serpents ondulaient là-dessous, et l'un d'eux, flairant une présence étrangère, pointait déjà sa tête à la surface de l'eau, les yeux fixes, la langue dardée.

De tous les sujets d'épouvante que pouvait lui réserver la forêt vierge, Alberto ne connaissait pas de pire émotion que celle-là, car elle dépassait sa faculté de résistance nerveuse.

Il avait horreur des serpents, même en image, et quitte à se moquer rétrospectivement lui-même de sa terreur. Mais en Amazonie, la hantise du serpent est une inquiétude perpétuelle; il y en a partout et leur variété est infinie qui va des *surucucus* de douze et vingt mètres, dont l'étreinte est fatale, aux petits serpents-fouet, les minces et verts *cipos,* qui sautent en croupe, enfoncent leurs crocs dans la monture et la fouettent de leur queue jusqu'à ce que le cheval s'emballe et fasse vider les étriers à son cavalier. Les serpents d'eau atteignent parfois de telles dimensions que Lourenço, par exemple, avait tapissé tout l'intérieur de sa cabane avec la peau de

l'un d'eux. Le *sucapa* céinture de ses anneaux les
chiens et les veaux, leur rompt la colonne verté-
brale, broie leurs os, n'en fait qu'une seule bouchée, et les indigènes affirment que le *sucuriju*
avale un bœuf entier; alors, il paraît que l'ignoble
reptile se laisse flotter à la surface des eaux jusqu'à
ce que les cornes prises dans les angles de son horrible gueule tombent et se détachent d'elles-mêmes.
Le *giboya* est un monstre dont les yeux hypnoti-
seurs fascinent sa proie. Il y a encore le *caninana*,
le *jararaca*, le serpent à sonnettes; on n'en finirait
pas de les énumérer tous, il y aurait de quoi peu-
pler une arche de cauchemar tant les serpents pullu-
lent en Amazonie. Dès qu'on fait un pas dans la
forêt, une de ces bêtes immondes se faufile dans
quelque fourré impénétrable ou se laisse couler
dans quelque excavation obscure, chaude et humide, favorable à l'éclosion de sa progéniture. Les
uns se disposent en rouleaux superposés comme un
gros cordage de navire: d'autres rampent subrepti-
cement dans les herbes basses, froissent une feuille,
secouent un arbuste au passage, laissent des traces
sinueuses de leur passage sur tous les sentiers. Mais
les serpents aiment surtout se nicher dans le tronc
d'un arbre mort, la moitié du corps enfoui dans le
bois pourri, l'autre, voluptueusement exposée au
soleil. A l'approche de l'homme ils s'enfuient généralement, à moins que, dans leur effroi, ils viennent
se fourrer dans ses jambes, s'y enroulent, mordent.

Souvent, dans les replis de la selve, Alberto avait

remarqué des lianes qui ressemblaient étrangement
à des serpents, et inversement. C'était à s'y méprendre. Végétal ou animal, tout ce qui était d'un vert
visqueux s'enlaçait haut, pendait de branche en
branche, provoquait le même frisson de répulsion et
de crainte et des idées de venin foudroyant ou de
poison mortel. Pour leur agrément particulier certains reptiles accrochent deux anneaux seulement à
une haute branche et, donnant à leur corps une
incurvation démesurée, vont enrouler deux autres
anneaux beaucoup plus loin avec une souplesse
inimaginable. D'autres embrassent le tronc de l'arbre entier, balancent leur tête, les yeux fascinateurs,
en expectative, dans l'attitude du serpent de la
Bible devant Eve.

Toute morsure de serpent nécessite une intervention immédiate. On opère généralement avec une
lame de couteau rougie à blanc et l'on pratique
une large et profonde incision qui laisse une cicatrice atroce et à jamais ineffaçable. Mais c'est la
seule façon de neutraliser séance tenante l'action du
venin. On trouvait au magasin du *Paradis* toutes
sortes de remèdes, orviétans et panacées venus de
Pelotas, et jusqu'à des formulaires d'homéopathie
énumérant une kyrielle de remèdes contre les « piqûres » des ophidiens. Mais le *seringueiro* n'a généralement rien d'autre sous la main que son couteau et, neuf fois sur dix, il pratique l'opération
trop tard. La plupart des croix qui pourrissaient
derrière les baraquements du *Paradis* surmontaient

les tombes des malheureuses victimes des serpents.

La selve se défend encore d'une autre manière.
Pour le plus grand tourment des *seringueiros* elle
entretient des légions d'insectes, des myriades de
bestioles ailées, rampantes ou sautantes, que le génie
de l'homme, aussi inventif soit-il, n'arrivera jamais
à exterminer : le *maruim,* aux démangeaisons dévorantes; le *carapana,* qui passe à travers les mous-
tiquaires les plus serrées pour énerver le sommeil
de l'homme qui repose dans son hamac; le *mutuca,*
prompt à planter son dard et à faire gicler le sang
qui l'affole; la tique, collée au dos et aux flancs des
chiens et du bétail, qu'elle fait dépérir; sans parler
des autres parasites, vers, poux, infusoires, microbes.
C'est une lutte continuelle contre la traîtrise de
l'infiniment petit qui vous dévore silencieusement
ou qui vous attaque en bourdonnant, mord, pique,
ronge, fuit, saute, s'envole, revient en nombre incal-
culable, ou couve et se multiplie dans votre chair,
toujours triomphant, repu et insatiable. L'homme
se débat dans le vide. Il est impuissant. Il se blesse
lui-même et envenime ses propres plaies en tentant
d'écraser un ennemi quasi invisible.

Après les inondations, le sol fertile donne, avec
une libéralité joyeuse, deux récoltes par an et n'attend que la chute des semences pour se couvrir
d'une végétation exubérante et grasse de suc. Mais
cette récompense du labeur humain devient la proie
des fourmis. Un beau jour elles arrivent en files

interminables et en un rien de temps les abondantes récoltes sur lesquelles on était en droit de fonder les plus riches espérances font place à un désert hérissé de tiges nues.

Toutes les manifestations de la nature amazonienne tendent à démontrer que dans cette zone de la planète, la selve ne tolère pas d'autre existence que la sienne propre et qu'il faut se soumettre à sa volonté. Du jour au lendemain les plus grands arbres sont dépouillés de leurs majestueuses ramures par la vague invisible des vermines. Spectacle grandiose que celui des feuilles de toute une forêt en marche vers quelque lointaine fourmilière! Elles avancent droites, maintenues d'aplomb, serrées sur plusieurs rangs de largeur et comme véhiculées par leurs propres moyens. C'est un long ruban qui se déroule car les infatigables porteuses se confondent avec la couleur du sol. On en trouve parfois des bataillons entiers qui agonisent et se dessèchent rapidement, les pattes raidies dans la lumière équinoxiale, victimes de quelque substance vénéneuse que les fourmis déménageaient.

Mais la vie prodigieuse de la selve équatoriale ne s'en tient pas là. La graine minuscule qui a donné la mort germe dans le cadavre et il en naît en quelques heures un petit filament vert qui se détend dans la lumière, domination du végétal sur l'animal, triomphe de la chlorophylle.

Les clairières fréquentées par certaine espèce de fourmis géantes prennent une teinte inusitée et

deviennent un lieu d'épouvante, car les termites
vivent dans des labyrinthes de plusieurs kilomètres
de longueur et construisent avec de la boue durcie
des châteaux forts d'une architecture barbare et
plus hauts que la taille d'un homme, et tout aux
alentours est mort et a l'aspect d'un lieu dévasté
par une lèpre secrète.

Alberto rinçait ses bouteilles avec rage. D'innombrables caïmans, au dos en dents de scie, étaient
étalés sur la berge ou évoluaient en tous sens entre
deux eaux en quête de leur pitance. « Si tu viens
par ici, salaud, je t'allonge un de ces coups de bouteille sur le crâne! » menaçait Alberto, car il ne
craignait pas ces bêtes, les sachant inoffensives.

Quand il eut fini son travail, Alberto chargea la
caisse des bouteilles sur l'épaule et se dirigea vers
les baraquements. Il était en nage. La sueur ruisselait entre sa peau et sa veste rafistolée. Arrivé sous
la véranda, il rencontra João qui lui dit de laisser
là sa charge et de venir déjeuner. Alberto ne se fit
pas prier et suivit João à la cuisine. Son couvert
était mis à l'extrémité d'une grande table, il avait
même une serviette! A l'autre bout, il y avait des
piles d'assiettes. Une branche de tamaris, aux fruits
encore verts, entrait par la fenêtre.

Les voix de Juca Tristão, d'un autre homme et
d'une femme venaient de la pièce contiguë. Ils
déjeunaient. On entendait le bruit des couverts. Le
cuisinier était sympathique, mal rasé, chauve, gros
et avait l'air bonasse. Il brandissait les cuillers, ver-

sait les mets dans les plats et les portait de l'autre côté avec allégresse.

La voix de Juca retentissait, impérative :

« João, le poivre! »

Ou paternelle :

« La farine de manioc, João! »

Il régnait dans la pièce à côté, entre les trois personnages, une franche cordialité. Alberto était mal à l'aise. Les bouchées ne passaient pas. Il avait entamé le poisson, mais le laissait traîner dans son assiette. Le cuisinier finit par s'en apercevoir :

« Vous ne l'aimez pas?

— Si, João, mais je n'ai pas faim. »

C'était l'autre table, telle qu'il l'imaginait dans la pièce à côté, avec sa nappe blanche, ses verres et ses vins, qui lui fichait le cafard. On le traitait en domestique. On le tenait à distance. Il n'avait qu'à regarder ses mains ridées par le rinçage pour comprendre... Le pain que l'on mange en exil est amer... Ah! s'il avait seulement eu de l'argent...

Il fut interrompu dans ses tristes réflexions par un bruit de chaises. La porte était entrouverte. Il vit s'éloigner Dona Yaya, avec ses larges hanches, son buste opulent, suivie de son mari en pyjama rayé. Il se leva.

« Vous ne voulez plus rien?

— Non, João, merci bien. »

Il sortit de la cuisine, passa sous le tamaris, traversa la véranda et gagna la réserve des vivres. Il

ouvrit le baril, ajusta le robinet et commença de
mettre le vin en bouteilles. Quand il eut enfoncé
le dernier bouchon, il faisait presque nuit. Alors,
il alla s'asseoir sous le fromager.

Dans le crépuscule, la rivière dont on discernait
le cours jusqu'à sa dernière courbe ressemblait à
un vaste lac. Elle brillait et s'écoulait avec une lenteur somnambulique. De temps en temps émergeait
le large dos d'un poisson-vache en train de folâtrer
ou de poursuivre une aventure amoureuse. Il re-
plongeait pour réapparaître plus loin. Les *piraibas,*
aussi voraces que des requins et friands de chair
humaine, cabriolaient au-dessus de la rivière avec
agilité. D'une allure lente, très lente, d'énormes
troncs suivaient le fil de l'eau, escortés de toutes
sortes de détritus et de plantes aquatiques, aux
énormes pétales béants dans la nuit tombante.

Juca Tristão, armé d'un fusil, passa près d'Alberto. Il puait l'alcool. Arrivé près des palmiers
il s'adossa contre un arbre et commença à tirer lentement, prenant pour cible les caïmans qui na-
geaient dans la rivière. C'était sa distraction de
tous les soirs. Binda l'accompagnait. Le magasinier
se mettait parfois de la partie. Leurs coups de fusil
faisaient écho sur l'autre rive. Touché au dos, le
crocodile poursuivait paisiblement sa route ou plongeait pour se mettre en sûreté; mais s'il était atteint
à la tête, il se dressait soudain dans une attitude
tragique, battait désespérément l'eau de sa queue,
crispait ses pattes en l'air, son corps se contorsion-

nait comme celui d'un monstre antédiluvien, enfin,
il coulait à pic dans une flaque de sang pour remonter à la surface quelques heures plus tard, le
ventre en l'air, les pattes écartées, la queue inerte...
et il partait, à son tour, au fil de l'eau.

Les jours où Juca s'était adjugé une ration de
cognac particulièrement copieuse, il ne se conten-
tait pas d'un passe-temps aussi facile. Il sortait avec
sa carabine et se mettait à appeler :

« Elastique!... Hé, Elastique!... »

Ce surnom, le Nègre Tiago, un ancien esclave,
un déchet humain absolument inutile, qui traî-
naillait et que l'on tolérait au *Paradis,* ce surnom,
Tiago ne le supportait que dans la bouche du
maître et plus d'un *seringueiro* portait la cicatrice
d'un coup de couteau pour avoir voulu appeler
ainsi le vieux Nègre vindicatif.

Tiago était déjà bien assez malheureux avec sa
jambe boiteuse, et si celui qui faisait allusion à
son infirmité en l'appelant par ce maudit surnom
qui le mettait en rage se tenait hors de portée de
sa lame. le Nègre lui lâchait une bordée d'injures
d'une obscénité inimaginable en même temps que
sa bouche édentée de vieux crapaud vomissait des
jets de salive noire de chique. Le génie ordurier
de Tiago était tel que pour ménager les oreilles de
sa femme le comptable avait été souvent amené à
demander que l'on privât le furieux de sa portion
d'eau-de-vie. La punition était capitale et une véritable torture pour ce vieux Nègre épuisé par une

longue vie pleine de vicissitudes de toutes sortes
et dont le corps fantomatique ne tenait pas debout
sans une forte dose d'alcool.

Tiago habitait tout seul dans une vieille hutte
exposée à la pluie et au soleil. Il avait des trucs
à lui pour obtenir du rabiot de *cachaça*. Une fois
soûl, il passait des nuits entières à discourir et à
extravaguer. C'est alors que les noms de ceux qui
l'avaient offensé lui revenaient à la mémoire et il
vitupérait contre eux d'une voix de stentor et
avec une passion incroyable pour son grand âge.
D'une voix de rogomme retentissante il lançait ses
malédictions et ses imprécations épouvantables qui
se répercutaient dans la nuit, tout autour de la
maison, sous les grands arbres et le dôme de la
forêt. Ces nuits-là personne ne pouvait dormir, et
lorsqu'un profond silence succédait à ce vacarme
et laissait espérer que l'ivrogne s'était enfin endormi, les cris et les vociférations reprenaient de
plus belle. Les jaguars eux-mêmes n'osaient s'approcher des étables et des porcheries.

Il arrivait aussi que Tiago se mettait à chanter.
C'étaient toujours des chansons lentes, traînardes,
des sortes de *voceros*, si tristes que leur mélancolie
prenante faisait oublier la voix caverneuse de
l'ivrogne, des chansons des esclaves d'autrefois, des
mélopées apprises dans son jeune âge et apportées
au Brésil dans le flanc des navires négriers. Car
Tiago avait encore connu l'esclavage dans le Maranhão. Il avait connu les journées de travail forcé

et le fouet des régisseurs, le supplice des longues
lanières de cuir qui lui arrachaient la peau, quand,
ligoté à un arbre, ruisselant de sang, on le fusti-
geait. Affranchi en 1888, il s'était réfugié au *Paradis* du temps de Sisino Monteiro.

Le caoutchouc avait dévoré les derniers jours
de sa jeunesse et toutes les années de son âge mûr.
Il avait connu l'époque fortunée de la ruée vers
« l'or noir ». Il avait vu les aventuriers atteints
de délire débarquer dans la forêt vierge. Lui aussi
avait vendu du caoutchouc à dix milreis le kilo,
mais il n'avait jamais mis un sou de côté. Il avait
tout bu et tout perdu au jeu. Lui aussi aurait pu
faire fortune. L'alcool lui en avait pris une part et
sa candeur d'affranchi lui avait fait perdre le reste.
Depuis 45 ans il n'était pas sorti de l'enceinte de la
plantation et lorsque le *Paradis* était devenu la
propriété de Juca Tristão, Tiago était déjà un in-
sensé et une pitoyable loque. Pourtant ce Noir
déchu s'était attaché comme un chien au nouveau
maître, qui passait sur lui toutes ses lubies et le
traitait mal, mais lui donnait à boire.

Tout le long de l'après-midi on pouvait voir le
vieux Nègre dégingandé, boitillant, sautillant, faucher les *canaranas* sur les berges inondées et revenir le soir dans son canot, rapportant le fourrage
des chevaux et en remplir une vieille mangeoire
dressée dans le corral. C'était une douce manie, un
travail absolument inutile, vu que les chevaux
paissaient toute la journée dehors, et le jour où le

vieux crèverait, il ne serait remplacé par personne,
la mangeoire tomberait en pourriture comme bien
d'autres choses à l'abandon dans le pourtour de la
maison, et les chevaux de Juca Tristão ne s'en porteraient pas plus mal.

« Elastique!... Hé, Elastique!... »

Tiago faisait la sourde oreille et ne répondait
jamais à un premier appel, car il savait ce qui
l'attendait.

« Elastique, nom de Dieu!...

— Qu'y a-t-il à votre service, patron?

— Apporte l'orange! »

Le fantoche noir esquissait le geste d'un vieux
serviteur qui ne veut pas contrarier les caprices
d'un enfant. Il posait son coupe-coupe sur le rebord de la mangeoire et s'approchait en tremblant
du maître.

« Aïe!... »

Il avait peur.

Il n'avait jamais pu s'y faire.

Il s'arrêtait à quelques pas. Il plaçait une orange
sur sa tignasse blanche, profondément séparée en
deux par une raie qui découvrait une vieille cicatrice faite par une balle qui lui avait déjà emporté
une bande de cuir chevelu, un jour que Juca Tristão avait mal visé.

Campé sur ses jambes qui fléchissaient, se faisant tout petit, tout petit, le pauvre diable qui
servait de cible, avec son orange sur la tête, ressemblait à un pitre. Il roulait des yeux blancs, sa bou-

che édentée se fendait en un sourire niais, son
teint se cendrait. Il attendait le coup.

Juca Tristão, les talons joints, le mettait en joue
et visait lentement, lentement.

Le coup partait.

L'orange volait en l'air, éclatait. Juca Tristão,
l'air triomphant, essuyait posément son arme. Sur
le visage épouvanté du vieux Nègre on lisait le
doute atroce de celui qui se palpe et qui s'interroge
pour savoir s'il est mort ou encore en vie.

Tel était le passe-temps favori du maître, au *Paradis*.

CHAPITRE X

LE DÉPART DU MAÎTRE

ALBERTO faisait de très rapides progrès dans ses nouvelles fonctions. A six heures, il sautait de son hamac. se plongeait la tête dans une cuvette d'eau pour se réveiller, traversait la véranda et se rendait à l'écurie pour aller éteindre les lanternes qui restaient allumées toute la nuit. Il les décrochait, les nettoyait, les astiquait, les garnissait de pétrole, puis il allait boire à la cuisine la tasse de café brûlant que João lui avait préparée. Le sucre versé dans la tasse, il n'était pas rare qu'une énorme *sarara* vint surnager à la surface. Cette espèce de fourmi blonde, écrasée entre les dents, laissait sur la langue un goût de pastille acidulée.

Ensuite, Alberto allait s'accouder cinq minutes sur la véranda, espérant découvrir quelque navire et s'intéressant aux évolutions des *japins,* ces oiseaux tisserands dont les nids qui affectent la forme de longues poires en baudruche, sont faits de fibres entrelacées, et suspendus par grappes de telle sorte qu'on pourrait les prendre pour les fruits mêmes de l'arbre au bout des branches duquel ils pendent.

Juca Tristão dormait encore à cette heure matinale, de même le comptable, et Alberto aimait bien s'attarder un peu sur la véranda. Il jouait avec Néron, le chien blanc, qui sautillait autour de lui. Mais s'il réfléchissait à une foule de choses qui lui revenaient, il ne s'attardait guère. Après un dernier regard au soleil, il posait la main sur la poignée de la porte et entrait au magasin.

Le lundi, il avait un travail fou : il n'en finissait pas de regarnir les rayons et les casiers vides et de remettre de l'ordre dans l'invraisemblable pagaïe faite la veille par le réapprovisionnement des *seringueiros*. Les autres jours, c'était différent, il n'avait même pas besoin de donner un coup de balai, il lui suffisait d'ouvrir les fenêtres et de passer le plumeau par-ci par-là.

Peu après, João et Tiago entraient pour recevoir leur ration d'eau-de-vie et c'était à celui des deux qui faisait le plus valoir ses services pour obtenir une goutte de rabiot qu'Alberto leur accordait bien volontiers. Puis il se rendait au bureau.

Au début, tout l'intéressait, n'importe quel livre ou papier lui ouvrait des perspectives sur tout un trafic dont Alberto n'avait jamais eu la moindre idée. Il découvrait sur les factures que les prix de cinq à l'achat se transformaient en prix de quinze et de vingt à la vente et que le caoutchouc payé deux sur place se revendait couramment cinq à six à Manaos.

La différence se faisait toujours sur le dos des *seringueiros*.

Il éprouvait une amère volupté en fouillant dans les paperasseries et était ému comme un voleur à son premier délit.

Il confrontait les chiffres et faisait le calcul du temps volé par le patron sur le travail de chacun de ses employés. Il comparait le train de vie que menaient Juca et sa famille à l'existence misérable des engagés dans les clairières et restait rêveur devant le montant éloquent des envois d'argent que Juca adressait à sa femme, chaque somme représentant plusieurs années de travail pour un *seringueiro* et beaucoup plus qu'il ne lui en aurait fallu à lui pour se libérer. Sans parler des voyages du patron à Manaos ou à Bélem, soi-disant pour aller visiter les fournisseurs, mais qui étaient en réalité, pour Juca, des parties de plaisir.

Ces constatations lui étaient pénibles, et Alberto avait du mal à admettre qu'une seule famille jouissait de tout, mais aux dépens des autres. Ces chiffres confirmaient point par point tout ce qu'il avait entendu raconter sur l'exploitation inhumaine de la main-d'œuvre dans les plantations de l'Amazonie, de Parà à la frontière de la Bolivie et du Céara au Pérou, et Alberto voyait apparaître en transparence sur ses livres de comptabilité la troupe malheureuse des parias, avec Firmino en tête, Firmino qui était particulièrement cher à son cœur.

A onze heures, très ponctuellement, M. Guerreiro, le comptable, faisait son entrée dans le bureau. C'était un homme d'un aspect sympathique
avec son fameux pyjama à raies qui le différenciait
de tous les autres habitants du *Paradis,* vêtus de
toile ou de coutil. Il avait cinquante ans environ.
Ses cheveux commençaient à blanchir. Son visage
était solennel. Alberto le consultait lorsqu'il n'était
pas trop sûr de lui. Alors, posément, avec complai-
sance, le comptable lui donnait toutes les explications possibles. Sa voix était bien timbrée, douce et
inspirait le respect. Il travaillait toujours debout,
devant un pupitre surélevé.

Le comptable habitait à l'autre extrémité de la
maison et disposait d'un appartement confortable,
composé d'une véranda particulière et de cinq
pièces spacieuses, aménagées de longue date, c'est-
à-dire presque vermoulues sous ce climat; mais
comme M. Guerreiro avait bon goût il les avait
fait tapisser avec du papier peint commandé à
Manaos, la chaleur dut-elle ruiner avant peu cette
coûteuse fantaisie.

Sa femme venait le chercher à l'heure des repas
et restait là, patiemment, sans mot dire, tant que
le comptable était absorbé par une opération difficile et n'avait pas répondu au premier appel.

Alberto s'inclinait chaque fois devant Dona Yaya
et elle lui rendait son salut par un léger sourire.
En sa présence Alberto éprouvait de la gêne car il
trouvait mille prétextes pour porter les yeux sur ce

corps troublant de femme mûre. C'était une Blanche! Alberto l'avait si bien détaillée qu'il recomposait aisément dans son esprit toutes les lignes de son corps et, la nuit, elle lui apparaissait comme éclairée de l'intérieur. Il se débattait vainement contre cette image obsédante qui l'empêchait de dormir et qui le hantait malgré ses scrupules. M. Guerreiro était un ami; le comptable l'avait plusieurs fois traité avec bonté; il lui témoignait toujours beaucoup d'égards et lui parlait sur un ton paternel; un soir il l'avait même invité à l'accompagner sous le fromager pour l'initier au plaisir des rébus et des charades, son passe-temps favori.

« C'est une excellente discipline et ces jeux instruisent. D'ailleurs, je vous le demande, que deviendrait-on ici sans cette distraction de l'esprit? »

Oui, en effet, que devenait-on au *Paradis?*

La vie d'Alberto était plus facile, plus calme, plus supportable depuis qu'il était au siège. Sa chambre était bien en ordre, ses livres soigneusement rangés; il avait placé devant lui le portrait de sa mère sur sa petite table; aux heures de mélancolie il notait ses impressions et ses souvenirs et noircissait des feuilles de papier blanc. Mais à chaque arrivée d'un navire, il ne tenait plus en place... Lui apportait-il une lettre?...

Le passage du *Victoria*, du *Jamary*, du *Machado*, de la flotte du Madeira-Mamoré qui ne faisait pas escale à la plantation, l'irritait indiciblement, car

chaque fois, avant qu'il ait pu distinguer la
couleur de sa cheminée dans le lointain, la vue
d'un bateau lui portait un coup au cœur. Mais les
autres, ceux qui jetaient l'ancre pour décharger
leurs marchandises ou tout simplement pour laisser
le courrier, que ce fût de jour ou aux heures
calmes de la nuit, ceux qui restaient sous pression,
mais annonçaient leur présence par de déchirants
coups de sirène avant de repartir, tous ces navires
le mettaient dans un état d'exaltation et de nervosité comme s'il avait été un marin abandonné
dans une île déserte, car chaque vapeur était pour
lui un messager de la civilisation. Il lui arrivait
de monter à bord, de s'attarder, de s'attarder le
plus longtemps possible dans le bain des lumières
électriques, et de faire ami et de bavarder, de bavarder avec les matelots. Il se figurait être là en
qualité de passager et de redescendre à San Antonio, à Portovelho, à Manaos et à Bélem.

Si c'était une *gaïola* qui remontait, il détournait
le visage des troisièmes pour ne pas voir de nouvelles bandes de Céaréens qui venaient à leur tour
chercher fortune dans ces forêts décevantes, mais
il restait néanmoins à bord jusqu'à la dernière minute, jusqu'à ce que l'ordre retentît de retirer la
passerelle ou d'enlever la planche, et il ne sautait
à terre qu'à la dernière seconde. Adossé à un des
trois palmiers de l'embarcadère, il regardait le
navire s'éloigner lentement, disparaître dans la
courbe de la rivière, en amont, sa fumée se dis-

persant dans les grands arbres, la coque mangée
par la broussaille des rives, comme un rêve fond
dans la réalité. Mais si c'était un vapeur redescendant à son port d'attache, alors sa nostalgie
était si vive qu'Alberto éclatait en sanglots.

Il avait reçu de Juca Tristão l'ordre de porter
à son crédit un salaire mensuel de cent milreis.
Alberto se promit de ne plus fumer, de faire des
économies pour pouvoir partir le plus vite possible.
Déjà il se voyait penché sur le bastingage et prenant congé de ceux qui restaient...

Etait-ce la considération que le comptable lui
témoignait qui avait influencé Juca Tristão lui-
même ou était-ce tout simplement faute d'un autre
partenaire, mais, un soir, le patron lui demanda
s'il savait jouer aux cartes et, sur sa réponse affir-
mative, il le fit entrer chez lui, où il prit la place
de Binda, entre Dona Yaya et M. Guerreiro.

Et à partir de ce soir-là, Juca Tristão lui parut
moins odieux et Alberto le jugea avec plus d'in-
dulgence et cherchait à excuser sa conduite.

Mais la plantation ne se limitait pas à ce carré
de terrain défriché, avec la maison de Juca au
milieu, où l'on vivait avec aisance. En dehors de
l'enceinte, il y avait la brousse et, là-bas, dans les
clairières de la forêt vierge, il y avait Firmino,
Chico, Procopio, Joaquim, Dico, João Fernandez,
et les quatre cents autres pauvres diables qui trimaient, qui peinaient, qui traînaient une existence
misérable et qui venaient l'assaillir régulièrement

tous les dimanches quand ils sortaient, hâves, du
fin fond des bois pour lui réclamer quelques litres
de farine, un kilo de viande séchée et cette bouteille de tafia qui verse l'oubli.

Non, cela n'était pas bien.

Firmino lui apportait chaque fois des fruits de la
forêt dont il le savait gourmand, mais le mulâtre
lui apportait surtout le souvenir d'une vie qu'il
n'aurait jamais dû connaître, qu'il voulait oublier,
et Alberto se révoltait. Il n'était plus un humilié.
Le vieil homme se réveillait. Etre invité à la table
de Juca ne le flattait plus autant. Ces égards lui
semblaient mérités. A mesure qu'il s'habituait à
sa nouvelle situation, il s'estimait digne des bons
traitements et tout simplement mériter la considération de M. Guerreiro, voire les paroles enga-
geantes d'un Caétano et même d'un Balbino. Depuis qu'il avait changé de condition et ne faisait
plus partie de la bande des parias, sa volonté
s'émolliait. Il ne savait plus que penser. Il était
prêt à rendre justice à tous ceux qui y avaient
droit, prêt à pardonner aux êtres. Et parfois il
constatait de l'incohérence en lui-même, et il restait
triste. D'ailleurs, ici, l'homme s'appartient encore
moins que sous tout autre climat. Maîtres et ser-
viteurs, patrons et ouvriers, qu'animent des sentiments ennemis, sont pétris de la même pâte et tous
subissent l'emprise déprimante de la forêt vierge,
son voisinage menaçant, son mutisme inquiétant
et respirent l'haleine empoisonnée de son mystère.

Un jour arrivèrent de Tres Casas des nouvelles certaines d'Agostinho. Le patron de la plantation voisine faisait savoir qu'un homme déguenillé et famélique s'était présenté pour avoir du travail. On se méfiait de lui, car un *seringueiro* vagabond ne pouvait être qu'un assassin ou un fugitif. Pressé de questions l'homme avait fini par avouer d'où il venait et c'est ainsi que son collègue avisait Juca qu'il tenait l'homme à sa disposition pour aussi longtemps qu'il le crût bon et l'envoyât chercher, à moins qu'il ne préférât lui voir payer sa dette si son compte n'était pas trop élevé, auquel cas l'homme resterait chez lui, à Tres Casas.

Juca Tristão lut cette lettre debout, près du bureau; il la jeta sur la table avec un geste d'indignation :

« Répondez de suite qu'on l'expédie à la prison d'Humaythà, en spécifiant que c'est un assassin et un bandit. Vous me donnerez la lettre à signer. »

Alberto prit la plume, commença par deux fois la lettre et par deux fois hésita. Enfin, se penchant sur la feuille il écrivit :

« *Mon cher Ami,*

« *Je vous remercie de la preuve de loyauté que m'apportent les termes de votre lettre. Mais l'homme en question...* »

Juca l'interrompit :

« Ecrivez que s'il s'agissait d'une fripouille éva-
dée pour échapper à sa dette et s'engager ailleurs,
dans une meilleure plantation, nous userions de
clémence; mais dites bien que dans le cas présent toute pitié est impossible. Vous avez bien compris, n'est-ce pas?

— Bien. »

Après avoir signé cette lettre, Juca s'attarda pour
expliquer à M. Guerreiro ce qu'il devait faire ou
ne pas faire durant son absence. Il ne pensait pas
rester longtemps absent, tout au plus trois ou
quatre mois. le temps nécessaire pour se rendre
compte des progrès que son fils faisait au lycée,
jouir pendant quelques jours de la vie en famille
à Bélem et aller faire un tour dans sa ferme de
Marajo où il n'avait pas mis les pieds depuis il
ne savait plus combien d'années.

« ... et me dégourdir un peu », ajouta-t-il.

Il rentrerait à temps pour commander les fournitures nécessaires à l'été suivant, peut-être même
les rapporterait-il avec lui; mais si, pour une raison ou une autre il ne rentrait pas à temps pour
passer ces commandes, Guerreiro ne devait commander que le strict minimum, car force était de se
restreindre avec la crise. « Qui ne produit pas,
ne consomme pas », affirmait un vieux dicton et ce
n'était pas le moment de vouloir lui opposer un
démenti. Si le caoutchouc venait à baisser par
trop, à tomber à un milreis le kilo par exemple,
ne pas l'embarquer car, fatalement, il finirait par

se revaloriser et celui qui, à ce moment-là, en aurait
un stock sérieux pourrait se moquer des baissiers
malheureux et des spéculateurs à la manque. La
maison B.B. Antunes attendrait, et si elle était
par trop pressée, elle n'aurait qu'à changer de four-
nisseur. Le *Paradis* avait du crédit, Dieu merci,
et n'était pas comme le *Mirary* avec le couteau sur
la gorge...

Il alluma un nouveau cigare, en coupa la pointe
avec les dents et la cracha par la fenêtre. Sur ce,
il pria M. Guerreiro de lui établir un chèque de
quarante contos qu'il toucherait à Bélem. Et, cet
ordre donné, il sortit.

Dès lors, la maison s'emplit d'allées et venues.
Pour assister au départ du patron, Caétano, Binda,
Alipio et Balbino abandonnèrent leurs tournées
d'inspection dans les clairières et restèrent en permanence au siège de la plantation. Ils passaient
toute la journée dans la véranda et, la nuit, avec
le patron, c'étaient des interminables parties de
cartes et des libations de cognac. La nourriture
elle-même en souffrait, car João ne savait plus où
donner de la tête pour faire les malles, empaqueter
et surveiller la cuisson des poulets, tartes, confitures
que Juca emportait avec lui pour régaler sa famille.
Seul, M. Guerreiro n'avait rien changé à sa façon
de vivre. Il continuait à se rendre au bureau le
matin à onze heures et, à six heures, il se penchait
sur un rébus, et, comme les partenaires ne faisaient
pas défaut maintenant autour de la table de jeu,

il en profitait pour se retirer de bonne heure dans son appartement.

La dernière nuit, cependant, il resta là jusqu'à l'aube, car, dans la véranda, gisait le cadavre d'un jeune homme, le fils de Nazario, d'Igarapé-Assù.

Au *Paradis*, lorsqu'un mort n'était pas un vulgaire *seringueiro* que l'on roulait alors tout simplement dans son hamac et que l'on jetait dans un trou derrière les baraquements, l'usage était de lui confectionner un cercueil et il était inhumé à Humaythà.

La nouvelle était arrivée avant le dîner et Alexandrino, très habile de ses mains, s'était immédiatement mis à la fabrication du cercueil. Au début, tout le monde avait voulu lui donner un coup de main, puis les volontaires s'étaient éclipsés les uns après les autres pour se retrouver réunis autour de la table de Juca Tristão, quand le patron avait demandé des partenaires pour jouer une dernière fois aux cartes.

« Allons bon, voilà que ce sacré bonhomme s'avise de mourir juste à la veille de mon embarquement. Serait-ce un présage?... »

Il battit les cartes, les passa à Balbino pour faire la donne et quand il eut examiné son jeu, il répéta :

« C'est bien ça... un mauvais présage. João, du cognac!... »

Alberto et Alexandrino étaient seuls à mettre la dernière main pour clouer le cercueil. Pan, pan,

pan! M. Guerreiro, debout derrière eux, surveillait
le travail. Entre deux coups de marteau, on entendait le père du défunt sangloter au fond de la
véranda.

La coïncidence avait fortement impressionné
Juca Tristão. Il buvait petit verre sur petit verre.
Il devenait taciturne à l'encontre de ses partenaires que l'alcool mettait en gaieté. Leurs yeux
commençaient à clignoter et leurs langues à se
délier. S'ils ne se laissaient pas aller à faire du
tapage, c'était par respect pour le comptable dont
la présence leur en imposait. Toutefois Caétano
n'avait pas pu s'empêcher d'allonger une grande
tape amicale dans le dos du patron :

« Ne vous en faites donc pas comme ça!... C'était
écrit... du moment qu'il était malade... Manille!

— Il aurait pu choisir un autre jour pour mourir... Atout!

— L'homme propose et Dieu dispose. Soyez sans
inquiétude, allez...

— Evidemment, évidemment, confirma Balbino.

— C'est fini, s'écria M. Guerreiro. Nous pouvons
aller chercher le corps. »

Et comme Alexandrino hésitait :

« Ça te fait peur, hein? Alberto, je vous accompagne! »

Mais Caétano s'était dressé. Il tenait mal sur ses
jambes.

« Je vais vous aider, je vais vous aider », bre-
douillait-il.

Cependant Juca se retirait dans sa chambre pour éviter la vue du cadavre. Ils allèrent donc à trois et se penchèrent sur le corps étendu dans la véranda. Alberto le prit par les pieds, Caétano par les épaules. M. Guerreiro cheminait à leur côté et les dirigeait. Mais au moment de la mise en bière l'ivrogne trébucha et lâcha prise.

« Attention, monsieur Caétano, attention, vous allez tomber! »

Le bruit sourd du corps tombant sur le plancher leur donna le frisson. Balbino et Alipio s'étaient dressés d'un bond. Ils étaient livides et tremblaient devant ce cadavre dont le tronc gisait par terre, alors qu'Alberto le tenait encore par les jambes dans l'attitude d'un laboureur derrière sa charrue. Seul M. Guerreiro n'avait pas perdu son sang-froid. Il releva le cadavre et le plaça dans le cercueil. Caétano bafouillait des explications d'une voix pâteuse :

« Après tout, il ne sent rien... il... il est mort. S'il avait été en vie... »

Nazario, qui avait entendu la chose, accourait en poussant des cris :

« Mon fils!... mon fils chéri!... ah! mon fils!... »

Penché sur le cercueil, il écarta le hamac qui enveloppait le mort et découvrit le visage maigre aux yeux agrandis.

« Je ne verrai plus mon fils!... Mon fils unique... »

Le comptable mena le père à la cuisine et revint

rapidement. Il étudia d'un coup d'œil circulaire
les physionomies et jugea seul Binda capable de
comprendre la situation et d'agir en conséquence.
Il le prit à part pour lui communiquer ses sugges-
tions :

« Le mieux est d'emporter le cercueil de suite
à Humaythà. Il y sera au plus tard demain matin.
A cause de M. Juca, c'est le meilleur parti à prendre, car tant que le cadavre restera ici le patron
ne tiendra pas en place, pas plus que ce pauvre
Nazario, d'ailleurs. Vous pourriez accompagner
Alexandrino. Prenez la grosse chaloupe. Il tiendra
les rames et vous, vous piloterez. N'est-ce pas votre
avis?

— D'accord. Mais si le vapeur arrive?

— Dans ce cas vous ferez vos adieux au patron
à Humaythà. »

Le vapeur arriva à l'aube. Juca Tristão avait
toujours dans les oreilles le bruit de la chute
malencontreuse. Il se prosternait devant l'image
de Notre-Dame de Nazarée pour se placer sous sa
protection et lui renouveler une promesse, lorsque
le sifflet du bateau retentit au loin.

João fut le premier à se ruer dans la véranda,
suivi de Nazario, les yeux gonflés et larmoyants.
Les uns après les autres tous arrivèrent. Il n'en
manquait pas un, pas même Tiago.

La pénombre de l'aurore s'était transformée subitement en une lumière presque diaphane et
vibrante, lorsque le *Campos Sales* jeta l'aussière.

Ses cheminées crachaient des tourbillons de fumée
qui montaient tout droit en l'air. Les ponts découverts étaient pleins de hamacs où les passagers dormaient encore à poing fermé. Les matelots travaillaient avec mollesse, l'heure était encore trop
matinale. De la véranda le grand bateau paraissait
divisé en trois tronçons, coupé qu'il était par les
palmiers de l'appontement. João ne cessait de
transporter sur ses épaules les malles, les caisses,
les valises du maître.

Juca fit enfin son apparition, vêtu d'un blanc
tout neuf et coiffé d'un panama aux bords souples.
Il fit ses adieux à Dona Yaya qui ne descendait
pas jusqu'à la berge et prit la tête du cortège. Derrière lui, silhouette falote qui sautait en boitillant, suivait Tiago, s'aidant d'une canne rustique.
Avant de monter à bord, Juca ouvrit ses bras :

« Au revoir! Je vous enverrai de mes nouvelles. »

Il donna l'accolade au comptable, ainsi qu'à Balbino, Caétano, Alipio et Nazario. Au passage, il
serra la main d'Alberto et fit un signe amical à
Tiago :

« Adieu, Elastique!

— Au revoir, patron, bon voyage! »

Juca franchit la planche et se pencha sur le bastingage. Il se mit à engager une conversation aimable avec un officier du bord accoudé à son côté.
Il souriait de temps en temps au groupe formé
autour de M. Guerreiro sur la rive.

Tous les bagages embarqués, on retira la planche,

on amena l'amarre et le *Campos Sales* commença
ses manœuvres.

« Adieu! Adieu! »

Juca Tristão saluait du bord, tandis que le navire s'éloignait lentement, très lentement, d'abord
en marche arrière, puis la proue tournée vers la
courbe d'Humaythà en aval.

Comme d'habitude, ce navire qui appareillait
remplissait de nostalgie l'âme d'Alberto. Ah! partir, n'importe où, mais partir!... Mais au *Paradis*
Juca était le seul privilégié qui pouvait s'en aller
à sa guise et, que le caoutchouc montât ou baissât,
disposait d'une somme assez ronde pour lui assurer
la liberté. Alberto fut subitement mordu d'une
jalousie féroce qui confinait à de la haine. Mais en
même temps il ressentait un soulagement inexpli-
cable de ce départ. Dans les yeux de M. Guerreiro,
que son regard rencontra par hasard, il crut lire
le même sentiment...

Le navire était déjà loin, très loin. Les hommes
de la plantation envoyèrent un dernier salut, mais
du bord il ne vint aucune réponse.

Assis sur la rive et les mains appuyées sur sa
canne calée entre ses jambes, Tiago pleurait silencieusement. Ces larmes étaient inexplicables et
Alberto ne trouvait trace de la moindre émotion
sur la face des hommes qui restaient... Et cependant, elles venaient du cœur, ces larmes qui coulaient sur le visage du grand fantoche noir, l'ancien esclave, le souffre-douleur du maître.

CHAPITRE XI

DONA YAYA

Pendant l'absence de Juca Tristão, M. Guerreiro
estima préférable de prendre les repas dans son
appartement particulier; cette solution lui paraissait plus pratique puisqu'elle évitait beaucoup
d'allées et venues inutiles d'un bout à l'autre de
la véranda; mais M. Guerreiro jugea également
équitable d'inviter Alberto à sa table. Aussi, le
matin où l'on inaugura la nouvelle installation,
lorsque Dona Yaya entra dans le bureau pour
annoncer à son mari que le déjeuner était servi, le
comptable dit à son subordonné :

« Faites-nous donc le plaisir de venir partager
notre repas. »

Touché par cette délicate attention, Alberto ne
se fit pas prier et ils se rendirent tous les trois
dans la nouvelle salle à manger installée dans la
véranda privée des Guerreiro.

Dès le seuil, on devinait la présence d'une
femme, dans cet intérieur égayé par une débauche
de bouquets de fleurs, épars sur tous les meubles,

et jusque sur la machine à coudre! Trois couverts
étaient mis, preuve que la décision de M. Guerreiro
était prise depuis longtemps. Alberto comprenait
maintenant pourquoi le sourire de Dona Yaya
avait été plus aimable et plus accueillant que de
coutume.

Ils se mirent à table, le comptable à un bout,
Alberto face à Dona Yaya, et João parut sans plus
tarder, chargé d'un plat sur lequel reposait un
gros *tucunaré*.

Chez Alberto, l'émotion ne le cédait en rien à
l'appétit.

Tout son être fondait de tendresse pour ses hôtes;
il adoucissait les éclats de sa voix; le souvenir de
Juca Tristão lui était odieux. Ah! celui-là avait été
bien incapable de lui manifester une telle gentil-
lesse! S'il l'avait pris comme partenaire au jeu,
c'était bien comme bouche-trou, parce qu'il n'avait
eu personne d'autre sous la main, et ses rares
témoignages de considération avaient été dus à
l'influence de M. Guerreiro. Alberto avait encore
dans les oreilles les éclats du rire grossier du patron
pendant les repas, alors que lui, méprisé et oublié,
mangeait à la cuisine comme un valet. Sa reconnaissance pour M. Guerreiro devenait débordante.
Maintenant que son amour-propre était satisfait,
comme il se trouvait heureux d'être assis entre
ses deux nouveaux amis, sans oublier ce brave et
sympathique João, rasé de près, gai comme un
pinson, qui faisait le service autour de la table!

Le comptable, lui non plus, ne cachait pas son intime satisfaction. C'était bien mieux, ainsi, disait-il. On était chez soi. L'idée d'un foyer prenait corps, ce n'était plus une fiction. Certes, la vie en commun avec M. Juca ne lui avait jamais été désagréable, mais ce n'était pas très drôle d'aller d'un bout à l'autre de l'interminable véranda aux heures des repas, par la chaleur. Dans le Crato, où il avait tenu un emploi avant de venir au *Paradis,* il jouissait également d'un appartement particulier et avait même eu à son service un cuisinier aux gages du patron. Lorsque M. Juca serait de retour, il lui toucherait un mot à ce sujet. Tout le monde n'a pas les mêmes goûts, ce n'est pas une obligation, et du moment que l'on possède une cuisine en propre on a du moins le plaisir de manger ce qui vous plaît. Il manquait fort peu de choses pour que son bonheur fût complet : des choux, de la salade, surtout de la laitue, et quelques autres légumes qui faisaient complètement défaut au *Paradis.*

« Nous pourrions avoir un jardin potager, suggéra Alberto.

— J'y ai déjà pensé. J'en ai même parlé à Alexandrino, mais il n'a pas compris. Pour ce Nègre qui est né ici, c'est comme s'il avait été question de quelque chose d'un autre monde. Ici, tout est dit avec les *cararas* et les *joão-gómez;* après quoi ils n'ont plus rien à désirer.

— L'essentiel est de se procurer des graines, dit

Alberto. A mes moments perdus je me charge de cultiver les carrés. Ce sera une distraction.

— Ma femme nourrit une véritable passion pour tout ce qui touche le jardinage, répondit le comptable.

— Alors, nous serons deux. João bêchera la terre, le reste ira tout seul. Je ne suis pas jardinier, loin de là, mais ça ne doit pas être très malin que de planter des choux.

— Vous voulez dire que c'est très facile, appuya Dona Yaya.

— Bon. Je vais donc écrire sans plus tarder à mon beau-frère, pour lui demander des graines », dit M. Guerreiro.

Le déjeuner prit fin. L'après-midi s'écoula normalement et l'on se retrouva à l'heure du dîner sans qu'Alberto eût jeté un coup d'œil de convoitise sur Dona Yaya. Leurs pieds s'étaient frôlés involontairement à plusieurs reprises sous la table, mais Alberto n'en avait pas été troublé. C'étaient de trop braves gens, et il avait encore trop de respect et de gratitude pour M. Guerreiro pour considérer sa femme autrement que comme une amie. Il se devait de la respecter et d'imposer silence à ses désirs.

Mais de la rencontrer quotidiennement, faisait naître l'envie, le désir, la tentation. Les jours se succédaient. A table, les yeux d'Alberto cherchaient ceux de Dona Yaya avec insistance. Sous prétexte de charades, il s'attardait dans la véranda vitrée

uniquement pour jouir secrètement de sa présence.
Rentré dans sa chambre, il s'avouait que cette vie
en commun ne lui valait rien, mais déjà il ne
pouvait plus s'en priver. Chaque matin, au réveil,
il se gourmandait et se promettait de se tenir tranquille; mais, à peine à table, il oubliait ses bonnes
intentions et était tourmenté par son idée fixe.
C'était effrayant. Il se dépensait en mille petites
attentions pour M. Guerreiro, comme pour se faire
pardonner sa faute d'avance mais, par moments,
il perdait pied et passait froidement en revue les
moyens de le trahir.

Ces mauvaises pensées lui venaient surtout quand
il était étendu dans son hamac, à l'heure de la
sieste, et que son imagination pouvait se donner
libre cours dans la maison endormie. Si, par exemple, il enfermait le comptable dans le bureau ou
usait d'un prétexte quelconque pour l'éloigner?...
Il en profiterait pour se glisser sans bruit chez Dona
Yaya... Mais non, c'était idiot. Cette supposition!
C'était un enfantillage ridicule. A son âge, Dona
Yaya n'était pas disposée à lui céder comme ça...
Alors, employer la violence?... Il ne fallait même
pas y songer; on n'obtient rien d'une femme par
ce moyen-là... Alors quoi, la séduire?...

Et de nouvelles et de nouvelles imaginations se
présentaient.

... Et si Guerreiro mourait?... Et après?... On verrait une femme éplorée, enveloppée dans ses voiles
de deuil, car elle aimait son mari, cela ne faisait

pas de doute... Donc, elle s'en retournerait chez ses parents, à Manaos... et c'était la fin de tout...

Souvent, la nuit, quand son désir le tenait éveillé et qu'il ne cessait d'agiter les idées les plus folles, les miaulements des jaguars l'étonnaient par leur violence. Les porcs faisaient du vacarme à l'étable car, eux aussi, grognaient avec fureur. Voleurs incorrigibles, insatiables et sans vergogne, les jaguars, loin de dissimuler leur présence, rugissaient avec colère. La maison était ébranlée comme par une secousse sismisque et la paix de la nuit était finie.

Autant pour mettre les porcs à l'abri d'une incursion des fauves que pour en finir avec ce vacarme nocturne qui l'incommodait encore plus que les lamentations, les jurons, les chansons de Tiago, quand le Nègre était soûl, M. Guerreiro résolut de faire aux jaguars une chasse à mort.

Une fois repue, l'once du Brésil a l'habitude de traîner sa proie dans un épais taillis de la forêt et de l'enfouir. On pouvait suivre la piste des fauves qui venaient la nuit, grâce à une longue traînée de sang, et Alexandrino n'eut pas de mal à retrouver l'endroit où était enterrée la carcasse d'un porc égorgé. Le comptable, escorté d'Alberto, alla vers les quatre heures de l'après-midi se poster à l'affût. Les jaguars avaient recouvert de feuilles mortes les reliefs de leur repas. Sur le coup de cinq heures du soir ils ne manqueraient pas de revenir.

Chacun de son côté, les deux chasseurs cherchèrent un arbre fourchu pour s'y installer et mieux ajuster leur fusil. Silence, pas un mot et défense de fumer, car le jaguar est roublard et méfiant en diable.

Une heure s'écoula sans qu'on entendît d'autre bruit en forêt que les jacasseries des perroquets...

... Que faire dans cette posture de silencieuse attente sinon que de laisser libre cours à son imagination? Et comme par hasard des images évocatrices de Dona Yaya assaillirent Alberto, tenaces, précises et plus morbides que jamais de se produire en plein air, dans le silence complice de la selve. Justement, son seigneur et maître n'était pas loin. Alberto distinguait entre les feuilles le pyjama à rayures du comptable. Et s'il le tuait?... Pourquoi pas?... C'était facile. Un accident de chasse... Après tout, qui s'aviserait de soupçonner autre chose qu'un simple accident de chasse?... Cette pensée le glaça. Il eut le vertige et la sensation de tomber, comme si la fourche sur laquelle il était installé cédait sous son poids. Il dut se retenir pour ne pas choir.

Allons, bon, voilà qu'il déraillait... Lourenço et sa fille, Agostinho et le souvenir de tant d'autres assassins victimes de la hantise de la femme dans la solitude des bois et travaillés par le climat du tropique se bousculèrent dans son esprit. Comment est-ce qu'une telle idée avait pu germer soudaine-

ment et le posséder, l'égarer à ce point? Quelle
bête immonde l'habitait? Après tout, il savait ce
qu'il valait...

Il s'emporta contre lui-même. Il eut honte. Un
sentiment d'affection vraie le poussait vers cet ami
qui avait été un père pour lui. Alberto refrénait
avec impatience l'envie de lui dire quelques mots
pour lui prouver son dévouement et s'assurer que
leurs bons sentiments n'étaient point altérés.

« Vous êtes bien, là-bas, monsieur Guerreiro? »

... Question imbécile! ne savait-il donc pas que
la consigne était de se taire?...

« Chut!... » répondit le comptable à cent lieues
de se douter de la raison sinistre de cette question
puérile et intempestive.

Le jaguar ne se fit pas attendre. Il avançait, une
patte devant l'autre et d'une allure si féline que
le feuillage tremblait à peine. Il se présentait de
profil, penché sur sa proie qu'il avait déterrée et
qu'il maintenait tout en la dévorant.

La balle du comptable siffla la première comme
il avait été convenu. Alberto fit feu à son tour.
L'once doublement atteinte bondit, poussa un
rugissement et, tordue dans les convulsions de
l'agonie, s'en fut mourir un peu plus loin. Les deux
chasseurs se hâtèrent de descendre de leur cachette.
M. Guerreiro posa sa crosse d'un air triomphant
sur l'animal abattu :

« Celui-ci ne nous réveillera plus! Si j'avais la
patience nécessaire pour guetter sa compagne, j'en

ferais également mon affaire. Mais j'enverrai Alexandrino... »

La nuit tombait quand ils prirent le chemin du retour. Les goyaviers ressemblaient à de grands spectres drapés dans leurs robes d'ombre. Devant la maison, l'arbre à cajù dressait l'ébauche de quelque édifice de conte de fées. Le bétail regagnait l'enclos, vaches et bœufs débonnaires, mules aux oreilles dressées, veaux traînards, qui se mettaient subitement à galoper à fond de train pour venir se fourrer entre les pattes de leur mère. Pour saluer la nuit, les rapides *bacuraus* prenaient leur vol dans un grand déploiement d'ailes blanches.

Alberto monta dans sa chambre pour aller faire un brin de toilette avant le dîner; mais comme il traversait le couloir plongé dans l'obscurité, il aperçut du côté du jardin quelques rais de lumière qui filtraient à travers la porte de la cabine de bain.

Dona Yaya aimait prendre son bain à cette heure du crépuscule.

Alberto le savait, comme tout le monde à la plantation. Mais, ce soir, ces rayons de lumière l'ensorcelaient. Plus que jamais, il devinait, il croyait voir la femme nue, les seins libres, la chair de ce corps épanoui, mûr, s'affermir sous l'action de la douche. Il évita de faire de la lumière et, encore coiffé de son chapeau, Alberto se pencha à la fenêtre... Il attendit... De minute en minute son égarement croissait. Ah! la voir, la contempler nue, la posséder au moins des yeux puisqu'il ne pouvait l'étreindre autrement!

Enfin, n'y tenant plus, l'esprit en déroute, il poussa la porte et se glissa dans la nuit. Il avançait à quatre pattes sous la maison, entre les pilotis, tâtonnant dans l'obscurité.

Cela sentait le moisi à suffoquer et l'humidité était épouvantable; mais il progressait pouce à pouce sans faire de bruit. Il se prenait le visage dans les toiles d'araignées et avait la terreur de sentir une de ces bêtes énormes et repoussantes promener ses ignobles pattes velues sur ses joues, mais il touchait au but. Au-dessus de lui il percevait les pas lents et mesurés de M. Guerreiro. Il tâcha de s'orienter. Il passa sous la nouvelle cuisine, se retrouva à l'air libre, fit le tour de l'arbre à pain, chercha une fissure dans les planches de la cabine et, comme un papillon fasciné par un rayon lumineux, il y colla son œil.

Un genou à terre il essayait avidement d'apercevoir à travers les fentes le corps de la femme nue. Dona Yaya enveloppée dans son peignoir se présentait de profil, un sein nu. Elle enfila sa robe de chambre tandis qu'Alberto avait toutes les peines du monde à ne pas se ruer sur la porte pour couvrir cette femme de baisers fous. Elle avait déjà la main sur le verrou et sortait de la cabine de bain, tenant une lanterne allumée. Il s'aplatit vivement sur le sol et Dona Yaya s'éloigna pour pénétrer dans la véranda privée.

Ecrasé dans l'herbe, le cœur battant, épuisé,
Alberto resta un long moment sans pensée. Son âme
était comme un de ces arbres creux qui servent de
refuge aux bêtes malfaisantes. Un bruit de vais-
selle venu de la cuisine lui fit comprendre le ridicule de sa situation. Il refit son chemin rampant
en sens inverse. Il s'enferma dans sa chambre pour
enlever le festonnage des toiles d'araignées plaquées
sur son chapeau et ses épaules. Mais déjà la voix
de João retentissait dans le couloir :

« Le dîner, m'sieû Alberto! »

Il s'y rendit, ivre d'amour et craignant que les
traits de son visage décomposé ne trahissent son
désir infâme. Les Guerreiro étaient déjà à table.
Il les salua. Il prit place les yeux baissés, le regard
fuyant. Il s'efforçait de suivre les propos du mari,
mais il voyait la femme nue. La parcelle de raison
qui lui restait lui montrait un personnage indigne,
égaré dans d'abominables manœuvres.

« Seriez-vous souffrant? » demanda Dona Yaya
qui avait remarqué son air défait.

... Etait-ce de l'ironie ou simple sollicitude sans
arrière-pensée?...

« Non, sursauta-t-il, je pensais aux semences
pour le jardin. »

En effet, il ne mentait pas. Lorsqu'ils seraient
côte à côte, Dona Yaya et lui, occupés au jardinage, peut-être une attirance mutuelle jouerait-
elle?... Peut-être qu'étant alors tous les deux seuls
en train de planter et de repiquer, l'occasion si ar-

demment désirée se présenterait d'elle-même?...
Peut-être que ce corps de femme mûre qui le troublait à ce point serait-il troublé à son tour par
sa jeunesse?...

« Il serait grand temps qu'elles arrivent », ajouta-t-il.

Son cynisme inattendu l'étonna.

Et M. Guerreiro qui partageait son impatience!

« Je vais encore écrire à mon beau-frère pour le
presser d'activer », dit le comptable.

Le repas terminé, Alberto trouva un prétexte
pour s'éclipser.

Ce soir, il ne se sentait pas envie de faire des
charades. Il était toujours en proie à son idée fixe.
Et pour calmer la fièvre qui lui faisait perdre la
tête, il sortit.

Des myriades d'insectes, fascinés par la lampe de
l'escalier, tournoyaient dans la lumière. Néron, le
nez en l'air, aboyait après les plus gros. En face
se dressait la silhouette noire du fromager; à
gauche, celle du *cajuseiro* et, au bout du défrichement, graves, estompés, fragiles dans leur hauteur,
les trois palmiers du débarcadère. Derrière, dans
l'ombre opaque, on devinait la rivière.

Alberto ne traîna pas longtemps sur la véranda;
il descendit et, les mains dans les poches, le feu
de sa cigarette trouant la nuit, il longea les baraquements, suivit la rive de l'*igarapé* et s'achemina
lentement vers la lisière de la forêt. Puis, retournant sur ses pas, il passa à différentes reprises de-

vant la hutte silencieuse de Tiago. Il éprouvait le besoin de marcher, d'aller et venir pour échapper à son idée fixe, mais tout son être vibrait du désir de la femme. Son imagination était à vif. Dona Yaya marchait à côté de lui; elle craignait d'être suivie; elle cherchait un refuge pour cacher leurs ébats amoureux. L'illusion était tenace, elle jaillissait de toutes parts, des masses d'ombre, depuis l'énorme goyavier jusqu'aux plus petites croupes des arbustes. Tout cela était absurde, absurde...

Tout à coup l'attention d'Alberto fut attirée du côté du cimetière par une flamme pas plus grosse que celle d'une bougie, puis, par une deuxième, puis, par une troisième, qui pointaient leur langue de feu vacillante. Une s'éteignait, deux, trois autres s'allumaient. Un coup de brise les chassait et aussitôt c'était une sarabande, une fuite éperdue qu'il était impossible de suivre.

La première surprise passée et toute crainte disparue, Alberto se mit à rêvasser devant ce phénomène. Quels étaient ces cadavres en putréfaction se consumant en feux follets? Raimondé de Popunhas, Anastasio ou ce pauvre Céaréen ayant appartenu à son convoi et mort dernièrement de tuberculose? Ou serait-ce Cunegondo, dévoré membre à membre par la lèpre et dont Alexandrino avait enveloppé les débris dans un hamac pour les jeter dans la fosse béante? Lequel avait le plus souffert de la privation de la femme? Lequel cherchait encore dans la nuit, sous la forme errante d'une flamme, un corps désiré, un corps aimé pour accomplir un funèbre et tragique hyménée.

Mais l'aliment créateur de ces feux follets finit par s'épuiser et les grossières croix de bois ne se distinguaient même plus dans les ténèbres. Alberto se détourna pour porter ses pas vers l'enclos où le bétail était enfermé. Quelques bœufs attardés ruminaient encore. Des juments levaient la tête. Il poursuivit sa route, fit le tour du fromager d'une allure d'automate, alla jusqu'à la paillote où étaient suspendus les lassos, en choisit un et s'essaya à deux reprises à lancer le nœud dans le vide.

La tentation était forte. Il se dirigea vers la pâture des juments. Et il s'évanouit dans la nuit chaude et complice...

Il rentra dans sa chambre, piétinant de rage, s'enfonçant les ongles dans la paume des mains, crachant sans répit et palabrant tout seul. Il ne lui était encore jamais arrivé d'être dans un état pareil.

« Bon Dieu de bon Dieu, suis-je assez abject! »

Il se dévêtit, jeta une serviette sur ses épaules et courut se plonger dans les tonneaux.

Il eut beau prolonger son bain, épuiser toute la provision d'eau, le dégoût collait à sa peau.

CHAPITRE XII

LA DÉCRUE

Et de nouveau c'était la décrue. Les millions de rigoles de la forêt s'employaient journellement à épuiser les lagunes bourbeuses dont les eaux noires et fétides baissaient peu à peu. Le soleil se levait chaque matin sur la désolation des eaux et libérait chaque jour une parcelle du sol qui n'était d'abord qu'une tache de boue pestilentielle, où les animaux, assez téméraires pour s'y aventurer, y laissaient de fortes empreintes.

Si dans la région de l'Amazone la crue prenait souvent des proportions catastrophiques, la décrue ne s'opérait pas sans tragiques à-coups.

Dans les affluents du Purù, du Solimoes et de tant d'autres rivières connues des seuls géographes et des petits vapeurs fluviaux qui leur empruntaient leurs noms, la région dispensatrice des richesses passait la moitié de l'année isolée du restant du monde. Vers le milieu de l'hiver les bateaux remontaient le fleuve, chargés de vivres et de nouveaux conquérants qui ignoraient encore que la source de ces

fameuses richesses de la forêt vierge était épuisée
pour eux. A chaque escale, il se faisait de véritables
bombances à bord des *gaiolas* illuminées qui remontaient les rivières dans la nuit tropicale. Dans toutes
les plantations, les hommes sortaient de la brousse
infernale pour voir arriver les premiers vapeurs qui
leur apportaient des lettres de leur famille, les derniers cours du càoutchouc, des nouvelles du monde
entier, des objets superflus et un ravitaillement frais
en boissons variées. Ceux qui étaient restés dans
les clairières écoutaient les récits des autres qui
vibraient d'enthousiasme comme s'ils avaient vu
débarquer le Messie en personne.

Le passage des vapeurs qui remontaient les rivières, dès la réouverture de la navigation, était salué
partout par des explosions de joie et de gaieté. Il
en venait une interminable procession qui durait
un ou deux mois, et pas un petit port, pas un défrichement en amont qui ne vît passer une nouvelle
cheminée fumante ou quelque bourlingueur re-
montant les affluents les plus écartés. Chaque
gaiola, spécialement affectée au service d'une seule
plantation ou qui avait sa clientèle particulière,
récoltait en redescendant le caoutchouc de la saison,
livré sous forme de boules noires, portant chacune
sur leur surface visqueuse une marque au fer rouge.
Après avoir chargé des châtaignes oléagineuses et
bien d'autres produits de la selve, dont la contrée
tirait un juste orgueil à cause de leur abondance,
le bateau démarrait, en lançant en guise d'adieu à

ceux qui restaient et qui le verraient revenir
seulement l'hiver d'après, un strident coup de sifflet. Si un cargo s'était attardé dans une plantation
lointaine ou avait été le dernier à remonter, il
repartait à toute vapeur pour ne pas être surpris
par la décrue, abandonnant son chargement, sourd
aux appels qui lui venaient des postes oubliés sur
l'une ou l'autre rive de cet univers perdu, brûlant
toutes les stations, fonçant toujours en aval, sifflant
sans discontinuer, trop heureux de ne pas s'échouer
l'hélice en l'air et la coque exposée à la rouille et
d'attendre la crue suivante, car c'est ainsi que de
nombreux navires pourrissent pendant des mois et
des mois, l'avant enfoncé dans un banc de sable ou
sur quelque plage traîtresse, attendant la prochaine
saison des pluies pour être remis à flot.

A l'époque de la décrue la jungle de l'Amazone
est une prison sans issue possible et, cependant que
les bêtes des bois reprennent lentement possession
de leurs forêts natales et se remettent à circuler
en liberté, les hommes restent encore longtemps
captifs dans leurs cantonnements. Une grande capitale d'Europe pourrait être détruite par un trem-
blement de terre, qu'on aurait le temps de la re-
construire avant que la nouvelle de la catastrophe
ne parvienne en ces parages.

Il n'en est pas de même dans le Madeira. Les
eaux peuvent baisser, la sonde trouvera toujours
assez de profondeur pour y faire passer les plus
grandes quilles jusqu'à San Antonio, particularité

qui distingue le rio Madeira des autres rivières de
la région. Les *gaiolas* peuvent le remonter d'un
bout de l'année à l'autre et se fier à son cours inta-
rissable, et à l'époque du frai, les steamers ont
comme escorte permanente des bancs de poissons
d'une densité et d'une variété inouïes, qui, groupés
par espèces, remontent en frétillant le courant jusqu'aux sources mêmes de la rivière géante. Ces
poissons obéissent à leur instinct, ils ménagent leurs
forces, nagent à l'abri des rives, par millions, par
centaines de millions, agglomérés de telle manière
qu'un coup d'épée dans l'eau en pourfendrait plusieurs douzaines à la fois.

A l'époque de la décrue les tortues abandonnent
également les *igarapés*, les bras et les canaux laté-
raux de la rivière, pour descendre dans le courant
principal et les *caboclos* les attendent à tous les
confluents, l'arc à la main. Dès que l'amphibie mon-
tre sa tête à la surface, le pêcheur lance une flèche
au ciel, qui, après avoir décrit une parabole, ne
manque jamais son but, tombe à pique et perce la
carapace du savoureux animal, même en plongée.

La rivière baissait toujours. Pouce à pouce les
plages dorées émergeaient. C'est la saison de la
ponte. On en profite pour chasser la nuit les tortues à la lanterne. Une nuit Alberto accompagna
João et en moins d'une heure ils eurent retourné
le ventre en l'air trois *pitius* et cinq ou six *tracajas*.
Ils placèrent les bêtes dans le canot, toujours le
ventre en l'air, et le cuisinier prit les rames. Les

eaux très calmes dégageaient en se retirant des
rives ourlées d'*embubas* et de *taxizeiros,* les seules
bigarrures dont s'adornent les rives du Madeira. Une
brise tiède murmurait dans cette nuit d'été équatoriale. La lanterne du débarcadère brillait au
loin.

M. Guerreiro félicita les chasseurs de leur succès.
Il fut décidé de manger les *pituis* à dîner et de
garder les *tracajas* en réserve pour la semaine prochaine. Si jamais M. Juca arrivait à la fin du mois,
ainsi qu'il l'avait déclaré, il pourrait savourer un
bon morceau de tortue.

Un matin, tout le monde se trouvait dans la
véranda quand Alberto aperçut dans la courbe de
la rivière, très loin, une énorme volute de fumée
noire qui montait vers le ciel.

« Un bateau! »

Les yeux fatigués de M. Guerreiro le distinguaient mal à cette distance.

« C'est sans doute le *Sapucaia*...

— Oui, c'est lui, je reconnais les cheminées de la
compagnie.

— Nous apporterait-il les marchandises que
M. Juca devait nous envoyer? » hasarda le comptable.

Il n'en était rien. Arrivé à la hauteur des palmiers, le navire se mit à siffler demandant une embarcation. Bien sûr, de la poste seulement, car les
gaíolas qui n'accostent pas laissent seulement la
correspondance de la plantation.

En quelques coups de rames Alexandrino s'en fut
chercher lettres et journaux. Quelques coups de
sifflet et l'hélice du *Sapucaia* se remit en marche.
Le courrier contenait une lettre pour Alberto, une
lettre de sa mère, une lettre plus optimiste que
jamais. Il la lut, penché à la fenêtre du bureau,
en face des crotons et du jasmin. Derrière
lui M. Guerreiro dévorait le contenu des journaux.

« Le caoutchouc va toujours mal. Le 9 il était à
4'8; le 10 — attendez — à 4'9; le 14, il est redes-
cendu à nouveau... à 4'5... »

Mais Alberto ne l'écoutait pas, tout à la lettre de
sa mère qui lui apportait une bonne nouvelle : les
Républicains avaient enfin décidé d'amnistier les
insurgés de Monsalto. Il pouvait donc revenir
quand il lui plairait, librement, et le plus tôt serait
le mieux. Elle désirait le voir; elle ne serait heureuse que lorsqu'elle le saurait de retour à la maison, qu'elle le sentirait à ses côtés. Beaucoup de
ses camarades qui s'étaient réfugiés en Espagne
étaient déjà de retour, terminait-elle, et cette am-
nistie avait gagné de chaleureuses sympathies à la
République...

Alberto lut et relut cette lettre, les yeux humides d'émotion. Le passé ressuscitait dans sa mémoire. Les Républicains... Les Monarchistes... échos
lointains... Mots qui ne rimaient plus à rien... Sa
passion politique était morte. Ses anciennes opi-
nions dataient. Il les laissait pour compte à un

personnage évanoui dans le temps et sans consistance. Il envisageait avec indifférence l'échec de sa cause, ne ressentait aucune animosité envers ses ennemis d'antan, désirait plutôt les revoir, les rencontrer sur le théâtre commun de leurs exploits... Et les rues de Lisbonne... et les salles de la Faculté... et ses amis, la maison, sa mère... Sa mère!... C'est avec facilité qu'il était prêt à renoncer à toutes ses aspirations de jadis s'il suffisait d'un geste pour lui rendre sa lointaine patrie!...

Au bruit que fit M. Guerreiro en se levant de sa chaise, Alberto interrompit sa rêverie, mit la lettre de sa mère dans sa poche et alla consulter le livre des comptes courants. Il s'en fallait encore de 620 milreis pour que sa dette envers Juca Tristão fût éteinte. Le crayon à la main il se mit à calculer le plus exactement possible le temps qu'il lui serait nécessaire pour arriver à régler cette dette : quinze mois, peut-être dix, en faisant des économies et s'il obtenait une augmentation de salaire. Il ne désirait emporter aucun pécule, s'assurer juste le prix du passage à Manaos et à Lisbonne, dût-il voyager en troisième classe. Ce détail importait peu, trop heureux s'il pouvait partir. L'idée du retour primait tout. Une fois à Lisbonne, il ne serait pas à la rue; tout en donnant des leçons pour vivre, il ferait en sorte de ne pas être à charge à sa mère et terminerait ses cours de droit. De plus pauvres que lui arrivaient à s'en tirer et à décrocher des diplômes.

Ce n'est pas sans un frémissement de plaisir

qu'Alberto se voyait déjà débarquer à Lisbonne,
ville pleine de souvenirs et pour laquelle il ressentait une tendresse particulière... Et sa chère maman!
La pauvre vieille jetterait ses bras autour de son cou
et verserait des larmes de joie... Il retrouverait ses
amis; autour de la table d'un café il leur raconte-
rait ses aventures, décrirait ce qu'il avait vu, leur
parlerait de ce qu'il avait souffert. Ils émettraient
certainement des doutes sur la sincérité de tout récit dont il sortirait grandi et ils se montreraient
sceptiques quand il ferait des descriptions pour
leur donner une impression vivante de l'inconce-
vable forêt vierge. Comment, par exemple, leur
faire croire que réellement, lors de la remontée du
fleuve, les bancs des poissons sont si épais que l'on
peut les couper au couteau!...

Il jeta par la fenêtre tabac et papier à cigarettes
afin de ne plus succomber à la tentation de fumer.
Dorénavant, pas un centime de gâché! Il devait
faire des économies et rentrer au Portugal coûte
que coûte. Il s'en retournerait. Il le fallait. A
condition de ne pas mourir entre-temps ou d'attraper les fièvres...

« J'ai reçu des bonnes nouvelles du Portugal... »

M. Guerreiro, penché sur le Grand-Livre, leva la
tête.

« ... je suis amnistié et je peux rentrer au pays
quand il me plaira.

— Alors?

— Alors... (il eut un vague sourire, triste et dubitatif)... dès que j'aurai l'argent nécessaire, je pars... »

Et s'approchant du comptable et changeant de ton :

« Je voudrais vous demander quelque chose, monsieur Guerreiro. Pourriez-vous toucher un mot à M. Juca, dès son retour, au sujet de mon salaire?... si cela ne vous gêne pas, bien entendu... je voudrais avoir une augmentation!

— Lui parler? Je n'y vois aucun inconvénient, mon ami. Le plus ennuyeux c'est qu'avec cette nouvelle baisse du caoutchouc le moment ne lui paraîtra probablement pas très opportun pour se montrer généreux.

— Oh! je serais très modeste. Vingt ou vingt-cinq milreis, tout au plus...

— On verra, on verra. Je vous promets de faire tout mon possible. Alors, vous dites que vos coreligionnaires peuvent rentrez chez eux? »

Alberto lui communiqua la lettre en même temps qu'un article de journal que sa mère y avait joint. M. Guerreiro lut et commenta : « ... Oui, monsieur, c'est très bien... C'est très juste... Défendre ses idées n'est pas un crime... » Lui-même à Manaos, alors qu'il était comptable chez Andersen & C°, avait fait partie d'une conspiration dirigée contre le gouverneur de l'état des Amazones; il avait échappé de justesse à la prison grâce à un incident qui avait fait avorter toute l'affaire...

Durant toute la journée il fut impossible à Alberto d'apporter la moindre attention à son travail.

Son esprit était ailleurs. Son départ lui paraissait aisé. Encore quelques mois à peine de labeur et de patience et il foulerait joyeusement le pavé de Lisbonne! Le soir, à l'heure de la sieste et la moustiquaire dressée dans sa chambre, il s'étendit dans son hamac pour penser tranquillement à son proche départ et savourer sa joie.

Il se balançait doucement en sifflotant une danse brésilienne, quand il entendit des pas furtifs glisser dans le couloir. Alberto dressa l'oreille. Comme lui, M. Guerreiro devait faire la sieste. Ce n'était pas João non plus, qui devait être à la cuisine, l'heure du dîner n'ayant pas encore sonné. Ce ne pouvait pas être Tiago... Ah! Victoria! Elle venait chercher le linge à laver...

Cette Négresse sexagénaire avait les cheveux blancs et la peau profondément ridée. C'était la mère d'Alexandrino et la marraine de la plupart des hommes de la plantation, lui compris, par la vertu d'un petit mouchoir passé sur un brasier crépitant, la nuit de la Saint-Jean.

Les *seringueiros* fêtaient d'une manière fort pittoresque la mémoire de l'apôtre. Pour célébrer cette réjouissance tous les exilés sortaient de la brousse pour se réunir au bord de la rivière et assister à la danse traditionnelle du bœuf-bumbà. L'animal était fait d'une carcasse de bois habillée d'étoffes aux couleurs vives. Le long de l'échine et entre les immenses cornes prises sur la dépouille de quelque bœuf abattu, étaient accrochés des fragments de miroirs et tout ce qu'on avait pu trouver de colifichets multicolores et brillants. Le bœuf-bumbà avait d'autant plus de succès que brimbalaient sur ses flancs de ferblanterie et d'objets inattendus et hétéroclites. La couverture qui le drapait tombait jusqu'au sol, dissimulant les pattes. Un homme de bonne volonté s'introduisait dessous, emmanchait l'armature de bois sur ses épaules, portait la bête fantastique, précédé par deux personnages non moins fantasques qui complétaient la pantomime : le père François et la mère Catherine, deux Céaréens grimés pour la circonstance, l'un en vieillard, l'autre en femme, tous deux non moins infatigables au cours de la nuit que ne l'était l'animateur du bœuf.

Le bœuf-bumbà commençait ses danses au son des crécelles, des cris, des chants et des répliques du couple hilarant qui ne les quittait pas d'une semelle dans ses évolutions chorégraphiques. Le pitre soulevait de temps en temps les jupes du monstre et découvrait le porteur, qui, le visage en sueur, absorbait autant d'eau-de-vie qu'on voulait bien lui en donner. Cette nuit-là, autour du feu de la Saint-Jean, tous les habitants du *Paradis* formaient une seule et même famille.

Celui qui désirait un parrain, une marraine, un cousin ou un oncle, prenait un mouchoir par une de ses pointes, présentait l'autre à son futur parent et, à trois reprises, passait le mouchoir sur la flamme en prononçant avec ferveur ces paroles :

« Saint Jean, Saint Pierre, Saint Paul et tous les Saints du ciel me sont témoins qu'un tel (Missié Alberto, par exemple) est mon parrain. »

Groupés autour des postulants, tous les autres présidaient à cette traditionnelle cérémonie, le visage rougi par le brasier. Guerreiro, Juca et ses acolytes, qui représentaient une classe sociale supérieure, étaient tout particulièrement requis pour prêter leur office à cette bizarre, mais touchante cérémonie. Parrains d'innombrables *seringueiros,* oncles ou cousins de par le pouvoir du bûcher, ils faisaient le geste de bénir tous ceux qui s'en approchaient. Pour les Noirs simples et primitifs, ce geste était le symbole d'un rite sacré et Victoria se serait fait plutôt couper la main droite que de renoncer à ce dogme et d'enfreindre la loi de cette parenté spirituelle.

Mais aujourd'hui, tout paraissait facile à Alberto puisque les frontières de sa lointaine patrie s'ouvraient enfin pour l'accueillir. Déjà plusieurs fois il avait eu envie d'enlacer, comme tous les autres *seringueiros* en mal d'amour, le corps flétri de la vieille Négresse quand il rencontrait Victoria, mais jusqu'ici il avait toujours su résister à sa fringale. Et voici que l'occasion s'offrait. Elle était là, dans sa chambre, seule avec lui, et un si fol espoir battait aujourd'hui dans sa poitrine enfiévrée!

Il se leva et, désignant sa malle où deux personnes pouvaient s'asseoir : « Asseyez-vous, Victoria. »

Puis il se mit à dire des plaisanteries et à esquisser une mimique pour arriver à ses fins.

La vieille avait compris. Elle se dressa brusquement :

« Espèce de sans vergogne! Et vous êtes mon
filleul? Vous n'avez pas honte de parler de la sorte
à une femme de mon âge? Dieu vous punira! Vous
pouvez laver votre linge vous-même si cela vous
plaît, ne comptez plus sur moi! »

Alberto s'efforçait de la calmer, lui faisait des
excuses, lui affirmait qu'elle se méprenait sur ses
intentions, mais Victoria était dans une colère
folle :

« Crapule de missié! Je n'en dirai rien à mon
Alexandrino, car il vous tuerait! »

Et elle sortit.

Enervé, décontenancé, Alberto faisait les cent pas
dans sa chambre. Le petit miroir suspendu devant
la fenêtre et devant lequel il s'arrêta à plusieurs
reprises, lui renvoyait son visage amaigri, allongé et
rasé de frais par Alexandrino. Et comme il étudiait
ses yeux brillants de fièvre, son abondante chevelure, il vit apparaître l'espace d'une seconde le fa-
ciès qu'il avait à Todos-os-Santos, sa face hirsute,
son regard navré, l'homme perdu qu'il était alors
dans la clairière, l'homme écrasé de nostalgie et de
désespoir.

Du dehors, João l'appela :

« Le dîner, m'sieû Alberto! »

Il sortit.

Contrairement à son habitude, M. Guerreiro se promenait dans la véranda.

« Que s'est-il passé avec Victoria? lui demanda-t-il à voix basse.

— Rien...

— Elle m'a déclaré ne plus vouloir laver votre linge. »

Alberto resta muet.

« Faites attention. C'est un bon conseil que je vous donne. Alexandrino exécute tous les ordres, mais est loin d'être de bonne composition. S'il fuit devant un feu follet en appelant au secours, il ne reculerait pas devant un mauvais coup. On respecte sa mère, non à cause de son grand âge, mais parce que les hommes ont peur de lui. Prenez garde.

— Un coup de folie, monsieur Guerreiro...

— Allons dîner. Je verrai Victoria et j'espère que tout s'arrangera. Mais ne recommencez pas. »

Se trompait-il? Mais lorsqu'il prit place à table, Alberto soupçonna que Dona Yaya était au courant de son histoire. Il ne savait où se fourrer de honte, et c'est bien en vain que le bon M. Guerreiro s'évertuait à donner à ses propos leur tournure habituelle, Dona Yaya devait penser à l'incident, Alberto le lisait dans ses yeux de braise dont il évitait le regard.

Il essaya de réagir, entre deux bouchées, de chercher une excuse à son acte. N'était-ce pas naturel, après tout, qu'un homme en pleine jeunesse cherchât à satisfaire une nécessité impérieuse et de profiter d'une occasion? N'était-on pas maître de son corps?... Le bon sens rejetait ses arguments et Alberto restait avec sa honte.

Après le café, il s'éclipsa.

Enfermé dans sa chambre, il resta longtemps à sa fenêtre. Il était dans un état fébrile. Il était inquiet, mais surtout irrité contre lui-même. Malgré lui il pensait à Alexandrino. Tel qu'il le connaissait, entreprenant et débrouillard, le *vaqueiro* hardi, dégingandé, au sourire découvrant des dents d'une éclatante blancheur, le dresseur de chevaux expert au maniement du fouet, était redoutable.

M. Guerreiro avait raison.

« Oui, Victoria se taira. Sinon pour me ménager, du moins pour éviter un crime à son fils. »

Et si elle venait à parler?... Baste, le sort en était jeté. Alexandrino ne lui faisait pas peur. Il le haïssait, cet homme dont dépendait peut-être son retour éventuel au Portugal, sa vie, sa liberté...

Il eut envie d'une cigarette. Une seule, rien qu'une. Il allait appeler João, mais il parvint à se dominer. Encore un sacrifice. C'était nécessaire. Il avait une revanche à prendre, se prouver qu'il était homme, qu'il avait une parole...

Non, son geste n'était pas beau. Mais que faire, que devenir lorsque la chair parle et que le cerveau est obnubilé? A quelles bassesses ne se ravale pas un homme que l'on traite en esclave et dont tous les besoins, désirs, goûts, instincts sont refoulés?...

Il alluma la lampe, se déshabilla et se coucha.

Il ouvrit un, deux, trois, quatre livres, feuilleta les journaux que M. Guerreiro lui avait prêtés le matin même. Rien, son esprit ne pouvait se fixer sur rien.

Il était agité.

Il finit par souffler sa lampe et il passa toute l'interminable nuit à compter les heures, se tournant, se retournant dans son hamac, la tête enfiévrée.

L'idée qui l'avait tourmenté durant toute son insomnie avait pris corps. Et quand il se leva, à l'aube... pourquoi pas, après tout?... Sa mère comprendrait sûrement... Le sacrifice qu'il allait lui demander n'était rien à côté de la vie qu'il menait au *Paradis*... Elle emprunterait la somme ou elle mettrait ses derniers bijoux en gage au mont-de-piété. Lui se chargerait de tout rembourser par la suite, dût-il travailler nuit et jour, dût-il cirer les chaussures des passants... Il lui dirait tout...

Et il se mit à écrire :

« *Ma mère, ma mère chérie...* »

CHAPITRE XIII

LES INDIENS

QUAND ils arrivèrent au *Paradis* les hommes passèrent le revers de la main sur leur front en sueur. Ils s'empressèrent de déposer leur double fardeau. Ils étaient crevés. Les épaules leur faisaient mal. S'il est épuisant de transporter sur une longue distance, au bout d'une perche, un corps roulé dans un hamac, que dire quand il y en a deux!

Néron se trouvait sur la véranda. Il descendit à la hâte, la queue en trompette, son museau rasant le sol afin de se rendre compte. Il flaira de droite et de gauche, tourna autour du hamac déposé par terre et revint s'asseoir sur l'escalier, d'où il considéra le gros paquet d'un air intéressé. João, qui de la cuisine avait aperçu en premier les deux *seringueiros* qui s'en venaient, accourut en ameutant toute la maison.

« M'sieû Guerreiro, m'sieû Guerreiro!... m'sieû Alberto!... »

Tous se précipitèrent.

« Qui est-ce? demanda le cuisinier.

— Procopio.

— Et l'autre?

— L'homme que j'ai tué », répondit Manduca.

M. Guerreiro, Alberto, Alexandrino se trouvaient déjà sur les lieux. La silhouette squelettique et boitillante de Tiago apparut à son tour.

« Voyons? »

Manduca se baissa et entrouvrit le hamac.

« Ah! » firent-ils tous d'une seule voix.

Le hamac renfermait les cadavres de deux hommes.

L'un était décapité; l'autre était cuivré, avait des cheveux longs et luisants, c'était un type de sauvage comme Alberto n'en avait encore jamais vu. Du premier, la veste elle-même était méconnaissable, le sang coagulé couvrait tout le tronc et s'étalait en taches sombres jusqu'au pantalon de toile. Quant au sauvage, il n'avait d'ensanglanté que les lèvres, ourlées d'une écume blanchâtre provenant d'une hémorragie interne, et un petit trou rond sous le cœur. Le corps mâle de ce Peau Rouge était admirablement bien proportionné, d'un bronze pâle. Il était entièrement nu et les traits de son visage étaient farouches et énergiques.

Tous voulaient savoir.

« Comment est-ce arrivé? raconte... »

Manduca s'assit sur le banc qui entourait le fromager. Il s'excusa :

« Je n'en peux plus, missié Guerreiro. Voici... Procopio avait terminé sa cueillette le premier. Il

se trouvait dans le *defumador* quand ces brutes ont
surgi. Ils l'ont cerné et assassiné sans plus attendre.
Inquiet, je me suis posté en observation derrière
un petit arbre. Un parti d'Indiens avait déjà
planté la tête de Procopio au bout d'un bâton. Les
autres faisaient l'assaut de la cabane et ravageaient
le manioc. Ah! quel chahut! Je mis mon fusil en
joue et... pan, pan, pan!... Les Indiens s'arrêtèrent
pour se rendre compte de quel côté venaient les
coups. Puis, courant vers l'arbre derrière lequel
j'étais caché, ils m'envoyèrent une grêle de flèches.
Mais Zé-Préguça, qui rentrait de son « chemin »,
se mit à son tour à les canarder. Les Indiens pris
de peur tiraient sur lui, sur moi, tandis que le plus
grand nombre se défilaient. C'est à ce moment-là
que j'ai aperçu le chef et que je me suis empressé
de l'expédier. C'est celui-là...

— Et après?

— Oui, après, Manduca?

— Il a poussé un cri épouvantable et il est
tombé. Les Indiens se sont groupés autour de lui,
mais quand ils ont compris qu'il leur était impossible d'emporter ce grand corps sous les balles que
Zé-Préguça et moi ne cessions de leur envoyer, ils
ont décampé à toute allure... je ne vous dis que ça!

— Ils étaient nombreux?

— Vous comprenez que je n'ai pas perdu mon
temps à vouloir les compter!... Ils étaient certainement plus de cent. Zé-Préguça en a tué un autre
qui est tombé dans la forêt les jambes en l'air!... »

M. Guerreiro et Alberto se penchèrent pour mieux examiner le cadavre du Parintintin.

« Et les plumes? Il ne portait donc pas de plumes sur la tête? demanda le comptable.

— Que si! Un casque bariolé... C'est bien pour ça que j'ai compris que c'était le chef.

— Alors, qu'avez-vous fait des plumes?

— Elles sont restées là-bas. Vous les vouliez peut-être, missié Guerreiro?

— Oui, ça me ferait plaisir.

— Je vous les apporterai dimanche. Elles doivent être en bien mauvais état parce que je les ai arrachées d'un seul coup. »

Pour dissiper le sentiment d'épouvante qu'il lisait sur tous les visages, le comptable tenta une diversion en attribuant à chacun son rôle :

« Bon. Manduca et Zé vont d'abord aller manger un morceau. João se chargera d'eux. Toi, Alexandrino, tu vas aller creuser une fosse...

— Pour Procopio?

— Pour tous les deux.

— Pour tous les deux, patron? Que je mette un Indien dans la tombe d'un chrétien? Il vaut mieux jeter le sauvage à la rivière, il servira de pâture aux crocos. »

M. Guerreiro ne voulait pas faire offense à tous ces gens pour qui l'Indien est un ennemi féroce et implacable. Il fit semblant de transiger :

« Eh bien, ce sera comme tu voudras... »

Puis, sur un ton naturel, il ajouta : « Le mieux

serait de creuser une tombe à part, loin du cimetière et sans croix. C'est ainsi qu'on use avec les
hérétiques.

— Si ça me regardait, je le jetterais à l'eau et
l'on n'en parlerait plus, de ce sale bougre », fit
Alexandrino.

Tiago, qui se tenait à l'écart, les yeux fixés sur le
décapité et qui ne dissimulait nullement sa délectation, avait mal entendu et s'approcha :

« C'est Procopio que vous voulez jeter à l'eau?

— Mais non, pas Procopio, l'Indien!

— Procopio aussi, foutez-le à l'eau, c'est tout
ce qu'il mérite! » ronchonna Tiago, méprisant.

Les assistants restèrent muets d'indignation. Ils
regardaient le vieux Noir avec stupeur. Mais Tiago
ne cessait de répéter de sa bouche de crapaud :

« Oui, c'est tout ce qu'il mérite, c'te grande crapule!

— Je t'ordonne de te taire! s'écria M. Guerreiro,
qui ne pouvait contenir son indignation. Une parole de plus et je te supprime ta ration d'eau-de-
vie... Que le diable t'emporte avec tes méchancetés!

— Je ne dirai plus rien, Blanc, mais pour une
crapule c'était une crapule, et une fameuse!... »

Et le vieux s'éloigna, comme un Méphistophélès
d'ébène, la lippe mauvaise, la jambe traînante.

« Dépêche-toi, Alexandrino, va creuser les fosses.
Et, vous autres, allez d'abord manger, ensuite vous
passerez au magasin où Alberto vous distribuera
des balles. »

Le groupe se dispersa. M. Guerreiro rabattit le
hamac sur les cadavres, s'assit sur le banc du fromager et dit à Alberto :

« Quelquefois je suis pris de pitié pour ce pauvre
diable de Tiago. En revanche sa haine envers ceux
qui se moquent de son infirmité me révolte. Il
exagère. Il se croit tout permis. La faute en est à
M. Juca. S'il le réprimandait et interdisait aux
seringueiros de l'appeler « Elastique »! Mais, au
contraire, c'est lui qui donne le mauvais exemple.
Il fait de Tiago son jouet et peu lui importe comment celui-ci se comporte envers son prochain.

— M. Juca paraît avoir beaucoup de faiblesse
pour lui.

— Oui, à sa manière. Tiago le sait et en abuse.
Il se ferait tuer pour M. Juca. En revanche il
tuerait le premier venu pour une simple plaisan-
terie. »

Néron vint s'accroupir à leurs pieds. Les mouches couvraient déjà la toile qui enveloppait les
deux morts.

« Qu'avez-vous décidé, monsieur Guerreiro?

— Décidé, dites-vous?

— Pour Popunhas...

— Pour Popunhas? Mais, rien... M. Juca résou-
dra lui-même la question, puisqu'il ne va pas tarder à arriver. D'ailleurs, que faire? Autrefois, dans
ce cas, on envoyait à la poursuite des Indiens une
bande d'hommes armés jusqu'aux dents. Lorsque
le colonel Rondon est venu dans la forêt avec l'in-

tention de les pacifier, il a recommandé d'éviter
par la suite un tel mode d'expédition. Pour ma
part, j'estime que le colonel a vu juste car il est
notoire que cette tribu d'Indiens n'est pas disposée
à se laisser catéchiser, ni intimider. De deux choses
l'une : ou les exterminer, ou les contraindre à se
rendre. Dans ce dernier cas : ou les déporter, ou
s'imposer de lourds sacrifices durant des années et
des années pour les civiliser... si on y arrive jamais! Mais tout cela est très, très difficile à réaliser.
Nos Parintintins sont beaucoup plus nombreux
qu'on ne le croit. A quoi bon dépêcher quatre ou
cinq hommes à leurs trousses? Leur haine s'en
accroît d'autant plus. Ils s'éloignent pour quelque
temps, regagnent leur campement au fond des bois,
car il faut vous dire que ce n'est qu'une bande
de cent à deux cents guerriers qui viennent attaquer les centres de caoutchouc. Et ils réapparais-
sent un beau matin. Une idée est bien ancrée
dans leur esprit : c'est que le pays leur appartient
et ils ne nous pardonneront jamais d'être les intrus
que nous sommes. Ça dure depuis toujours et il
n'y a aucune raison pour que cela cesse prochainement.

— Alors, à Popunhas, ils n'y étaient pas tous?
— Pensez-vous! Un tout petit parti, sans doute.
Celui qui est dans ce hamac n'était pas le grand
chef comme le croit Manduca. Le grand chef ne
quitte l'aldée que dans des occasions exception-
nelles. Celui-là me paraît être une espèce de lieu-

tenant, tout simplement. En ce moment, pendant
que nous parlons de lui, le grand manitou est bien
tranquillement assis dans sa hutte. Nous autres, au
Paradis, nous organisions autrefois, à périodes va-
riables et de temps à autre, une expédition. Ils
agissent de même. Nous envoyions quatre ou cinq
hommes. Comme ils sont plus nombreux que nous
et que nos balles sont plus meurtrières que leurs
flèches, ils envoient cent ou deux cents hommes sur
le sentier de la guerre. Ainsi que je vous l'ai déjà
dit, ils n'en sont que plus excités et à chaque coup
malheureux, des *seringueiros* paient la casse; il y a
chaque fois des morts ou des prisonniers. J'en
connais un qui a été à Calama et en a réchappé par
miracle. Lui et ses compagnons marchèrent trois
jours durant sur la trace des Indiens qui avaient
attaqué la plantation. Ils les découvrirent enfin,
endormis autour d'un feu, dans une grande cahute,
sur le bord d'un lac. Les *seringueiros*, ils étaient
quatre ou cinq, je ne me souviens plus, se donnèrent le mot pour les attaquer sur-le-champ à coups
de fusil. Ils ouvrirent un feu de salve et en bles-
sèrent deux ou trois, mais les bougres s'égaillèrent
immédiatement, car ils avaient deviné à qui ils
avaient affaire. Ils abandonnèrent donc leur feu
pour se cacher dans l'obscurité. Alors, les *seringueiros* perdirent la tête. Ils ne conservèrent plus
de liaison entre eux; ils n'y voyaient goutte, et, au
bout de quelques minutes, Joachim, celui que j'ai
connu et dont je vous parle, entendit ses compa-

gnons crier au secours. Ils avaient tous été attaqués
en même temps. Comme les cris allaient en dimi-
nuant, Joachim comprit qu'on leur faisait leur affaire. Il essaya de se cacher en grimpant dans un
arbre et resta tapi dans le feuillage jusqu'au petit
jour sans entendre le moindre bruit. Il pensait que
l'ennemi avait décampé. Comme il ne voyait âme
qui vive, il se crut sauvé et commença à descendre
de l'arbre; mais il avait à peine touché terre, que
plusieurs Indiens, qui se tenaient à l'affût comme
des rats, l'entourèrent, le ligotèrent et l'emportèrent
tout vivant dans leur lointain village. Arrivés là,
ils l'obligèrent à danser devant les têtes coupées de
ses camarades et il y souffrit toutes sortes de misères
et d'abominations. Cet homme jouait si bien son
rôle qu'il finit par inspirer confiance à la tribu au
point que les Parintintins lui laissèrent toute liberté
de circuler, convaincus qu'ils étaient que jamais un
civilisé ne réussirait à s'échapper de leurs forêts
sauvages, et pourtant, Joachim réussit à s'enfuir et
à atteindre Calama.

— Comment vivent-ils?

— D'une façon tout à fait primitive. C'est le
communisme et l'égalité, le chef et ses lieutenants
exceptés. Ils ne sont animés par aucun esprit de
conquête. Lorsqu'ils attaquent une exploitation, ils
s'empressent de voler tout ce qui brille. Leur but
essentiel est de détruire tout sur leur passage. Du
moment qu'ils ont leur matérielle d'assurée et des
femmes à discrétion, ils se contentent du produit

de la pêche et de la chasse. Le commerce ne les intéresse pas le moins du monde. Allez donc civiliser des bougres qui n'ont besoin de rien! »

Alberto sourit.

« Et Rondon, à quel résultat est-il arrivé?

— Le colonel? Jusqu'à maintenant, à fort peu de chose. Il est très difficile d'approcher les Indiens. Cette rivière du Madeira a déjà été le théâtre de deux véritables romans d'aventure. Le premier, c'est la construction du chemin de fer Madeira-Mamoré. Il n'a pas fallu moins d'un demi-siècle pour le mener à bout et terminer la construction de cette malchanceuse voie ferrée. Les ouvriers succombaient par centaines aux fièvres pernicieuses et ceux qui désertaient les chantiers étaient pris par les Indiens qui les décapitaient. Les compagnies faisaient faillite les unes après les autres. Le matériel pourrissait sur place dans la forêt vierge. On aurait pu construire vingt lignes de la même longueur avec l'argent qui a été gaspillé dans cette entreprise. Le second roman est celui du colonel Rondon qui, à l'heure actuelle, est général et habite Rio de Janeiro. C'est un homme très sympathique avec lequel j'ai souvent conversé dans le Crato, et ici même, à bord d'un vapeur. Donc, le colonel est arrivé avec des officiers, des soldats, du matériel, des caisses et des cadeaux. Ayant réussi à civiliser des Indiens dans d'autres régions, notamment au Matto-Grosso, il supposait qu'il en serait de même avec les nôtres. Ah! pfft! quel désastre! Il ne se

passait pas de jour qu'un officier ou un soldat ne
fût tué d'une flèche empoisonnée. On ne voyait jamais personne. Quant à vouloir parlementer avec
les Parintintins, inutile d'insister. Vous vous rendez
compte du gâchis? Quand un officier voyait tomber
un de ses camarades, naturellement il n'avait de
cesse qu'il ne l'eût vengé. Le colonel Rondon s'y
opposait de toutes ses forces, car ce n'est pas la
guerre qu'il voulait imposer, mais la paix. Ce fut
une lutte sournoise. Un jour, ayant réussi à capturer
un jeune Parintintin, ils l'emmenèrent au poste de
pacification, ils le comblèrent de prévenances, ils
lui donnèrent tout ce qu'il désirait ou lui faisait
envie, espérant de cette manière l'amadouer et,
en lui rendant la liberté, qu'il irait faire de la
propagande en faveur de la civilisation dans sa
tribu. Et lorsqu'ils jugèrent qu'il était suffisam-
ment convaincu de leurs bonnes intentions... »

M. Guerreiro s'interrompit. Dona Yaya était sur
la véranda et s'enquérait du contenu du volumi-
neux paquet qui gisait en bas.

« Excusez-moi... la suite à plus tard... »

Et, se levant, le comptable résuma brièvement :

« Le jeune Indien a pris la fuite, non sans avoir
auparavant coupé la tête d'un soldat pour l'emporter comme trophée dans sa tribu! C'est de cette manière qu'il a payé Rondon des bons traitements
dont le colonel l'avait gratifié. »

Alberto suivit des yeux M. Guerreiro qui avait
rejoint sa femme et qui la reconduisait à l'intérieur

de la maison avec force explications qu'il ne pouvait entendre, mais qu'il supposait propres à éviter
à Dona Yaya un spectacle répugnant. Il se leva également et se mit à arpenter la rive, en pensant à
son séjour à Todos-os-Santos et au péril auquel il
avait été en permanence exposé et qui lui faisait
encore peur, rétrospectivement...

Certes, la forêt vierge était belle, majestueuse,
imposante. Toute cette zone de la grande forêt
équatoriale était riche, serait même quelque jour,
pour le genre humain, une source inépuisable de
richesses fantastiques... oui..., mais quand? En attendant on étouffait dans l'immensité de la selve;
sa beauté — une volupté rare au premier contact —
ne tardait pas à devenir d'une désespérante monotonie, et durant longtemps, longtemps encore, des
générations de nouveaux débrousseurs succombe-
raient sans rémission, des milliers et des milliers
d'hommes brûlés par les fièvres paludéennes ou
percés par des flèches empoisonnées, et tous, tous
affolés par le désir de la femme, à en perdre la
raison, et pauvres et misérables au milieu des fastes
les plus somptueux de la nature.

Alexandrino vint se pencher sur le hamac, l'ouvrit et saisissant le cadavre de Procopio à bras-le-
corps, d'un seul coup, il le jeta sur son épaule.
Néron revint le regarder, le flairer, puis se retournant vers le Parintintin se mit à lui lécher la poitrine et la bouche. Alexandrino s'éloignait, et c'était
un spectacle grotesque et macabre que ce corps de

Procopio qui pendait décapité, sec, vidé, noirâtre
et harcelé par un essaim de mouches, tandis que
sur le fromager, les urubus alertés, flairant un repas
à leur goût, tendaient leur cou pelé et repoussant
de charognards.

.. ..

Le dimanche suivant, Firmino arriva plus tôt que
de coutume. S'étant assuré d'un coup d'œil circulaire que le comptable n'était pas dans le bureau,
il appela d'une voix timide :

« Missié Alberto, missié Alberto!...

— Ah! c'est vous Firmino, comment ça va? »

Le visage du mulâtre n'avait pas son expression
habituelle.

« Que s'est-il passé?

— Rien, missié Alberto. Vous allez bien?

— Toujours. Et vous, Firmino?

— Couci, couci... Je voudrais vous dire un mot,
missié Alberto.

— Dites...

— ... en particulier.

— Ah! bien! Des ennuis? »

Firmino ne répondit pas.

« Ne bougez pas. Je reviens. Ou plutôt, allez
dans ma chambre, là, au fond du couloir. Je vous
rejoins de suite. »

Alberto faisait toutes sortes de suppositions.
Quelque tuile, probablement. Pauvre Firmino! Il
rassembla les papiers épars sur son bureau, posa

dessus le pot de colle, sortit, referma la porte à clef derrière lui et alla rejoindre son camarade dans sa chambre.

« Me voici. Asseyez-vous. Remettez donc votre chapeau et ne vous gênez pas pour moi, Firmino. »

Firmino parla longtemps à voix basse et sur un ton confidentiel. Il racontait le drame qui le torturait et faisait appel à l'amitié qui les rendait tous les deux solidaires. Alberto l'écoutait avec attention comme si le mulâtre était son propre frère. Oui, il avait raison, à sa place il agirait de même. Le plus extraordinaire, c'est que Firmino ait pu tenir si longtemps dans la solitude.

« Entendu, je vous procurerai une lime.

— Il ne faut pas que ça vous dérange... et surtout qu'on ne sache pas que c'est vous. Sinon, je me débrouillerai tout seul.

— Voulez-vous vous taire!... Risquerait-on de le savoir que je vous procurerais tout de même cette lime, Firmino.

— Oh! merci, missié Alberto, merci.. Parce que arracher le poteau et les chaînes, il ne faut pas y penser à cause du bruit qui donnerait l'alarme, et tout serait aussitôt découvert.

— Vous trouverez la lime au pied du fromager et vous la remettrez au même endroit une fois votre affaire terminée. Le lendemain matin j'irai la remettre à sa place, là où je l'aurai prise. Mais, vous n'avez pas envisagé la possibilité de vous faire affecter à un autre centre, Firmino? Au Paraizinho, par

exemple? C'est un bon coin. Les Indiens n'y viennent que très rarement, n'est-ce pas, et les « chemins » ne sont pas tous abandonnés. Tout seul à
Todos-os-Santos, je comprends que vous ne soyez
pas tranquille.

— J'y ai bien pensé, missié Alberto, mais je ne
serais pas plus avancé... Jamais je n'en sortirai de
ce maudit *Paradis*... Les années passent et rien n'est
changé... Ma décision est prise. Je veux aller dans
le Machado où j'espère récolter plus de gallons
qu'ici et mettre un peu d'argent de côté... un peu,
c'est entendu... oh! je ne me berce pas d'illusions!...
juste le nécessaire pour retourner au Céara.

— Quand voulez-vous partir?

— Dimanche prochain. Une fois réapprovi-
sionné, je prendrai le sentier du centre et me cache-
rai à la lisière de la forêt. Un jour de semaine, c'est
trop dangereux... Il y a des Céaréens un peu partout, le dimanche, personne ne se méfiera. »

Une idée traversa l'esprit d'Alberto et le fit
hésiter :

« Il vaudrait peut-être mieux...

— Quoi, missié Alberto?

— ... C'est que... Ne vaudrait-il pas mieux attendre le retour de M. Juca?

— Pourquoi?

— A cause de M. Guerreiro. C'est entendu, il
est à l'abri de tout soupçon. Mais, n'empêche, Juca
ne pourra pas se sortir de l'idée que, s'il avait été
là, vous n'auriez pas pris la fuite, vous, Firmino.

En réalité, qu'il soit présent ou non, si vous êtes bien décidé à partir, rien ne vous empêchera de donner suite à votre projet. De la manière dont vous avez manigancé les choses, aucune difficulté ne se présentera. »

Alberto regrettait déjà ses paroles car il revoyait la clairière plongée dans le silence et la terrible solitude de Todos-os-Santos, plus terrible que l'éternité dans un tombeau.

Mais le mulâtre :

« Je vous approuve, missié Alberto, j'attendrai que Juca soit revenu. Dieu me garde de vouloir attirer des ennuis à missié Guerreiro!...

— Faites comme bon vous semble. Je vous répète que si vous préférez partir dimanche prochain...

— Non, vous avez raison. Je ne partirai qu'après l'arrivée de missié Juca. Quand j'aurai fixé la date, je vous préviendrai...

— Entendu.

— A tout à l'heure, missié Alberto.

— A tout à l'heure, Firmino. »

Et apercevant quelques fruits de la forêt sur la table :

« Et merci pour les *puruis*. Excusez-moi, je ne les avais pas remarqués.

— Oh! ce n'est rien... »

Alberto resta seul un bon moment afin de ne pas éveiller les soupçons. Il réfléchissait. Et si d'ici la fuite de Firmino les Indiens faisaient irruption à Todos-os-Santos et massacraient son camarade?

Après tout, ce n'était pas impossible. Il avait eu tort de lui conseiller d'attendre encore deux ou trois semaines avant de mettre son plan à exécution. Il n'avait pas le droit de retenir le misérable mulâtre plus longtemps dans cette épouvantable clairière. Il engageait sa responsabilité.

Il sortit en coup de vent pour rejoindre son ami et le persuader de s'en tenir à son premier projet. Mais Firmino se trouvait dans la véranda avec tous les autres et ce n'est que dans le courant de l'après-midi, dans le brouhaha et la cohue du ravitaillement, qu'il put lui faire signe et lui chuchoter par-dessus le comptoir :

« Partez dimanche prochain! »

De la tête Firmino lui fit un signe de dénégation.

CHAPITRE XIV

L'ÉVASION

Si ç'avait été un dimanche, il est probable que toute la population du *Paradis* se serait trouvée sur la rive, bouche bée, devant cette troupe d'une race inconnue qui se pressait d'un air mélancolique et déjà désabusé sur le pont inférieur du *Justo Chermont*. Ces gens-là, très nombreux, étaient caractérisés par une peau sèche, des pommettes saillantes et le regard éteint de ceux qui sont complètement étrangers dans un nouveau milieu. On y voyait des femmes bizarres, du même teint jaunâtre, et des enfants à la tête ronde et aux yeux obliques ressemblant à ces petites poupées exotiques que l'on trouve dans tous les bazars.

Alexandrino avait émis l'opinion que ce pouvaient être des Indiens civilisés par le colonel Rondon car, en fait de civilisés, personne ici n'en avait encore vu de ce genre-là.

Du coup, Juca Tristão était passé au second plan dans l'esprit de ceux qui l'attendaient, bien

qu'il ne cessât de sourire, penché sur le bastingage
du pont des premières.

« Qu'est-ce que peuvent bien être ces gens-là,
m'sieû Alberto? s'enquit João dont l'étonnement
croissait à mesure que le vapeur se rapprochait
de la berge.

— Ce sont des Japonais.

— Des Japonais?... Est-ce possible!... et c'est du
monde comme nous?

— Parfaitement. Le Japon est un grand pays. Ses
habitants ont la peau jaune. C'est là toute la différence...

— Alors, ce ne sont pas des Indiens?

— Des Indiens? Vous voulez rire! Ce sont des
hommes civilisés qui vont planter du manioc, de
la canne à sucre, du maïs dans les exploitations
de caoutchouc épuisées.

— Ah!... »

Il y avait déjà plusieurs mois que les journaux
de Manaos avaient annoncé la nouvelle. Des vastes
territoires de l'Amazonie allaient être livrés au
génie agricole des Japonais. La cote du caoutchouc
était tombée à rien. Le rêve de grandeur des premiers pionniers s'était effondré. Au moment de la
Grande Guerre, il y avait bien eu une recrudescence
d'espoir, mais ces dernières illusions s'étaient vite
évanouies dès qu'il fut certain qu'il entrait peu de
caoutchouc dans les nouveaux engins et que tout
ce matériel moderne destiné à détruire des vies
humaines en Europe, malgré leurs perfectionne-

ments, ne feraient pas ressusciter les hommes enterrés vivants dans les profondeurs de la selve amazonienne.

Il n'y avait pas d'espoir non plus du côté de l'in-
dustrie automobile nord-américaine. Malgré l'usure
quotidienne de millions de chambres à air et de
pneumatiques dans le monde entier, la dévalorisa-
tion du caoutchouc amazonien persistait! Cette matière première, qui aurait dû faire la richesse du
pays, était victime d'un mauvais sort impossible
à conjurer. C'est en vain que les grands financiers
des Etats-Unis avaient voulu organiser dans le bassin de l'Amazone la culture scientifique du caoutchouc et l'usinage et la manufacture de ce produit
sur place, la *borracha* ne payait pas. Le mal était
sans remède.

Le gouvernement de l'Amazonie résolut alors de
changer de tactique et de faire rendre à cette terre
endormie toutes les espèces de richesses qu'elle
thésaurisait depuis des temps immémoriaux. Les
autorités décidèrent de l'exploiter à outrance et de
faire appel à la main-d'œuvre japonaise, les Céaréens n'étant pas capables d'un travail rationnel
et rémunérateur. Dans le Sud, dans l'Etat de São-
Paulo notamment, les colons japonais avaient opéré
des miracles. Mieux que nul autre le Jaune a de
l'endurance au travail, l'entêtement et la patience
nécessaires pour mener une campagne de longue
haleine, de la persévérance, et il est dur aux priva-
tions.

On ouvrait donc le pays aux Nippons et, suivant un plan préconçu, on les installait dans les endroits les plus exploitables, sur les rivages du rio Branco, du Solimoes, du Purù, du Juruà, et la première fournée des Jaunes remontait aujourd'hui le Madeira.

Alberto s'intéressait moins à Juca Tristão, lui aussi, qu'à la troupe des Japonais. Dans ces immenses forêts, conquises tour à tour par toutes les races, fécondées par le sang des victimes qu'elles avaient faites depuis que des hommes s'y aventuraient pour les exploiter, est-ce que ces nouveaux venus d'Asie auraient plus de chance que leurs prédécesseurs?

Calmes et méthodiques comme ils le sont et passés maîtres en polyculture, est-ce que les petits Japonais réussiraient à dompter la sauvage forêt vierge et à faire taire, la nuit, toutes ces voix désespérées qui jettent l'alarme dans la brousse? Tempéreraient-ils les ardeurs du soleil du tropique dont les rayons réveillent la mort assoupie sous les eaux des marais qui croupissent sur des millions d'hectares? Alberto pensait à la clairière de Todos-os-Santos et voyait se dessiner comme une toile de fond, derrière les nouveaux conquérants du jour, la forêt comme une immense nécropole enfouie dans la selve luxuriante et plongée dans le silence écrasant et le vert lugubre du tout-puissant règne végétal...

L'amarre une fois jetée, le commandant Patativa vint se poster auprès de Juca Tristão.

Le maître d'équipage ordonna :

« Sortez la passerelle! »

M. Guerreiro monta le premier à bord, suivi de tous les autres. Après les salutations d'usage et l'échange des quelques mots de circonstance, on se retrouvait les mêmes qu'au départ du patron, avec le petit Juca en plus, qui venait passer ses vacances à la plantation, c'est-à-dire quinze jours à peine, jusqu'à l'arrivée de l'*Aymoré* qui le ramènerait à Bélem pour l'ouverture des classes.

Cet enfant était chétif, il avait la tête anguleuse et le menton pointu; ses lèvres esquissaient un sourire fourbe et décevant qui contrastait avec son âge.

Tout le monde redescendit à la file indienne, et le petit Juca posait à peine les pieds sur la berge que Tiago l'étreignait dans ses bras énormes, avec une telle passion qu'Alberto n'en revenait pas de voir le vieux Nègre misanthrope manifester tant de tendresse pour quelqu'un.

Juca Tristão s'arrêta.

« Et à moi, Elastique, tu ne me dis rien?

— Ah! mon petit patron! Il y avait si longtemps que je n'avais pas vu le petit Juca! Comme il a grandi! Dire que je l'ai vu pas plus haut que ça, vous vous souvenez, quand il grimpait sur mon dos? »

Et prenant un ton grave :

« Et vous, patron, comment ça va? Bon voyage? Et Dona Santa?

— Tout va pour le mieux. Et toi, comment t'es-tu comporté durant mon absence? M. Guerreiro me le dira, hein? »

Et, souriant et en excellente disposition d'esprit, Juca Tristão reprit la tête du cortège pour se diriger vers sa maison.

João se tenait sur le pas de la porte. Le comptable faisait part à Juca du changement opéré au sujet de la cuisine. Dona Yaya se présenta pour souhaiter au maître la bienvenue et lui annoncer que le déjeuner attendait les voyageurs.

« Vous devez avoir faim, dit-elle.

— Si j'ai faim! s'exclama Juca. Et toi? » demanda-t-il à son fils.

Le gamin eut un geste vague. Son air était distant.

On se débarrassa des petits détails urgents et, après avoir bu l'apéritif, tout le monde pénétra dans l'appartement de M. Guerreiro.

Alexandrino était partout à la fois et ne cessait de charrier sur son dos des sacs de farine, des caisses, des barils, toutes les marchandises embarquées à Bélem. Il y avait un va-et-vient continuel entre la maison et le rivage et vice versa.

« Au fait, s'enquit Juca, et Balbino, Binda et Caétano?

— Ils rentreront samedi. S'ils ne sont pas là, c'est que nous ignorions la date de l'arrivée du vapeur. »

On finit par se mettre à table, Juca Tristão à la droite de Guerreiro, à la place qu'Alberto avait coutume d'occuper, le petit Juca à côté de son père et Alberto en face de lui, près de Dona Yaya.

Parmi les changements qui le frappaient, Juca remarqua la présence d'Alberto. Il fouilla dans sa mémoire. Le Portugais avait-il coutume de manger à sa table? Mais il ne se fatigua pas à chercher plus longtemps, il était en verve et de belle humeur. Il ne cessait de poser des questions et trouvait à tout propos l'occasion de faire des compliments à Dona Yaya au sujet des heureuses transformations qu'elle avait fait faire dans son intérieur.

Le comptable résolut de mettre à profit cette heureuse disposition d'esprit :

« J'avais pensé, monsieur Juca, que vous ne verriez pas d'inconvénients à ce que je conserve ici ma cuisine? Ma femme n'aurait plus de raison de récriminer sans cesse contre les courants d'air et les rhumes de cerveau qu'elle attrape dans la véranda. Dans le Crato, je m'étais organisé ainsi, j'avais ma cuisine. J'en ai même touché un mot à Victoria, qui aiderait ma femme quand vous auriez besoin de João, à moins que vous ne préfériez partager nos repas.

— Vous êtes trop aimable. Ce serait beaucoup de travail pour Dona Yaya.

— Mais vous plaisantez. Vous nous feriez un immense plaisir.

— Et Caétano, Binda, Balbino, Alipio?... ça fait bien du monde tout ça. Non. Nous reprendrons nos anciennes habitudes.

— Comme il vous plaira. Mais si c'est la crainte de nous importuner qui vous arrête, vous pouvez sans façons passer outre.

— Nous verrons cela plus tard, nous verrons. Et nos hommes, comment travaillent-ils?

— Toujours pareil, pour ne pas dire pire. Ce qui les intéresse, à l'arrivée d'un navire, c'est le cours du caoutchouc. Ils sont découragés... Et là-bas, à Parà, qu'en dit-on?

— Ça ne va pas. On attend, on attend... **B. B.** Antunes m'a dit qu'il ne fallait pas désespérer. Pour ma part, je n'ai guère confiance. Le caoutchouc ne donne rien et les frais généraux nous dévorent. L'argent file sans qu'on sache comment, à des riens. Je ne sais quelle décision prendre. Je me suis rendu dans ma ferme du Marajo. Ça me paraît bon. On verra bien. En tout cas, j'ai diminué les achats. Antunes voulait forcer la note, mais je m'y suis opposé énergiquement. Je n'entends pas augmenter mon débit chez eux, et je n'ai pas envie de boucher avec mes revenus du Marajo les trous que font ici les *seringueiros*. Si le caoutchouc ne rapporte plus, tant pis! Je ne veux pas perdre... »

De sa place Alberto ne trouvait plus les mêmes objets dans son rayon visuel. Tout était changé. Il découvrait sur la cloison qui lui faisait face des détails qui lui avaient échappé jusqu'alors. C'était la première fois qu'il se trouvait assis à côté de Dona Yaya. Mais, au milieu de la confusion que

l'arrivée de Juca Tristão avait provoquée dans tous
les esprits, ce voisinage n'avait plus la vertu de
le troubler.

Dès le lendemain, João alla retrouver son an-
cienne cuisine et Alberto alla s'asseoir à la table
de Juca Tristão. Il était son employé. Les vivres
en supplément nécessités par cette nouvelle disposition de deux tables passeraient au compte de
M. Guerreiro.

Juca présidait. Alberto faisait face au petit Juca.
Le samedi ils changeaient de place à cause de la
présence des inspecteurs. Binda lui faisait alors
vis-à-vis, heureusement, car son antipathie pour
le gosse ne faisait que croître.

Froid, sec, distant, arrogant, ce gamin l'agaçait.
Il abusait de sa qualité de fils du patron pour se
permettre toutes sortes d'impertinences. A maintes
reprises Alberto s'était retenu de lui envoyer une
paire de claques tant la servilité des autres, de
João, d'Alexandrino, de Tiago, qui comblaient le
jeune Juca de prévenances et d'attentions, l'exas-
pérait. On ne voyait plus que le vieux Nègre
traînant sa jambe infirme dans tous les coins et
les recoins de la propriété pour dénicher des fruits
rares et savoureux que le sale gosse acceptait avec
une froideur et une indifférence affectées, comme si
ces gentillesses lui étaient dues. Seul le père montait dans l'estime d'Alberto. Depuis que son fils
était là, Juca était devenu bon enfant, expansif

et généreux au point de perdre sa froideur habituelle pour devenir familier. Il parlait d'abondance de sa vie à Bélem, des cinémas, des réjouis-
sances du dernier carnaval.

A sa descente l'*Aymoré* s'arrêta au *Paradis* et
le petit impertinent disparut.

Dès ce jour, les repas s'écoulèrent dans un
morne silence. João avait retiré sa chaise désormais
inutile, mais la présence du jeune Juca s'imposait
encore. Le père était désemparé et, surtout le premier soir, le dîner fut triste. Juca Tristão montra
un visage renfrogné et persista dans son mutisme
jusqu'au cognac, dont il fut le seul à boire : le
comptable, Alberto, ce soir-là ses seuls partenaires
aux cartes, mettaient une sorte de coquetterie à
n'en pas prendre.

Le samedi soir, les repas reprenaient de l'animation grâce à Binda, Caétano, Balbino. Juca et ses
inspecteurs étaient de la même souche, leurs corps
étaient pétris du même limon, le même sang épais
coulait dans leurs veines. Juca trônait, souriant,
sensible aux flatteries. Il pouvait boire sans rete-
nue, dire tout ce qui lui passait par la tête, être
pleinement lui-même sans éprouver la vague sensation de son infériorité comme en présence de
M. Guerreiro. Le patron supportait avec peine
le langage distingué du comptable et son aménité
courtoise qui en imposait à tout son entourage.

Juca n'avait pas été sans remarquer que les
seringueiros avaient de la sympathie pour cet

homme dont les façons étaient faites de politesse
et en face de qui ils se retrouvaient non plus des
esclaves, mais des êtres humains. Il en était secrètement jaloux, se demandant de quels moyens tortueux s'était servi Guerreiro pour arriver à ce résultat, et il se méfiait de lui. Balbino avait découvert ce sentiment de rivalité parce qu'il souffrait
du même mal. Lui aussi était un envieux, et il y
avait déjà longtemps qu'il ambitionnait la gérance
de la plantation. Il profitait de chaque voyage de
Juca pour envenimer la plaie à son retour en
faisant toutes sortes d'insinuations, que ses collègues
soulignaient avec joie, car M. Guerreiro ne les fré-
quentait pas en dehors du service.

« Oui, monsieur Juca, Balbino a raison, parfaitement raison sur toute la ligne », affirmaient-ils
autour d'une bouteille de cognac dès que Balbino
faisait une venimeuse insinuation.

On faisait également des allusions au sujet d'Alberto qui durant l'absence de Juca avait singuliè-
rement monté dans les papiers du gérant. Alberto,
qui savait que dès qu'il avait le dos tourné les
langues travaillaient dur et avaient toute licence
pour dénigrer le comptable, ressentait pour
M. Guerreiro une amitié plus grande encore. Le
comptable était beaucoup plus qu'un supérieur
auquel il devait obéissance, c'était un ami ca-
lomnié.

Entre l'heure de la fermeture du bureau et
l'heure du dîner, Alberto se rendait maintenant

tous les soirs dans le petit jardin des Guerreiro qui
commençait à verdoyer. Il savait que cela déplaisait à Juca, mais il était trop heureux de pouvoir
donner cette preuve de dévouement au comptable.
L'ennui, c'était de rencontrer Victoria chaque fois
qu'il traversait la véranda privée. La vieille Négresse affectait de ne pas le voir, de même qu'elle
allait prendre le linge à laver quand Alberto n'était
pas dans sa chambre.

Suivant les prévisions d'Alberto, Dona Yaya descendait souvent au jardin. Ils se promenaient ensemble, s'arrêtaient devant les plates-bandes, bavar-
daient de choses futiles. Il partageait sa joie et son
enthousiasme quand elle découvrait les premières
feuilles de salades qui pointaient timidement. Son
esprit malin l'avait abandonné. Il lui arrivait d'observer le visage de cette femme, sa démarche, ses
attitudes, et il était furieux contre Balbino qui
s'était une fois permis d'insinuer que Dona Yaya
avait été la maîtresse de Juca.

Il voyait en elle l'épouse irréprochable de son
ami, privé par ailleurs de solide affection. Le temps
où il voulait la voir sous un autre jour lui paraissait maintenant une chose inouïe. L'idée de son
rachat, l'espoir de voir bientôt s'ouvrir devant lui
la voie de la liberté le rendait à la vie, à sa vie.
Néanmoins les journées qui s'écoulaient lui semblaient interminables car il attendait la réponse
de sa mère et son impatience était si grande qu'il
n'en dormait pas.

Enfin, cette lettre tant désirée arriva et son cœur ruissela de tendresse.

« Pauvre maman! »... Qu'avait-elle bien pu vendre ou porter au mont-de-piété?... Ses quelques bijoux?... ou ces vieilles poteries chinoises que son grand-père avait rapportées de Macao et auxquelles elle tenait tant?... A moins que tante Magarida n'ait avancé l'argent?...

Alberto lut et relut la lettre de sa mère :

« ... Je t'envoie tout ce que tu me demandes et ne te fais pas de soucis à ce sujet car ça n'a pas été trop difficile. Avant tout, mon fils, je veux t'avoir auprès de moi, et le plus tôt sera le mieux. Tu ne peux te faire une idée combien j'avais peur de mourir sans te revoir... »

Alberto porta la lettre à ses lèvres.

Une vive réaction succéda à cet accès d'attendrissement. Dieu, maintenant il était libre, libre!

Il sortit de sa chambre, prit le couloir en courant, s'arrêta dans la véranda pour préparer ses phrases, puis, d'un pas résolu, entra dans l'appartement privé de Juca.

Le patron était assis dans un rocking-chair. Il était en train de lire le courrier que lui avait apporté le *Campos Sales*. Il leva la tête en voyant Alberto hésiter sur le seuil.

« Vous désirez?

— Oh! ça ne presse pas...

— Parlez.

— Achevez votre lecture, je vous en prie, j'attendrai...

— J'ai terminé... Qu'y a-t-il? »

Juca posa, sur une chaise, près de lui, les lettres qu'il avait sur les genoux.

« Excusez-moi de vous déranger, dit Alberto, mais je pouvais attendre. »

Et il se décida brusquement, voyant Juca attentif :

« Voilà, j'ai été amnistié depuis quelques mois, vous le savez peut-être?... Du moment que je puis rentrer au Portugal, je voudrais y retourner pour terminer mes études... »

Il hésitait. Il ne se souvenait plus des phrases préparées à l'avance. Il craignait que ce qu'il avait à dire ne parût arrogant.

« Et alors?

— Ma mère m'a envoyé de l'argent... Or, je vous dois encore une certaine somme et je... »

Il se tut. Il ne savait comment continuer. De son côté, Juca Tristão gardait le silence, puis, froidement, il lui demanda :

« Combien me devez-vous?

— Quatre cent dix-huit...

— Bon. Vous pouvez considérer que tout est réglé.

— Mais non. Voyons, monsieur Juca... je ne sais comment vous remercier... Ce n'est pas possible, l'argent arrive...

— Vous ne me devez plus rien. Si je ne vous ai pas augmenté quand M. Guerreiro m'en a parlé, c'est à cause des affaires qui sont mauvaises.

— Ce n'est pas ça qui me fait partir, monsieur Juca. Vous n'ignorez pas que, lorsque j'étais étudiant, je me suis mêlé à une révolution. Ensuite...

— Qu'il ne soit plus question de tout cela. Quand partez-vous?

— Je pensais embarquer sur le *Campos Sales*, quand il redescendra. »

Juca Tristão réfléchit un instant :

« J'aimerais autant que vous attendiez un autre bateau, dit-il. Il me faut trouver un remplaçant ou faire revenir Binda du centre. Mais j'aimerais autant qu'il reste là-bas et chercher quelqu'un à Humaythà pour le bureau.

— A vos ordres, monsieur Juca. J'attendrai un autre bateau.

— D'accord. C'est préférable. Vous avez le *Sapucaia* qui passe à la fin du mois.

— Je partirai donc par le *Sapucaia*. Encore une fois merci, merci pour tout... »

Juca fit un léger mouvement de tête et reprit ses papiers.

Alberto sortit fortement impressionné. Il n'en revenait pas. Quelle aubaine! L'annulation de sa dette faisait bigrement bien son affaire. Il pourrait effectuer le long voyage dans de bien meilleures conditions et, par-dessus le marché, il lui resterait

encore quelque argent de poche en débarquant à
Lisbonne. Juca était un meilleur type qu'il ne l'aurait cru. La générosité soudaine du patron du *Paradis* effaçait la mauvaise impression qu'il lui avait
faite au début.

Mais sa reconnaissance fut de courte durée. En
fin de compte, Juca Tristão lui faisait cadeau de sa
dette sans beaucoup en souffrir et pourrait-il jamais lui payer les souffrances qu'il avait endurées à
Todos-os-Santos? Non, n'est-ce pas... Personne au
monde n'était assez riche pour le dédommager de
tout cela car lui seul savait ce qu'il avait pu endu-
rer durant l'année qu'il avait passée dans la petite
clairière perdue au cœur de la forêt vierge.

Mais cet argument lui parut faiblard. Alberto
était d'un tempérament inquiet. Il estima la question mal posée. Etait-il donc le seul à mériter cette
légitime restitution? Et les autres? Oui, les autres,
tous ceux qui avaient passé beaucoup plus de
temps que lui dans la prison de la forêt, ceux
qui y avaient épuisé toute leur jeunesse, toute leur
vie, et perdu courage, ceux qui restaient jusqu'à
la fin, sans illusions, désespérés, n'entrevoyant aucune issue possible, ceux qui se savaient condamnés
pour toujours?... Et si lui n'avait pas été de race
blanche, s'il n'avait pas bénéficié de la sympathie
de M. Guerreiro, s'il n'avait pas été apte à rem-
placer Binda au magasin, si les circonstances ne
l'avaient pas favorisé, si, au lieu de jouer aux cartes
avec le patron, assis à sa table, il était resté à

Todos-os-Santos simple *seringueiro* comme Firmino, comme tous les autres malheureux qui faisaient rendre à la plantation ses richesses, s'il avait
été plus longtemps un de ces esclaves, est-ce que
Juca lui aurait fait cadeau de sa dette? Non, à
coup sûr, mille fois non! Les hommes sont bons ou
mauvais les uns envers les autres selon le rang
et la position sociale qu'ils occupent respectivement
les uns par rapport aux autres...

Ce jour-là et tous les jours suivants, Juca se
montra amical envers Alberto et, à l'heure du
dîner, il l'interrogeait sur sa famille, sur la politique portugaise, et s'intéressait à son passé et à ses
projets d'avenir.

« Ainsi, vous êtes royaliste?

— Pardon, je l'ai été.

— Ah! j'y suis! Vous avez donné votre adhésion
à la République?

— Pas davantage. Aujourd'hui monarchie et république me sont totalement indifférentes. J'ai
appris trop de choses ces temps derniers, surtout
depuis que je suis ici.

— Alors?

— Eh bien, je n'ai plus que de vagues aspirations. C'est une sorte de lutte que je poursuis entre
ma conception esthétique de la vie et une soif de
justice universelle... Mais je finis par croire que
la passion politique passe au second plan quand
on est exilé de son pays... Ainsi, moi, pour l'instant, je n'ai plus d'opinion... Mon évolution... »

Le visage de Juca reflétait une totale incompréhension.

« Et votre mère, que dit-elle de tout cela? demanda-t-il.

— Ma mère?... »

Alberto comprenait bien que l'intérêt que Juca portait à sa mère était dû à son prochain départ. Maintenant que toute barrière de patron à employé était tombée entre eux, l'homme se montrait familier, paternel, presque affectueux, et devenait beaucoup plus sympathique. Alberto en était influencé au point que lorsque le dimanche suivant Firmino, penché sur le comptoir, lui murmura : « C'est pour aujourd'hui, missié Alberto! », il dut s'avouer que la promesse faite à son ami était bien aventurée et que le geste qu'il devait faire pour s'exécuter était risqué. Mais son hésitation ne dura qu'une seconde. Non, il ne pouvait pas abandonner Firmino. Il devait l'aider. Ce qu'il allait faire était juste. C'était même très juste.

Le mardi suivant, Caétano arriva à fond de train sur son alezan. Il l'arrêta pile sous l'ombrage du fromager et l'animal fléchit sur ses pattes de devant et s'abattit de tout son long, le corps couvert d'écume. Caétano avait déjà bondi sur le perron. Il monta l'escalier quatre à quatre et s'engouffra dans la véranda, en criant :

« Monsieur Juca! monsieur Juca! où est monsieur Juca?

— Dans le bureau », répondit João.

Le patron dictait une lettre d'affaire quand Caétano fit irruption dans le bureau avec la violence d'un homme qui a perdu tout son sang-froid.

« Patron!

— Ah! c'est vous, Caétano...

— Patron, Manduca a disparu!

— Qu'y a-t-il?

— J'ai tout lieu de croire que les Indiens n'y sont pour rien, cette fois-ci. J'ai battu tout son « chemin ». Pas trace de l'homme! En outre, je n'ai pas trouvé ses affaires dans sa cabane...

— Parti?

— Ben, il me semble, le salaud!

— Alors, c'est lui le voleur qui a pris le canot? constata froidement Juca, en se tournant vers M. Guerreiro.

— Ah! vous êtes au courant?

— Je sais qu'on m'a volé un canot et que le coupable est une de ces crapules de *seringueiros*. Et les autres?

— Les autres?... Mais depuis que Procopio a été tué par les Indiens, il ne reste maintenant plus que le seul Zé-Préguça à Popunhas.

— Je sais. Parti?

— Non, lui est resté. Il m'a déclaré n'avoir pas vu Manduca depuis dimanche. J'ai d'abord supposé que l'homme se trouvait aux alentours, ivre mort, mais, dans ce cas, il n'aurait pas touché à ses affaires... »

De nouveaux pas retentirent dans la véranda. Le visage sévère de Balbino apparut dans l'embrasure de la porte.

« Nous allons bien voir, dit Juca. Alors, Balbino, on s'est défilé, paraît-il?

— Vous le saviez? dit Balbino surpris.

— Un?

— Non. trois. Deux d'Igarapé-Assù, et celui qui était à Todos-os-Santos, Firmino. Et à Popunhas?

— Manduca », répondit Caétano.

Comme les autres, Alberto écoutait, debout, ces nouvelles d'une entreprise désespérée. Il s'efforçait de ne pas se trahir par son attitude.

Juca cria en colère :

« Les cochons! les sombres crapules! les voleurs sans vergogne! Ils ont bouffé ma croûte et maintenant ils filent pour ne pas payer la note! C'est bien cela, n'est-ce pas, monsieur Guerreiro? »

Alberto porta les yeux sur le comptable qui se borna à esquisser un vague geste.

« Le montant de leurs comptes, s'il vous plaît?

— Alberto, le livre des comptes courants, je vous prie.

— Vous n'avez aucun indice sur la direction qu'ils ont pu prendre?

— Comment le savoir? s'ils ont descendu la rivière, ils ont évité de ramer. Mais en amont, il n'y a pas de plantation qui paie bien. Que supposer? S'ils se rendent à Humaythà, l'ami Bacelar les fera coffrer. Et s'ils remontent la rivière... Hier soir, lorsque le bateau de Calama est passé, j'ai donné à l'équipage le signalement du canot, en leur recommandant, le cas échéant, d'appréhender les occupants et de les prendre à bord. Lorsque João m'a dit que la chaîne avait été limée, j'ai immédiatement compris qu'il s'agissait d'une évasion.

— Ils ont limé la chaîne ?

— Parbleu, pour prendre le meilleur canot. »

Penché sur les comptes courants, Alberto annonça :

« Manduca devait un conto sept cent vingt-trois. Firmino, un conto et deux cents... Quels sont les autres?

— Romualdo et Aniceto », répondit Balbino.

Alberto feuilleta le livre :

« Romualdo, deux contos six cent quarante... »

Juca éclata :

« Deux contos et six cents!... Cochon! salaud!... Et moi qui m'apitoyais sur son sort! Suis-je assez idiot! Il est venu pleurer dans mon giron, alors, je lui ai laissé prendre des pilules contre la fièvre, une véritable fortune. Qu'il en crève et que le diable le brûle! Je me suis fait rouler comme un imbécile, et voilà la récompense!... »

Un court silence, puis la voix d'Alberto :

« Aniceto devait huit cent quatre-vingt-dix...

— Huit cent quatre-vingt-dix! Un conto, quoi! Avec les deux contos six cents de l'autre, nous sommes presque à quatre. Et Manduca?

— Un conto et sept cents...

— Soit cinq contos et quelque. Et Firmino?

— Un conto et deux cents...

— Total six contos, pour ne pas dire sept, jetés par la fenêtre. Et moi qui me prive de ma femme et de mon fils pour eux! pour que ces salauds-là me dévalisent! Car c'est du vol, du vol organisé, du banditisme. Dire que je pourrais me reposer bien tranquillement dans ma ferme du Marajo. Ah! si je les attrape!... »

Personne n'osait ouvrir la bouche. Excité, les lèvres gonflées de rage, les bras faisant des gestes, Juca allait et venait dans le bureau comme un lion en cage. Enfin, il se planta devant Balbino et Caétano :

« Fichons le camp », dit-il.

Et de la véranda il cria à Alberto :

« J'achèverai de vous dicter la lettre plus tard. Pour l'instant je n'ai pas l'esprit à ça. Entendez-vous?

— Oui, monsieur Juca. »

Guerreiro et Alberto restèrent seuls dans le bureau.

« Quelle histoire! » fit le comptable en se remettant à ses écritures.

Penché sur des paperasses, Alberto s'efforçait de fixer son attention sur son travail. Que pensait M. Guerreiro de tout cela? Son cœur était-il avec les fugitifs? Le comptable restait impassible. Aucun contact ne s'établissait entre eux. Le silence était lourd. Beaucoup de lumière dans la pièce. Des grandes flaques de soleil s'étalaient sur le parquet.

Alberto pensait : « Firmino ne m'avait pas dit qu'il partait en compagnie... Et si on réussit à les arrêter?... Si on découvre que c'est moi qui ai fourni la lime?... »

Dona Yaya vint annoncer le déjeuner, salua Alberto et resta plantée là, en attendant que M. Guerreiro eût terminé une addition.

Alors, Alberto resta seul dans le bureau. « ... Et si l'on découvrait le pot aux roses? se demanda-t-il... Eh bien, tant pis! J'ai bien fait... » Et il répéta à haute voix : « Parfaitement, monsieur, j'ai bien fait... » Sa conscience était tranquille. Que devaient-ils, après tout, ces hommes-là? Il y avait belle lurette qu'ils avaient payé quatre, et même cinq fois la valeur de ce qu'ils avaient consommé au *Paradis*.

Il se leva et, apercevant la blague à tabac que M. Guerreiro avait oubliée sur son pupitre, il l'ouvrit, se roula une cigarette et la fuma tranquillement, assis sur le rebord de la fenêtre.

Il entendit João l'appeler :

« Le déjeuner, m'sieû Alberto! »

Il sortit, pressé de retrouver le patron et ses séides car, lui présent, les soupçons avaient moins de chance de se préciser et l'on émettrait moins d'hypothèses sur les préparatifs de la fuite.

Quand il entra dans la salle à manger, Juca et les deux inspecteurs étaient déjà à table. Le sujet

de la conversation était naturellement l'événement
du jour.

« Il est probable que Manduca a fui par peur
des Indiens, mais les autres? dit Caétano.

— Et Firmino à cause de Féliciano, dit Balbino.

— Soit. Mais Romualdo et Aniceto?... Pour atteindre Igarapé-Assù les Indiens sont obligés de
passer par Todos-os-Santos. Voyons, Caétano, réflé-
chissez, ce n'est pas là la vraie raison, ce n'est pas
la peur. Ils se sont enfuis parce qu'ils sont tous des
crapules et des cochons.

— Si j'ai dit cela, ce n'est pas pour les excuser,
patron. Les Indiens ont tué Procopio. Ils pouvaient
tout aussi bien tuer Manduca, suggéra Caétano
pour appuyer son opinion.

— Un homme de sa taille, et armé d'un fusil,
vous plaisantez! »

João posa sur la table le *moqueado* cuit à petit
feu et enveloppé dans une feuille de bananier.
Juca prit de la sauce et des piments, mais pas de
poisson. Il toucha également à peine au gigot
de cerf entouré d'olives et se contenta d'en chi-
poter une mince tranche dans son assiette. Il n'avait
pas d'appétit et personne n'osait plus parler, ne
sachant que dire ni comment s'exprimer. C'était
une bien médiocre consolation pour Juca que de
se sentir entouré de muettes sympathies. Et l'atmosphère s'envenima encore lorsque, vers la fin du
repas, Alipio, plus flegmatique et plus inexpressif
que jamais, entra dans la pièce :

« Combien? »

L'inspecteur de Laguinho s'attendait sans doute à un tout autre genre de réception, il resta interdit.

« Mais parlez donc, nom de Dieu, combien, dites? s'impatientait Juca.

— Dico...

— Seul?

— Seul. »

Alberto craignit pour ses oreilles, il s'attendait à une nouvelle bordée d'injures. Mais il n'en fut rien. Juca réfléchit quelques secondes, les yeux baissés, et d'une voix calme, il dit :

« Asseyez-vous, Alipio, et réconfortez-vous. »

L'inspecteur obéit. Dans le silence qu'imposait l'attitude du patron on put entendre Balbino demander à voix basse :

« Dico... c'est bien celui qui a un trou à l'oreille, n'est-ce pas?

— Oui », répondit Alipio.

Juca Tristão intervint :

« Ne parlons plus de ça, je vous en prie. »

João servait le café lorsque Alexandrino parut.

« Patron, ce monsieur est ici...

— Où?

— Dans la véranda.

— Pourquoi ne l'as-tu pas fait entrer?

— Il m'a prié de l'annoncer...

— Dis-lui d'entrer. »

Alberto porta les yeux vers la porte. Le poids qui l'oppressait s'évanouit. On lui avait déjà trouvé un remplaçant. Juca Tristão avait écrit à son ami Salomon Lévy qui jouissait à Humaythà d'une situation particulièrement prospère. Il lui avait demandé de lui trouver un employé de bureau, sérieux et ayant beaucoup d'allant. Et voici que le *Paradis* recevait cet oiseau rare qu'Alexandrino était allé chercher dans sa pirogue.

C'était un tout jeune homme, un Juif, comme son protecteur, inutile de le dire. Sa peau, son nez, ses gestes, sa démarche lorsqu'il traversa la salle et s'approcha de la table, ses paroles mielleuses, tout en lui trahissait son origine.

« Monsieur Juca, n'est-ce pas, comment va votre santé?

— Excellente, merci. Mais... Voulez-vous me rappeler...

— Je suis le fils de Jacob Bensabat... Elias.

— Ah!... oui... j'y suis. Vous travailliez dans le magasin de monsieur votre père. Comment se fait-il qu'il vous envoie à mon service? Ici, c'est plus dur, vous le savez...

— C'est pour apprendre, monsieur. Et du moment que mon frère l'aide au magasin...

— Ah! je saisis. Asseyez-vous donc. Hé! João, João, apporte encore un couvert!

— Je vous remercie, monsieur Juca; mais j'ai déjà déjeuné dans le canot avec les provisions que j'avais emportées.

— Allons, laissez-vous tenter.

— Non, non, non, je n'ai pas faim.

— Un peu de café?

— Oui, très volontiers, ce n'est pas de refus. »

Elias s'assit en face d'Alberto et Juca se mit à l'interroger :

« Y a-t-il longtemps que vous travaillez avec monsieur votre père?

— Passablement de temps.

— Vous savez donc peser et mesurer?

— Oui.

— Et en matière de comptabilité?

— J'ai de bonnes notions. Mais j'apprendrai rapidement tout ce que l'on voudra, c'est facile.

— Bon. Alberto vous mettra au courant. Il nous quitte. Vous le remplacerez. Il est Portugais et il retourne dans son cher pays natal. »

Elias fixa les yeux sur Alberto et fit un signe de tête :

« Enchanté...

— De même.

— Pour l'instant, poursuivit Juca, vous coucherez dans sa chambre et quand il embarquera vous la conserverez pour vous seul.

— C'est parfait.

— Vous avez amené vos bagages?

— Oui, monsieur Juca.

— Dans ce cas, Alberto, vous pourriez aller lui montrer la chambre. »

Elias avala son café d'un trait, sortit avec Alberto, prit au passage dans la véranda deux petites valises et un paquet enveloppé dans un journal et, trébuchant et se cognant aux parois, s'engagea dans l'étroit couloir.

« C'est ici », dit Alberto, en ouvrant la porte de sa chambre.

Elias, qui voulait déjà tout apprendre et tout savoir, le questionnait sans arrêt tout en ouvrant paquet et valises. Alberto, penché à la fenêtre, répondait évasivement : « Oui... non... c'est bien cela... » Son esprit était ailleurs... Loin. Il comptait les heures... Il attendait l'arrivée du *Sapucaia* qui l'emporterait pour toujours.

Les crotons du jardin étaient plus splendides que jamais. Le jasmin en fleur était lyrique. Le ciel bleu éblouissant et le soleil du tropique fécondait de ses rayons la terre rouge du *Paradis*.

CHAPITRE XV

LE FEU AU « PARADIS »

L'ATTENTION d'Alexandrino fut attirée par un bruit cadencé de rames grinçant sur le bordage d'un canot. Il se rendit sur la berge en proie à une anxiété fébrile et ce qu'il vit confirma si bien ses suppositions qu'il fit demi-tour et passa en courant devant Tiago en train de faucher indolemment les *canaranas.*

« Les hommes reviennent... Les hommes reviennent!... »

A ces cris la maison entière fut en effervescence et tout le monde courut au débarcadère pour contrôler *de visu* l'exactitude de cette nouvelle sensationnelle.

Il fallut bien se rendre à l'évidence. Il y avait dix hommes, et Manduca, Firmino, Aniceto. Dico et Romualdo se trouvaient bien dans le canot qui approchait. On les reconnaissait aisément. Il n'en manquait pas un. La vaste embarcation se dirigeait lentement vers le *Paradis,* mettant en fuite les sauriens qui flottaient paresseusement à la surface de l'*igarapé* dans les reflets du soir tombant. L'homme qui se trouvait à la poupe tenait le gouvernail d'une main et de l'autre, maintenait son fusil dressé sur ses genoux.

Les gens massés sur la rive échangeaient des commentaires. Alberto, très excité, retrouva dans le regard de Juca la même expression dure et sévère qui l'avait tant frappé le jour où le patron avait appris l'évasion des *seringueiros*.

Juca ne prononça pas un mot. Il laissa même sans réponse une question que lui avait posée M. Guerreiro. Aussitôt que le canot accosta, il s'en alla, persistant dans son mutisme et dédaignant de partager la curiosité des autres qui se pressaient pour assister au débarquement des fuyards. Cependant, au moment de pénétrer dans la véranda, il héla Alexandrino et on le vit rentrer avec lui dans la maison.

Les prisonniers avaient un air humilié et lamentable. Les yeux baissés, comme des condamnés, ils débarquèrent en silence sur la berge boueuse. Leurs bras pendaient inertes le long de leur corps. Le soleil du couchant les éclairait de biais, faisant ressortir leur profil prognate de mulâtres et projetant leurs ombres démesurées sur le sol détrempé. Les derniers rayons ravivaient les couleurs déteintes de leurs haillons et doraient, au fond du paysage, la lisière de la jungle où serpentait le petit bras de la rivière.

Alberto ne pouvait détacher les yeux du visage

de Firmino dont il suivait tous les mouvements
avec émotion. Il rentra avec M. Guerreiro qui,
comme lui, en avait assez de cé lamentable spectacle. Ils montèrent tous les deux l'escalier de la
véranda et entrèrent dans la première salle, où se
trouvait Juca, en train de parler à voix basse
avec Alexandrino.

Le patron s'interrompit en les voyant entrer :

« Attendez un instant. J'ai encore quelque chose
à dire... »

Le comptable fit demi-tour, visiblement vexé de
cette impolitesse, et commença à faire les cent pas
dans la véranda en parlant de choses insignifiantes
pour ne pas avoir l'air de rien et finit par s'éclipser
sous un prétexte quelconque. Alberto, resté seul, se
planta devant la fenêtre ouverte et attendit.

Une atmosphère de drame latent enveloppait
toutes choses et l'agonie du soleil saignait sur le
bord vert sombre de la rive opposée. Justement la
troupe des prisonniers et leurs gardiens gravissaient
l'escarpement de la berge. Le canon d'un fusil apparut, puis la tête d'un personnage inconnu, puis
Aniceto et Manduca, puis encore deux autres têtes
et deux fusils, et, enfin, Firmino, Romualdo et Dico.
Les cinq *seringueiros* étaient conduits par cinq
autres hommes armés, et, à peine s'étaient-ils groupés qu'Alexandrino surgit pour descendre à toute
vitesse l'escalier :

« Par ici, par ici, suivez-moi! Vous irez ensuite
parler à M. Juca », dit-il aux hommes de l'escorte.

Les types se remirent en marche sur les talons
d'Alexandrino. Ils défilèrent devant la véranda.
En passant sous la fenêtre où se penchait Alberto,
Firmino leva les yeux. Ce que disait son regard, Alberto ne put le comprendre car il avait les yeux
embués de larmes et quand il eut surmonté son
émotion, le groupe entrait déjà dans le vieux baraquement où l'on emmagasinait le stock des boules
de caoutchouc destinées à l'exportation.

La nuit tombait. Une dernière lueur traînait encore sur la forêt de l'autre côté de la rivière. A
l'horizon, l'île de Lourenço, entourée de bancs de
boue séchée, perdait progressivement la netteté de
ses contours pour se noyer dans l'ombre envahissante, faire bloc avec le rivage, et ce crépuscule tragique ressuscitait dans la mémoire d'Alberto, il ne
savait pourquoi, le souvenir du geste meurtrier
d'Agostinho.

Comme tous les soirs, les *guaribas* bruyants s'envolaient à cette heure tardive pour aller nicher dans
cette île lointaine et leurs cris lugubres et prolongés
passaient d'une rive à l'autre pour venir réveiller
les échos assoupis du *Paradis*. Inlassablement et
calme, la large rivière poursuivait son cours, débordante de décombres et de caïmans, dont les silhouettes mobiles, imprécises et traîtresses passaient
comme les images incohérentes d'un mauvais songe.

Les oiseaux cessèrent de jacasser dans le fromager;
le rouge vif des cajùs brunit; dans l'arrière-plan se
dressaient les trois énormes palmiers en bordure de

la berge comme un portique donnant sur l'immensité vide...

Les cinq étrangers revenaient maintenant le rifle
en bandoulière et conduits par Alexandrino. Alberto se retourna. Le patron venait de s'accouder
à côté de lui.

« Venez ici, vous autres », cria Juca à ceux d'en
bas.

Les hommes montèrent, saluèrent avec respect et
allèrent appuyer leurs fusils contre le mur.

« De quelle plantation êtes-vous?

— Du Mirary. »

Le porte-parole sortit une lettre de sa poche et la
tendit à Juca. Le patron déchira l'enveloppe, mais
l'obscurité étant déjà trop grande, il rentra dans la
salle.

« Venez, venez », fit-il.

Le groupe suivit, avec, par-derrière, Elias et
Tiago, attirés par la curiosité.

Juca Tristão déplia la lettre, la lut à deux reprises et se mit à interroger les hommes du Mirary qui
conservaient leur attitude respectueuse.

« Alors, vous disiez qu'ils passaient?...

— Oui, patron. Le maître d'équipage du bateau
de Calama avait signalé à mon patron qu'ils arrivaient derrière eux, ramant comme des forcenés
dans le canot qu'ils avaient volé. Missié Lobato a
réuni tout le personnel et a dépêché trois pirogues.
Nous sommes restés immobiles comme si nous étions
en train de nous livrer à la pêche. Lorsqu'ils sont

arrivés à notre hauteur, nous avons engagé la conversation et leur avons offert un coup de *cachaça* s'ils voulaient venir boire avec nous à l'appontement. Ils ne sont pas tombés dans le panneau, car ils se méfiaient. Alors, nous avons pris nos *espingardas*, dissimulées dans le fond de notre pirogue, et nous les avons mis en joue. Malheur à eux s'ils avaient fait de même! Nous les aurions tirés comme des jaguars. Mais on n'a pas eu cette peine. Ils ont fait des têtes d'idiots et nous n'avons eu qu'à nous saisir de leurs fusils et amener la bande chez nous.

— C'est très bien. Je reconnaîtrai vos services. Vous coucherez ici cette nuit et demain matin je vous donnerai une lettre pour M. Lobato. Vous êtes employés chez lui, peut-être?

— Non, nous sommes tous des *seringueiros*. »

Alberto les considérait avec stupéfaction.

Etait-ce possible? Alors, maintenant, des parias, les victimes du même genre d'existence remplissaient aussi l'office de bourreau? De quelle matière ignoble est donc formée l'âme humaine pour que dans son propre malheur on trouve encore la force de se réjouir du malheur d'autrui?

« Et les affaires sont bonnes au Mirary? »

Les hommes haussèrent les épaules pour toute réponse.

« On extrait beaucoup de caoutchouc?

— Un gallon, un gallon et demi. Les arbres sont à sec », répondit le porte-parole.

Juca n'insista pas.

« Bon. Ça va. Allez à la cuisine vous réconforter. João vous donnera à manger. »

Intimidés, ils s'en allèrent à la cuisine et disparurent par la porte du fond. Alexandrino qui donnait depuis un moment des signes d'impatience, s'avança vers Juca : « Patron!... » Et il s'en fut lui murmurer ses confidences près de la fenêtre.

Alberto sortit de la pièce. Les odieuses paroles ne cessaient de s'entrechoquer dans son cerveau : « Nous sommes tous des *seringueiros...* » Ah! les pauvres gens!... et de la solidarité humaine, qu'en faisaient-ils, ceux-là?...

Arrivé au milieu de la véranda, il entendit Elias lui courir sur les talons :

« Alors, comme ça, les autres, ils ne mangent pas!

— Quels autres?

— Mais, les fuyards, pardine! enfermés dans le vieux baraquement...

— Qui vous l'a dit?

— Alexandrino. On les a ficelés à un poteau comme les anciens esclaves noirs et enfermés à clef...

— C'est vrai?

— C'est Alexandrino lui-même qui les a bouclés. Attendez, je me rends dans ma chambre et je reviens de suite. »

Elias disparut dans l'obscurité du couloir tandis qu'Alberto se remit à faire les cent pas dans la véranda. Une immense tristesse lui tombait dessus. Il bouillait d'indignation. Il pensait à son bon *camarada,* à Firmino, à Todos-os-Santos, à la vie

qu'ils avaient menée tous les deux, enterrés vivants
dans ce tombeau verdoyant de la forêt vierge, dans
cette petite clairière qui se rétrécissait tous les
jours, envahie par les nouvelles et les jeunes pous-
ses... et ce silence angoissant dans lequel elle était
plongée!... Il voyait le mulâtre seul, toujours seul
dans cette nécropole de verdure, dans cette cabane
si misérable qu'elle semblait abandonnée et vers
laquelle se tendaient sans répit pour l'étreindre,
l'étouffer, les lianes, les tenaces lianes de la
forêt...

Il entendait la voix de Firmino lui dire le jour
de son départ : « C'est beaucoup mieux pour
vous, missié Alberto, mais combien je vous re-
grette... »

Plus d'une fois, en marchant sur la tache de lumière qui filtrait de l'appartement privé de
M. Guerreiro, Alberto eut envie d'entrer et de
tout avouer à cet homme qui s'était toujours montré
compatissant. Il avait besoin de se confier à quelqu'un, de parler, de s'expliquer. Mais il hésitait.
« Non, ce n'est pas le moment », se disait-il.

« Le dîner, m'sieû Alberto, annonça João. Mais
où est donc m'sieû Elias?

— Dans sa chambre.

— M'sieû Elias, m'sieû Elias... le dîner!... »

Juca était resplendissant de joie. En attendant le
poisson, il ingurgitait des petites cuillerées de bouillon de farine. Pour lui faire sa cour Elias essaya
de tourner en ridicule l'aventure des malheureux

seringueiros. Mais Juca coupa court à l'ironie du Juif :

« Ne parlons plus de ça, compris? »

Etait-ce la conséquence d'une longue nuit d'insomnie, ou était-ce la vision des hommes enfermés dans l'obscurité du vieux dépôt qui tentaient de secouer l'ankylose qui gagnait leurs membres endoloris par les liens, ou était-ce à cause de l'atmosphère de drame qui planait sur la maison, mais en entrant le lendemain matin dans la véranda Alberto était toujours en proie à la même obsession : il ne pouvait détacher son esprit de la condition misérable des prisonniers et du triste sort qui les attendait. Aujourd'hui le soleil levant ne semblait pas luire avec la même lumière triomphante : la silhouette du fromager avait acquis une forme torturée; le jasmin et les *capims* n'offraient plus aux yeux la même fraîcheur reposante. Personne dans la véranda, et bien que cela fût normal à cette heure matinale, Alberto en fut désagréablement impressionné. La maison était encore plongée dans le silence. Cela sentait l'abandon, la fuite, et non le sommeil, comme si la vie se fût retirée du *Paradis* pour aller murmurer ailleurs un secret subtil et indéfinissable.

Alberto remarqua qu'Elias avait oublié de remplir sa première tâche de la journée. La lanterne était encore allumée dans l'escalier dont les marches salies étaient couvertes d'insectes aux ailes brûlées.

Alberto, dressé sur la pointe des pieds, s'apprêtait à souffler cette lumière inutile quand Elias accourut en criant de loin :

« Mais laissez, mais laissez donc, je l'éteindrai moi-même! Je viens de l'écurie et je me suis attardé à la cuisine pour prendre le café. Est-ce que vous connaissez la nouvelle? lui demanda-t-il quand il se fut approché.

— Quelle nouvelle? »

Comme le Juif ne répondait pas immédiatement à sa question, Alberto le considéra avec une certaine ironie.

Arrivé depuis quatre jours à peine, Elias connaissait déjà tout, avait à tout bout de champ quelque communication de première importance à faire, quelque parole confidentielle à placer. A l'affût des nouvelles et des cancans, il se faufilait partout et on le rencontrait dans tous les coins et les recoins de la plantation en train de flairer avec délectation quelque secret à surprendre. Comme beaucoup de sa race, il n'arrivait pas à satisfaire son insatiable curiosité des choses d'autrui.

« Alors?... »

Elias inspecta du regard toute l'étendue de la véranda et fouilla toutes les parties visibles du vieux baraquement, puis, assuré qu'aucune oreille n'était à l'écoute, il répondit par une question :

« N'avez-vous vraiment rien entendu cette nuit?

— Rien.

— Moi non plus; j'ai le sommeil très dur.

— Enfin, que s'est-il passé?

— João, il a tout entendu, lui.. et M. Guerreiro aussi, sans doute, car en sortant, Alexandrino a vu de la lumière dans sa chambre...

— Mais, en définitive, il a entendu quoi?

— Les hommes... Cette nuit, Alexandrino leur a administré le fouet, et ils ont crié...

— Il leur a administré le fouet, dites-vous?

— Oui, il a ouvert la porte et, dans l'obscurité, sans que les hommes puissent savoir de qui ça leur venait... vlan... vlan... et vlan!...

— Pas possible!

— Pas possible? Donnez-vous donc la peine d'aller à la cuisine et vous y verrez encore le fouet tout ensanglanté... On les a fouettés jusqu'au sang, je vous dis... D'ailleurs, je le tiens d'Alexandrino lui-même... João a tout entendu... Tiago aussi... Les hommes étaient attachés et ne pouvaient se défendre...

— Le misérable... »

Elias baissa encore la voix :

« Par ordre de M. Juca, vous savez... et privés de nourriture pendant huit jours...

— Laissez-moi... Allez-vous-en... ne dites plus rien... »

Elias resta planté devant Alberto, tout surpris de l'étrange impression que lui faisait l'annonce de cette nouvelle extraordinaire.

« Vous ne venez pas au bureau?

— Pas encore... Allez-y... Je vous suis... »

Alberto descendit l'escalier. Il alla s'asseoir sous le fromager. Il étouffait. « Les misérables!... les infâmes!... » murmurait-il.

... Et s'il allait voir?... s'il enfonçait la porte, et qu'il les libère tous les cinq?... Il la voyait, cette porte, elle était là devant ses yeux... Il entendait le bruit qu'il ferait en l'enfonçant. Alexandrino, Juca et peut-être même João accourraient attirés par le vacarme. Ils se jetteraient sur lui...

C'était inouï d'imaginer cette scène en plein jour. Tête basse, les yeux rivés au sol, il ruminait avec désespoir son impuissance.

« Bonjour, missié Alberto.

— Bonjour... »

C'était Tiago qui le frôlait en se dirigeant vers la rivière.

Le sinistre Nègre avait l'air en verve et fredonnait d'une voix pâteuse un air tout guilleret... Alors, lui aussi?... ne voilà-t-il pas qu'il se vengeait, ce sinistre pantin, des plaisanteries de Firmino, de Manduca, de Romualdo, et de tous les autres qui avaient pu l'appeler une fois « Elastique »!... Alberto le suivit des yeux. Jamais le vieux Nègre, avec sa jambe boiteuse, sa peau ridée et sa bouche de crapaud, ne lui avait paru aussi malfaisant... Ah! être obligé d'attendre encore, ne pas pouvoir quitter cet enfer séance tenante!...

Elias se montra sur la porte du bureau et vint le rejoindre.

« Qu'est-ce qu'il y a encore?

— Voudriez-vous m'expliquer quelque chose sur
le brouillon? Excusez-moi, mais si vous n'êtes pas
disposé à venir de suite, je puis attendre.

— Allons-y. »

Ils montèrent au bureau et, accoudé au pupitre,
Alberto fournit toutes les explications que son collègue lui demandait. Ensuite, il essaya de travailler,
mais il faisait des erreurs, biffait, effaçait, recommençait. La cime verte et jaune des crotons dépassait la fenêtre en face de lui. Un calendrier illustré
attirait son regard par son brillant. Les chiffres se
chevauchaient, s'estompaient, se confondaient. Lorsque, à onze heures, M. Guerreiro fit son entrée, Alberto lui trouva une physionomie différente que
d'habitude. Il avait les traits tirés et son visage
était creux.

« Bonjour, ça va bien? »

Et le comptable se mit au travail, penché sur le
Grand-Livre.

Alberto éprouvait un besoin irrésistible de lui
parler. Quelle était l'opinion de M. Guerreiro? Que
pensait-il? Alberto aurait tant voulu le savoir; mais
à cause de la présence d'Elias, il se contint. Par
deux fois, comme le nouveau commis donnait des
signes d'agitation, Alberto crut qu'Elias allait sortir. Guerreiro restait vissé à son pupitre, sans mot
dire, absorbé dans son travail, et quand Dona Yaya
vint avec sa régularité coutumière lui annoncer que
le déjeuner était prêt, le comptable posa la plume
immédiatement.

« Je te suis », dit-il en rejoignant sa femme.

Le couple sortit.

Alberto avait eu le temps de remarquer les yeux battus et la voix triste et lasse de Dona Yaya. Elle avait dû pleurer.

Et Elias, tournant la tête, chuchota :

« Les femmes ne sont pas faites pour supporter des choses pareilles... Avez-vous remarqué sa figure?... Elle a sûrement tout entendu... »

Alberto ne répondit rien.

A leur tour maintenant. Du dehors, João les appelait. D'habitude les jeunes gens étaient pressés d'aller déjeuner et au premier appel ils quittaient le bureau. Mais, aujourd'hui, cette voix était pénible à entendre... Evénement banal dans un cadre habituel et monotone : un cuisinier qui annonce le déjeuner... Alberto rêvait à la fenêtre. La véranda, la rivière qui coulait avec lenteur, la bananeraie de l'autre côté de l'*igarapé,* les plates-bandes de légumes, entourées de *jurubebas* et de *taxizeiros,* le vert foncé de la rive d'en face et les cris des *guaribas* cachés dans la solitude profonde; et derrière, les étables, les bourbiers, la désolation... et, enfin, là-bas, le mur menaçant de la forêt vierge, et le sentier en amorce, et Igarapé-Assù, et la clairière de Todos-os-Santos...

Et les mêmes éléments familiers et terrifiants à en avoir le vertige se brouillaient et se retrouvaient encore : la véranda, la rivière, le fromager, l'arbre à cajus, les trois palmiers... et la rivière et la vé-

randa, et João l'appelant pour le déjeuner... la
chambre et la véranda, le bureau et la chambre;
la lanterne brûlant toute la nuit dans l'escalier... Juca
Tristão, Alexandrino, les cartes, le jeu... toujours et
toujours les mêmes choses, la même vie, tous les jours
comme à bord d'un bateau... Et il ne se passe rien...
et il n'arrive jamais rien... et le temps passe... et, en
bas, dans le vieux dépôt à caoutchouc, des hommes... prisonniers, affamés, rossés...

Voyant que son compagnon ne bougeait pas,
Elias se leva en bâillant :

« J'ai une de ces faims! dit-il. On y va?

— Moi, je n'ai pas faim... je ne suis pas bien...
je vais m'étendre un instant... »

Elias étudiait son visage :

« Allons, venez... Ne pensez plus à toutes ces histoires... ça ne vous touche pas, après tout.

— Ça ne me touche pas?... Quoi?... Mais c'est
très simple : je ne vais pas à table parce que je n'ai
pas faim. Veuillez dire à M. Juca que je suis souffrant, que j'ai la migraine, des vertiges... Plus tard,
si j'ai besoin de prendre quelque chose, je le dirai à
João. »

Elias eut un sourire complice et sortit.

Alberto gagna sa chambre, accrocha la moustiquaire et se laissa choir dans son hamac, la tête
en feu. Il sursautait d'indignation. Il ne pouvait se
faire à ce tableau : des hommes attachés et fouettés
dans l'obscurité... Une peur subite s'empara de lui.

... Et si Elias, avec ses manières doucereuses,

allait suggérer à Juca Tristão que son indisposition
n'était que de la frime?... Cette idée le tourmenta
un bon moment. Le Juif en était bien capable. Rien
ne l'étonnerait de la part d'un tel individu... Eh
bien, tant pis!... S'il avait dû aller prendre place
à côté de Juca, à table, lui parler, lui sourire,
l'écouter, rien n'aurait pu le retenir, il aurait fait
un éclat...

Les heures passaient lentement... Il entendit les
pas d'Elias qui s'en retournait au bureau; puis,
ceux de M Guerreiro... Et, de nouveau, le silence...
Dehors, le piaillement des oiseaux dans les goyaviers était si monotone dans sa persistance qu'à la
longue on ne l'entendait plus... Tout était silence.
Il émit l'hypothèse que M. Guerreiro, le sachant
malade, pourrait bien venir lui rendre visite, mais
qu'en l'occurrence il ne viendrait pas, non que leur
amitié fût gâchée, mais à cause de cette chose monstrueuse qui s'était passée cette nuit et qui faisait
qu'ils s'évitaient à cette heure, à cause de la honte
que chacun d'eux en ressentait...

Au cours de cet interminable après-midi, la porte
s'entrebâilla une fois pour laisser passer la tête
grasse et mal rasée de João qui venait demander
si « m'sieû Alberto » n'avait besoin de rien... Oui,
une boisson quelconque, tout juste pour ne pas
tomber d'inanition, et, avant tout, qu'on ne le
dérangeât point : la fièvre le guettait; qu'on lui
donne une pilule de quinine, non, Elias lui appor-
terait cette pilule dans la soirée... Et après le départ

du cuisinier Alberto se sentit soulagé : grâce à
cette histoire de pilule il était dégagé de l'obligation d'aller dîner ce soir avec Juca Tristão.

. . . .

Il se réveilla en frissonnant.

Etait-ce un rêve ou un cauchemar?

Il écouta sans bouger des cris au-dehors...

On remuait des meubles. Des gens couraient dans
la véranda.

Dans le couloir, derrière la porte, la voix de
Tiago hurlait :

« Missié Alberto!... Missié Alberto!...

— Quoi?... Qu'y a-t-il?...

— Levez-vous, levez-vous vite!.... Le feu... il y a
le feu à la maison!... m'entendez-vous?...

— Oui oui... Vous dites que la maison brûle?

— Oui... Réveillez le Juif, qu'il se lève vite!... »

Une lueur étrange entrait par la fenêtre ouverte
et projetait un rectangle de feu sur le parquet
comme une nappe d'or en fusion.

Elias s'agita dans son hamac, se dressa, puis, tout
à coup effrayé :

« Qu'y a-t-il?... Qu'y a-t-il?...

— La maison brûle! Vite, fuyons! »

Ils se levèrent d'un bond et coururent à la fenêtre. Le ciel était rouge. On entendait des crépi-
tements ininterrompus, accompagnés d'un vol
d'étincelles en éventail.

Elias et Alberto enfilèrent rapidement leurs vêtements et sortirent par l'étroit couloir intérieur qu'éclairait déjà l'incendie.

Le terrain compris entre la véranda et la rivière n'était plus qu'une tache rutilante. Le fromager était ruisselant d'or et les tisserins, attirés par ce flot de lumière vive, pointaient leurs petites têtes noires hors des nids suspendus au bout des ramures. L'herbe était éclaboussée d'un jaune éclatant. La lueur, progressant sans cesse, allait lécher et sculpter en relief dans l'ombre les bananiers et les *embaubas* sur la rive opposée, puis, après avoir fixé les trois palmiers en un dessin précis, s'étendant toujours, la lueur de l'incendie déchirait l'obscurité des berges pour aller se perdre au milieu de la rivière, où elle planait comme un halo.

Le regard était meurtri par le spectacle grandiose et effrayant de la maison en flammes. Des langues, des mèches de feu flottaient sur le faîte du toit comme des drapeaux déchiquetés, puis se rabattaient sur le rebord du toit, léchaient la façade, prêtes à s'enrouler autour des piliers de bois de la véranda. Des volutes enflammées, roulées sur elles-mêmes et prisonnières dans l'appartement de Juca, à l'étage supérieur, faisaient éclater les fenêtres et tentaient de s'échapper par la toiture noircie. Les charpentes cédaient. De temps à autre un grondement venu de l'intérieur ajoutait sa note grave et ronflante au brasillement aussi doux et soyeux dans son murmure continu qu'un battement d'ailes envolées.

M. Guerreiro avait pris la direction pour lutter
contre l'incendie. Son visage était tragique. Il déployait une énergie qu'Alberto ne lui connaissait
pas et il ne cessait de donner des ordres :

« Allons, allons, jetez ça plus loin! »

De l'autre côté de la véranda une silhouette noire
charriait des meubles.

« Ne vous occupez pas de ça, Victoria!... Allez
chercher de l'eau, dans le seau, et faites vite... »

Puis, à Alberto et à Elias :

« Par ici, vous deux, vite, vite! »

Il se tenait près d'une échelle accotée au toit :

« Montez là et dégagez le toit! »

Arrivé au dernier échelon, Alberto se trouva de
niveau avec Alexandrino, qui, debout sur une pou-
tre dégagée, tentait, à coups de hache, de se frayer
un passage par le toit. Les lattes à nu et couvertes
de toiles d'araignées offraient une résistance dou-
teuse. Les flammes progressaient par bonds ou s'étiraient dangereusement. Et Alberto et Elias, se faufilant sur la gauche, allèrent se placer aux côtés
d'Alexandrino.

« Et M. Juca? demanda Elias.

— On ne l'a pas vu.

— Ah! Alors, il est là-dedans?...

— João et moi avons essayé d'aller voir. Mais les
flammes ne nous ont pas laissé passer. J'ai les mains
rôties et je n'ai plus un cheveu, ni sourcil. Si missié Juca n'est pas sorti par la porte de derrière, il
est perdu. »

Et d'un geste furieux Alexandrino arrachait les
tuiles qui se brisaient au sol avec un bruit sec.

Arrivé au sommet du toit, l'autre pente fut plus
facile à dégager et bientôt ils eurent ouvert une
brèche d'un rebord à l'autre, qui coupait la maison en deux. On voyait à travers les poutres
et les lattes. Au-dessous s'ouvrait comme un puits
de flammes qui dégageait une chaleur insoute-
nable.

La voix impérative de M. Guerreiro monta jusqu'à eux :

« Alberto... Elias... Vous, mettez-vous au sommet
de l'échelle... et vous, au milieu... on va former la
chaîne... Alexandrino déversera l'eau... »

D'en bas, João ne cessait de passer des seaux et
des seaux d'eau. De nombreux récipients rangés
sous le fromager reflétaient le ciel embrasé et le
lacis des branches du grand arbre. Dona Yaya, en
robe de chambre blanche, et Victoria, en jupon
et en camisole, faisaient la navette jusqu'à la rivière.

« Ne vous occupez pas des flammes, Alexandrino!
Répandez l'eau sur le plancher et sur les murs, à
l'intérieur... Entendez-vous?... »

Mais Dona Yaya était épuisée. Victoria, le torse
nu, suant comme au sortir d'un bain, trébuchant à
chaque pas, arrivait avec un seau à moitié vide.
L'escalade de la rive escarpée était pénible pour les
deux femmes, elles avaient beau se hâter et
João, assisté de M. Guerreiro, se démener comme

un démon pour passer les seaux sur l'échelle, l'eau
n'arrivait pas assez vite et l'équipe n'était pas assez
nombreuse pour lutter de vitesse avec les flammes
dévorantes qui atteignaient déjà la brèche du toit
et qui pointaient hardiment. D'innombrables flam-
mèches tombaient sur le trio des sauveteurs. Leur
situation devenait intenable. Et Elias parlait de
descendre dans sa chambre pour aller chercher ses
affaires avant que le feu n'eût atteint l'autre partie
du bâtiment, quand ils entendirent M. Guerreiro
donner de nouveaux ordres :

« João, criait-il, laisse ça. Attrape cette hache.
Va défoncer la porte du vieux baraquement et relâche les prisonniers. Qu'ils aillent puiser de l'eau
et au galop... Vite!... »

En entendant cet ordre, Alexandrino tressaillit
et jeta avec fureur le seau qu'il tenait à la main.

Soudain, l'incendie sembla vouloir décroître. On
entendit s'écrouler toute une partie du plancher
carbonisé. La fumée s'épaissit et les flammes bais-
sèrent de plusieurs mètres; mais, comme juste à ce
moment João faisait défaut, le sinistre reprit de
plus belle.

« Courez!... Courez!... Pour l'amour du Ciel,
faites vite!... »

Du haut de l'échelle Alberto vit les cinq hommes
libérés se pencher sur les récipients vides, les em-
poigner et courir avec tout ce qui leur restait de
force et d'énergie vers la rivière, où ils disparurent
derrière la berge. Le temps de passer le seau ap-

porté par Victoria, que déjà la voix de João le
hélait :

« Attrapez, m'sieû Alberto, attrapez... »

La chaîne s'était reformée. Alexandrino ne restait
pas une seconde les mains vides. Malgré ce renfort
inespéré l'assaut des flammes était loin d'être arrêté.
En bas, dans les décombres, le brasier ne cessait de
crépiter et les flammes s'élançaient, se repliaient,
reprenaient un nouvel élan. Mais l'incendie perdait
néanmoins du terrain, abandonnant des brandons
fumants et noyés d'eau. Au coin de l'aile de la
maison épargnée par le désastre, on apercevait le
tamaris tout rutilant d'or et, au loin, la lisière de
la forêt vierge légèrement touchée par la lueur des
flammes tombantes.

Dona Yaya, qui n'en pouvait plus et jugeant son
concours désormais superflu, était allée s'asseoir
sous le fromager. Enveloppée dans sa robe blanche,
les pieds nus dans des pantoufles, elle se hâtait de
renouer sa longue chevelure défaite. M. Guerreiro,
rassuré maintenant sur l'issue de la lutte dont il ne
cessait de surveiller les péripéties, vint s'asseoir à
côté d'elle et s'efforça de lui remonter le moral par
quelques paroles pleines de tendresse.

Un peu plus tard Alberto et Elias descendirent
rejoindre M. Guerreiro.

« Et M. Juca?

— A peine réveillé j'ai tenté de le sauver. Avec
Alexandrino et João, nous avons essayé d'enfoncer
sa porte. Impossible! Nous n'avons réussi qu'à nous

brûler. C'est terrible!... J'avais cru qu'il aurait
pu se sauver par le jardin. Nos recherches ont été
vaines. On dirait que le feu a été mis avec du
pétrole... Je ne peux pas arriver à comprendre comment cela est arrivé... »

Il se tut.

Personne n'osa le questionner davantage. Personne n'eut une parole de circonstance pour le
patron disparu.

Cependant le comptable sortit de son accable-
ment quand les cinq *seringueiros* vinrent à leur tour
se grouper sous le fromager, dans l'attitude de cou-
pables attendant leur condamnation.

« Allez puiser encore un peu d'eau et remplissez
les tonneaux en cas de nécessité, leur dit M. Guerreiro. Ensuite vous irez vous faire servir à manger. »

C'est alors que surgit de la nuit, derrière les hommes, traînant la jambe, le Nègre Tiago. Personne
ne l'avait plus revu depuis qu'il avait donné
l'alarme et personne n'avait pensé à lui. Dans les
lueurs mourantes de l'incendie son visage ravagé
était plus démoniaque que jamais. Le vieux sorcier
s'arrêta sous la partie du toit épargnée par l'incendie
et où se tenait toujours Alexandrino sous prétexte
de noyer les dernières fumerolles du brasier, mais
qui, en réalité, ne descendait pas parce qu'il craignait des représailles de la part des prisonniers.
Tiago leva les yeux sur lui, le dévisagea un moment, puis vint, s'appuyant sur sa canne, se mêler
lui aussi au groupe des gens réunis sous le fromager.

Dona Yaya allait justement se retirer. Le vieux ôta
son chapeau, sa chevelure blanche s'auréola de
lumière :

« Blanc, dit-il au comptable, envoie-moi en prison à Humaythà. C'est moi qui ai mis le feu à la
maison et qui en ai bouclé les portes afin que
missié Juca ne puisse pas en réchapper. »

Une stupéfaction muette accueillit cette déclaration. La bouche édentée du Nègre avait cessé son
mâchonnement continuel. Il se tenait raide comme
s'il avait été de bois. Ses traits étaient durs et accusés. Ses yeux, qu'il roulait, paraissaient artifi-
ciels :

« Envoie-moi à la prison, Blanc... »

Dona Yaya piqua une crise de nerfs et plongea
son visage épouvanté dans ses mains. M. Guerreiro,
comme soudain mû par un ressort, se dressa, empoigna le vieux Nègre par les épaules, le secoua avec
fureur :

« Misérable! criait-il. Misérable!... »

Sa femme, égarée, s'accrocha à lui :

« Laisse-le, laisse-le... Mon Dieu!... Au secours!... »

D'un geste violent, le comptable repoussa Tiago
qui alla tomber sur la poitrine d'Elias. Guerreiro
était hors de lui. Le visage rougi par les lueurs
sanglantes de l'incendie qui couvait encore, les lèvres humides et tremblantes de colère, il ne cessait de répéter :

« Et avec le feu!... Il a fait ça avec le feu!... »

Il ne pouvait comprendre cette révélation inouïe.

Dona Yaya l'étreignait, le couvrait de son corps, s'accrochait à lui. Il s'efforçait de se dégager.

« Laisse-moi, voyons... Et M. Juca qui l'aimait tant!... Le misérable!... »

Humble et serein, les yeux maintenant baissés, indifférent à la colère des autres, Tiago murmura :

« Moi aussi j'aimais beaucoup le patron. S'il avait voulu me tuer, je n'aurais même pas essayé de fuir. J'étais son ami. Mais missié Juca s'est oublié. Il a traité les *seringueiros* comme autrefois on traitait les esclaves. Je vous le dis, le temps est passé d'attacher des hommes à un tronc et de leur administrer des coups de fouet. Ça ne se fait plus. Il y a longtemps qu'il n'y a plus d'esclaves chez nous... »

Son regard chercha celui de Guerreiro et se mit à luire. Tiago pleurait.

« J'ai été esclave, dit-il. Je porte encore sur le dos les marques de la chicote du régisseur de là-bas, au Maranhão. Un Blanc ne peut pas se rendre compte comme un vieux Nègre de ce que vaut la liberté. Je le sais, moi...

— Allons-nous-en, murmura Dona Yaya, allons-nous-en, il est fou.

— C'est sous l'effet de la boisson que tu as fait ça? s'écria le comptable.

— Non, Blanc, je n'étais pas ivre. Missié Juca était mon ami. Je l'aimais beaucoup et je pleure son âme. Mais c'était un tyran. »

João intervint :

« Alors, c'est pour tuer m'sieû Juca que tu as mis le feu à la maison? Et si nous y étions restés, nous, tous?

— Il mériterait que je le fasse rôtir comme un porc! s'exclama M. Guerreiro.

— Laisse-le, laisse-le, allons-nous-en! » suppliait Dona Yaya.

Dédaignant de se retourner vers le cuisinier, le vieux Nègre répondit :

« Blanc, j'ai été te prévenir que la maison brûlait. J'ai également prévenu chacun pour que tout le monde sorte et se sauve à temps. Sauf celui-là qui est perché là-haut, je ne lui ai rien dit... Mais le cochon, il a eu de la veine, il aurait dû crever avec missié Juca. C'est lui qui a fouetté les prisonniers dans l'obscurité!...

Le groupe des cinq évadés s'était rapproché. Romualdo s'en détacha :

« Tiago, mon copain! » fit-il.

Le Nègre bondit et hurla avec fureur :

« Arrière, peste, arrière! N'avance pas! Si j'ai perdu mon âme et si je vais en enfer, ce n'est ni pour toi, ni pour les autres... c'est parce que missié Juca t'a traité en esclave, ainsi que tous les imbéciles de ton espèce... Si j'avais reçu le fouet comme toi, comme me l'a infligé jadis le régisseur du Maranhão, je n'aurais pas attendu. J'aurais tué missié Juca. Et je l'ai fait!... Un Noir est un homme libre. Tout homme est libre. »

Et reprenant une attitude soumise, il s'adressa à
M. Guerreiro :

« Tu peux me faire tuer si tu veux, Blanc. Je suis
déjà très vieux et il n'est pas nécessaire que je
vive plus longtemps. »

Le comptable, obéissant à une impulsion, ordonna :

« Enlève ce bandit de ma vue, João! Je te charge
de lui... » Et, saisissant nerveusement le bras de
Dona Yaya, il traversa le groupe et se dirigea vers
ses appartements.

Tiago prit lentement la direction opposée et
alla s'asseoir sous les palmiers, au bord de la
berge.

João, Elias et les *seringueiros* formèrent un nouveau groupe et commentaient les événements de
cette nuit tragique.

Alberto resta seul, assis sur le banc du fromager.

Il se voyait au Portugal debout dans un prétoire.
Le Nègre était assis dans le box des accusés. Lui
était vêtu d'une toge d'avocat et il s'employait à
plaider la cause désespérée de Tiago, ce macabre
et grotesque fantoche noir...

« Messieurs les jurés, Monsieur le juge!... Ce misérable n'avait qu'un ami... C'était... Ce misérable...
Monsieur le juge, messieurs les jurés!... Ce misérable... Ce misérable... »

Non, jamais plus... jamais plus il n'accuserait personne... Personne... Après ce qu'il avait découvert

en lui, après ce qu'il avait découvert chez les autres
depuis qu'il vivait au *Paradis*. Lorsque l'instinct
domine et réveille mille sentiments inconnus ou endormis et que des milliers d'arguments accablent le
cerveau et viennent vous troubler dans la solitude,
vous molester, vous ravaler au rang d'un primitif
ou de la bête, on ne peut s'en prendre qu'à l'im-
perfection de la création ou à l'illogisme de la vie...
à l'origine de l'homme... Mais le premier homme
était irresponsable lui aussi et sa figure énigmatique
s'égare dans les brumes des légendes ou des reli-
gions tout aussi bien que dans le dédale des hypothèses scientifiques, loin, très loin...

Non, de retour au Portugal, il ne pourrait pas
reprendre ou continuer ses études de droit car sa
voix d'avocat n'aurait pas assez d'ampleur pour
couvrir la voix de sa conscience humaine, incapable
d'accuser sans soulever des doutes et trouver des
excuses, pour réduire toute accusation à néant, car
on ne peut se pencher sur le gouffre insondable
des délits humains sans trembler de vertige et de
pitié.

Tiago ne bougeait pas. Alexandrino, qui avait
peur, persistait à rester en haut, accroupi sur le
rebord du toit. Le foyer s'éteignait peu à peu. Les
flammes n'étaient plus que les pétales d'une grande
fleur fantastique qui se fanait au cœur du foyer
ardent. La grande lueur tombait. Tout ce qui avait
émergé de la nuit rentrait dans les ténèbres. La
bananeraie et la frange de la forêt vierge avaient

disparu. La rivière régressait dans l'ombre. Les troncs gris des grands palmiers s'évanouissaient. Lorsque le soleil déverserait de nouveau sur la nature la lumière glorieuse du tropique, il ne resterait de cette scène nocturne qu'un monceau de cendres livré aux caprices du vent.

TABLE

BRODARD ET TAUPIN — IMPRIMEUR - RELIEUR
Paris-Coulommiers. — France.
05.717-I-4-6881 - Dépôt légal n° 2830, 2ᵉ trimestre 1963.
LE LIVRE DE POCHE - 4, rue de Galliéra, Paris.

LE LIVRE DE POCHE

VOLUMES PARUS ET A PARAITRE EN 1963

LE LIVRE DE POCHE
EXPLORATION

LE LIVRE DE POCHE
CLASSIQUE

VOLUMES PARUS ET PARAITRE
DANS LE 1er SEMESTRE 1963

LE LIVRE DE POCHE
HISTORIQUE

JACQUES BAINVILLE
427-428   Napoléon.
513-514   Histoire de France.

MARIA BELLONCI
679-680   Lucrèce Borgia.

BENOIST-MÉCHIN
890-891   Ibn-Séoud.

LOUIS BERTRAND
728-729   Louis XIV.

DANIEL-ROPS
606-07-08 L'église des Apôtres et
           des Martyrs.
624-625   Histoire sainte.
626-627   Jésus en son temps.

PHILIPPE ERLANGER
342-343   Diane de Poitiers.

GÉNÉRAL DE GAULLE
          Mémoires de Guerre.
389-390   L'Appel (1940-1942) to-
          me I.
391-392   L'Unité (1942-1944) tome
          II.
612-613   Le Salut (1944-1946) to-
          me III.

PIERRE GAXOTTE
461-462   La Révolution française.
702-703   Le Siècle de Louis XV.

RENÉ GROUSSET
883-884   L'Épopée des croisades.

ANDRÉ MAUROIS
455-456   Histoire d'Angleterre.

RÉGINE PERNOUD
          Vie et mort de Jeanne
          d'Arc (*).

O. DE WERTHEIMER
          Cléopâtre (*).

STEFAN ZWEIG
337-338   Marie Stuart.
386-387   Marie-Antoinette.
525-526   Fouché.

(*) : Volume double

A PARAITRE DANS LE 4e TRIMESTRE 1963

CORNÉLIUS RYAN
Le Jour le plus long (*).

LE LIVRE DE POCHE
ENCYCLOPÉDIQUE

A PARAITRE DANS LE 2e TRIMESTRE 1963